When Genius Failed
The Rise and Fall of Long-Term Capital Management

羅傑・羅溫斯坦——著
Roger Lowenstein
林東翰——譯

When Genius Failed

The Rise and Fall of Long-Term Capital Management

Roger Lowenstein

獻給

莫里・拉斯基（Maury Lasky）

以及

簡・露絲・梅爾斯（Jane Ruth Mairs）

凡是過去，皆為序章，問題是：哪個「過去」？

——胡亨利

作者說明與致謝
Author's Note and Acknowledgments

這本談長期資本管理公司興衰史的書，並沒有獲得正式授權。這個寫書計畫剛開始時，我有過幾次機會得以正式採訪該公司合夥人艾瑞克·羅森菲爾德和大衛·穆林斯，但這種正式的合作關係很快就終止了。後來我幾次嘗試恢復採訪，並且試圖正式接觸LTCM創辦人約翰·梅里韋瑟與其他合夥人，但都徒勞無功。雖是如此，在研究的過程中，我一再透過電子郵件和電話，沒完沒了地傳送一些問題清單給羅森菲爾德，他卻也大方地同意答覆我。此外，長期資本管理公司各個層級的許多員工，都私下協助我進行研究，幫助我了解該公司的內部運作，以及許多合夥對象的細微差別。我衷心感謝他們。

其他主要的消息來源，是我在華爾街幾家大型投資銀行進行的採訪，包括在長期資本誕生和最終救命關頭時，發揮關鍵作用的六家銀行。沒有貝爾斯登、高盛、摩根大通、美林、所羅門兄弟和瑞銀集團內的諸多人士協助，就不可能完成這本書。

經濟學方面的知識，我也獲得許多大師傾囊相授。當然還有其他方面的，在彼得·伯恩斯坦、尤金．法馬、約翰．吉爾斯特、布魯斯．雅各斯、克里斯多夫．梅和馬克．魯賓斯坦諸君協助下[1]，我更加了解了長期資本進行交易時的選擇權、避險（對沖）、鐘形曲線和肥尾效應的世界。

此外，在其基金垮台前，長期資本合夥人在一九九九年一月準備的機密備忘錄，提供了該基金在整個存續期內的資本、資產總額、財務槓桿和每月盈收的事實和數據，這也是關於投資者成效的資訊。這個資料是無價之寶，事實上本書的許多數字都來自這裡。最後，我要感謝紐約聯邦準備銀行自由不設限的配合。

只要有必要，我都會以註解標明資料。不過，有一些情況，我得仰賴某些不願暴露身分的消息來源。撰寫比較近期的事件一向比較困難，而長期資本的興衰史——基本上，這是一個失敗與失望的故事——特別難以拿捏。長期資本合夥人自然是不想曝光，他們在這個事業的最輝煌時期都會感到不自在了，那麼會對這樣驚天失敗的歷史感到意興闌珊，也不過是人之常情。因此有許多資料我並未註明出處，這點還請讀者見諒。

•
•
•

我非常非常感激威肯．貝伯里安（Viken Berberian），他不僅毫無畏怯地到處蒐集事證，也是個足智多謀、洞察力優秀的助手。還有尼爾．巴爾斯基（Neil Barsky）、傑佛瑞．譚南鮑姆（Jeffrey

Tannenbaum）這兩位摯友，以及我那無人能及的父親路易斯．羅溫斯坦（Louis Lowenstein），他們不知疲倦地看完這本書的草稿，給了我寶貴且迫切需要的建議；他們親力親為的審閱激發了我，並為每篇文字增添了光采。我的經紀人梅蘭妮．傑克遜（Melanie Jackson）和編輯安．戈多夫（Ann Godoff），就好比蒙坦納和萊斯（Montana-to-Rice）〔2〕這樣萬無一失的團隊，很熟稔地引導這個寫作計畫從構思到執行完成。他們一再展現的信心，讓原本我得孤軍奮戰的許多時刻變得輕鬆不少。我的三個孩子麥特、薩克和艾莉，也一直都是我的靈感來源。在寫這本書的過程中，還有其他很多人在專業及私誼上幫了我大忙，我對他們感激不盡。

1 編註：彼得．伯恩斯坦（Peter Bernstein，一九一九～二〇〇九）為美國經濟學家、金融史學者。尤金．法馬（Eugene Fama，一九三九～）為美國經濟學家，以期權公式做為模型而享譽全球。約翰．吉爾斯特（John Gilster）為美國財務金融學者。馬克．魯賓斯坦（Mark Rubinstein）是金融經濟學家和金融工程師。布魯斯．雅各斯（Bruce Jacobs）與克里斯多夫．梅（Christopher May）為相關領域專業人士。

2 譯註：蒙坦納和萊斯是美式足球的傳奇四分衛與外接員搭檔。

目次

紐約聯準銀行是美國的中央銀行「美聯準」(Fed)最重要的分行，由於地處華爾街，這個地利之便，使它成了艾倫．葛林斯潘所執掌的聯準會在市場上的耳目。強勢的紐約聯準主席威廉．J．麥克唐納，經常和銀行家及交易員對話。他想要跟上交易員彼此分享的八卦，尤其想聽到任何可能擾亂市場，甚至更極端的擾亂金融體系的小道消息。但他還是會盡量待在幕後。要麥克唐納出手干預，即使是最小程度的干預，得要是一場危機，甚至一場戰爭才行。在一九九八年剛剛入秋之際，麥克唐納就出手干預了——而且力道還不小。

亂源似乎很小，而且遙遠得可笑，看似微不足道。但是在一九九八年九月二十三日這個星期三下午，長期資本管理公司（LTCM）似乎已經不容小覷。由於LTCM引發的金融危機，麥克唐納邀來華爾街各大銀行的負責人——這次不是為了幫拉丁美洲國家紓困，而是要想辦法拯救自家人。

第一部 長期資本管理公司崛起歷程

THE RISE OF LONG-TERM CAPITAL MANAGEMENT

一九七四年，所羅門兄弟銀行聘用了時年二十七歲、眼神堅定、雙頰圓潤、身材結實的梅里韋瑟。他在一九七七年成立的套利小組，代表著所羅門兄弟進化過程中，一個微妙而重要的轉變。這也是一九九〇年代長期資本管理公司要複製的模式——套利小組是讓梅里韋瑟變得習慣承受這種巨大風險，並且感到自在的實驗場域。由梅里韋瑟所帶領的套利部門，後來變成了主要業務，拿所羅門自家公司的資本做風險投資。

梅里韋瑟做事謹慎以避免犯錯；他不會透露自己的半點私事。對於交易員這個職業，沉默寡言是個完美的特質，但他必定已經察覺到，自己欠缺一種優勢——某種能讓所羅門兄弟顯得和其他債券交易商不一樣的優勢。他的解決方案看似簡單：為什麼不聘請更聰明的交易員？那種完全不同於坊間傳說中只憑膽識做買賣、毫不科學的尼安德塔人，而是將市場視為一種知識學科的交易員？

一九九〇年代初期，梅里韋瑟開始重操舊業時，投資這一行進入了黃金時代。擁有投資的美國人比起以前更多，股票價格也上漲到了驚人的高點。市場指數一次又一次飆升衝破以前從未想到的障礙。一次又一次創下新紀錄，使舊標準黯然失色。那是一個黃金時代，卻也是個緊張的時代。

「對沖基金」是從「多方下注」這個俗語衍生的口語，意思是藉由在另一方下注，來限制投機活動產生虧損的可能性。最先操作一個平衡或對沖的投資組合的，是《財星》雜誌撰稿人阿佛雷德·瓊斯。他擔心自己的股票會在普通市場暴跌期間下跌，因此決定利用對沖（也就是同時做多和做空）

來中和市場因素。梅里韋瑟向瓊斯看齊，預想著專注在債券市場上進行「相對值」交易的長期資本管理公司。但是兩者有個顯著的區別：梅里韋瑟打從一開始，就打算把長期資本的資金槓桿拉高到二、三十倍，甚至更高。

公債是由美國政府發行，用意是為聯邦預算籌措資金。其中每天交易的大約有一千七百億美元，它們普遍被認為是世界上風險最低的投資。但是，三十年期公債在發行六個月左右，發生了一件有趣的事情：投資者把它們塞進保險箱和抽屜裡，打算長期持有。隨著流通量減少，這些債券變得愈來愈難交易。在此同時，財政部發行了一種新的三十年期債券，它們的前景很看好。在華爾街，還要二十九年半才到期的舊債券，大家叫做「非首次發行債券」；而閃亮的新模式則是「首次發行債券」。非首次發行債券由於流動性較差，被認為比較沒人想買，這種債券於是開始稍微打折進行交易，因而有略高的殖利率。

由於長期資本偏好購買在每個市場流動性較差的證券，其資產並未像兩顆骰子滾動時互不相干那樣，完全獨立於其他市場。如果遇到「每個人」都想賣掉的時候，它的資產很容易一起下跌。

一九九〇年代，華爾街的交易大廳已普遍採納學術界對數字確定性的信任。《華爾街日報》上印的每日收盤價，就像壽險公司的精算表般，既可靠又可預測未來走勢，這也造成了華爾街的自大。這種自大主要源自羅伯特．C．默頓和邁倫．舒爾茲。每家投資銀行都聘請了年輕、聰明的博士，他們師承默頓、舒爾茲本人，或他們兩人的學生，把資本冒險投資在「市場是有效率的」這個假設上。默頓和舒爾茲受梅里韋瑟延攬為LTCM合夥人，他倆雖沒有參與長期資本的交易，也並未建立詳細說明各種交易案例的「模型」，卻是創造出該基金經營哲學的人。在長期資本的合夥人心裡，波動性是風險的最佳代理。就該公司的看法，價差顯示出對未來波動性風險的不精確預估值——這種波動性（對長期資本而言）是真正舉足輕重的一種風險。這種策略是直接從布雷克－舒爾茲公式演變而來的。

提供長期資本融資的銀行多達五十五家。這些銀行被該基金合夥人一副無懈可擊的神態給迷惑了，爭先恐後提出比其他銀行更好的條件。長期資本巧妙地利用了銀行渴望賺取規費的心理，促使它們用最有利於長期資本的條件來進行業務。該基金用微薄的利潤率和銀行交易，大幅削減了銀行提供這麼大的投資基金服務時，可望獲得的正常利潤。但是，銀行並沒有停止幻想長期資本會在交易結束後，為它們帶來豐厚利潤。它們就像沮喪卻滿懷希望的父母一樣，不斷用零食寵溺他們不可救藥的孩子。

美林證券和所羅門兄弟是長期資本最大的幕後金主，至少在融資方面是這樣。所羅門把長期資本當作它最大的客戶，尤其是在歐洲的交換交易中，但兩家公司糾纏的歷史讓它們維持著警戒的距離。反觀美林證券，卻愈來愈極力討好長期資本。美林證券的下層職員很快就明白，董事長把長期資本視為特殊客戶。

在一九九〇年代中期之前，華爾街已經習慣每年會發生一、兩次衍生性金融商品的「劇烈震盪」。隨著受創單位的名單愈來愈長，監管機構開始擔心整個體系有可能應付不了：他們害怕剛好拉到的「那條線」，會讓整個毛線團散掉。但是，是否真有一家和華爾街如此緊密交織的公司，一旦它垮台可能會毀掉這整個體系？

一九九七年十月，默頓和舒爾茲獲得了諾貝爾經濟學獎。默頓當時謙虛地警告說：「只因為你能夠衡量風險，就認為你可以消除風險，這是錯誤的認知。」舒爾茲家鄉的《渥太華公民報》將他列入名人檔案的同時，提醒他外界對衍生性金融商品有多麼深的疑慮。「你認為一九八七年的股市崩盤你要負多大的責任？」舒爾茲嚇呆了，嘟囔著說道：「完全沒有。真的一點也沒有。這就和你質問諾貝爾，是否會因為他發明了炸藥，而覺得對第一次世界大戰有責任，是一樣的意思。」

第二部 長期資本管理公司垮台過程
THE FALL OF LONG-TERM CAPITAL MANAGEMENT

一九九八年初，長期資本開始大量做空股票波動性。這一年的最初幾個月，市場很平穩。國際貨幣基金組織制訂了對韓國的紓困計畫，使亞洲的情勢趨於穩定。再過不到一年就要推出歐元的歐洲投資人還沉浸在樂觀的氣氛裡。長期資本的氣氛也很輕鬆。根據他們的模型，在任何一個交易日，他們可能損失的最大金額為四千五百萬美元——以一家資本百倍於此金額的公司來說，這當然在容忍範圍內。

根據同樣的這些模型，公司遭遇一連串厄運——例如在一個月內賠掉四十%的資本——的可能性微乎其微。如果合夥人們會著急，絕不是和虧損有關；而是找不到夠多可以讓他們賺到錢的投資目標。隨著尋找合適交易的壓力愈來愈大，他們愈來愈常誤入異國的不毛之地，像是巴西和俄羅斯的債券市場和丹麥的不動產抵押貸款。長期資本已經屈服於將資金投入到「某個地方」的致命誘惑。

一九九八年八月十七日星期一，俄羅斯宣布延期償付債務。俄羅斯政府就只打算用盧布支付俄羅斯勞工工資，而不付錢給西方債券持有人。它也不會試圖維持盧布在外國市場的幣值。簡單的說，這就是貶值的一種作法，也是違約行為。星期四，也就是暫停償付三天後，世界各地的市場都崩盤了。星期五，各地的交易員都想退場。亞洲和歐洲股市暴跌。道瓊工業指數在中午前就跌了二八〇點，隨後又回穩。

這種明顯的波動性激增，使得長期資本損失了數千萬美元。即使在看似無關的市場裡，長期資本也遭受重創。該公司已經用數學明確算出過，它任何一天的損失，都不太可能超過三千五百萬美元。但在八月的這個星期五，它的資產就跌了五．五三億美元，占其資本的十五％。梅里韋瑟和高級合夥人本能地傾向採用相同的策略：籌募新的資金來讓公司應急，然後等待其交易狀況好轉。

合夥人對於是否應該借錢，意見嚴重分歧。穆林斯認為，如果該基金要倒閉了，為什麼還要把銀行拖下水？再貸款只會把事情搞得更複雜。梅里韋瑟、霍金斯、莫德斯特和兩名諾貝爾獎得主也同意。希利伯蘭、哈罕尼、黎伊和羅森菲爾德，則強烈主張使用循環信用貸款。他們問，那不然還能怎麼樣補足他們在貝爾斯登的資本？

合夥人還有高盛銀行和其執行長科津，在九月中，他們成了長期資本的最佳希望。科津同意提供資金，但他要求：擁有合夥人的管理公司LTCM一半所有權，長期資本的策略要全部告知他，此外他有權對該基金的暴險設定限制。這名釋出好意的金融家提議的條件跟收購差不了多少。然而，科津提供了出自高盛及其客戶的十億美元資金，還承諾幫助長期資本籌措第二筆十億美元。而且只要讓大家都知道，長期資本背後有高盛支援，就有可能會止血。梅里韋瑟根本沒辦法拒絕。

華爾街四大銀行的銀行家在七點，會見了紐約聯準銀行的彼得・費雪。對於紓困長期資本的資金算是股權呢？或者算是臨時貸款？應該允許長期資本的合夥人留下，還是要解雇他們？如果他們真的留下來，要由誰來控制這個基金？……等等問題，到了八點二十分，四大銀行還在爭論不休。同時間，其他大銀行的執行長陸續抵達，在會議室外面一直等著。費雪叫了暫停，打開大木門，邀請這些人進會議室。

這些華爾街的菁英在商討了一段時間後，對長期資本發洩了他們的憤怒。四年來，這些合夥人對其他事都漠不關心，從每家銀行挑選最有利的交易，甚至毫不遮掩他們的優越感，如今他們看起來就像假先知。美林證券的艾里森和科津一再中途離開會談，向梅里韋瑟提供最新消息。聽聞這些針對他的怒火，梅里韋瑟聽起來很羞愧。「聽著，我會盡我所能地提供協助。」他喃喃說道。

默頓對於長期資本的失敗在現代金融、以及在他本人非凡的學術成就上留下的汙點，非常心煩意亂。另一名諾貝爾獎得主舒爾茲倒保有幽默機智，他在自己的婚禮上告訴賓客，他會冠上他妻子珍的姓，而不是要他老婆冠夫姓。

高盛執行長科津為人正派，卻負責經營一家不擇手段的公司；在一個凡事向錢看的社會中，他知道自己處於一個更大的世界裡的什麼位置；他會為了梅里韋瑟這個讓他失望也令他著迷的對手，而放下手上的劍。

如果沒有大通曼哈頓銀行一再幫助，長期資本肯定會破產，該銀行的貸款後來得到償還，並且一舉成名。事實上，多虧了這次救援行動，長期資本得以支付每一筆追加保證金。它對債權人的所有債務也全部償還了。

梅里韋瑟從不懷疑，他和他從所羅門帶來的核心團隊會試圖籌募資，東山再起。幾乎是紓困協議上的墨水一乾，他和其忠實信徒就開始對財團的掣肘感到不耐煩了……

特別聲明　本書中的言論內容不代表本公司／出版集團的立場及意見，由作者自行承擔文責。

本書中各主要機構中的人物（少數省略）

長期資本管理公司（ＬＴＣＭ）的人員

約翰・梅里韋瑟（John W. Meriwether）　長期資本管理公司暨旗下基金創辦人。

艾瑞克・羅森菲爾德（Eric Rosenfeld）　原為哈佛商學院的助理教授，先被梅里韋瑟延攬至所羅門兄弟銀行，後來成為ＬＴＣＭ合夥人。

維克多・哈罕尼（Victor J. Haghani）　倫敦政經學院金融學碩士，先被梅里韋瑟延攬至所羅門兄弟銀行，後來成為ＬＴＣＭ合夥人。

格雷戈里・霍金斯（Gregory Hawkins）　麻省理工學院金融經濟學博士，先被梅里韋瑟延攬至所羅門兄弟銀行，後來成為ＬＴＣＭ合夥人。

威廉・克拉斯克（William Krasker）　經濟學家，麻省理工學院博士，是羅森菲爾德在哈佛大學的同事，先被梅里韋瑟延攬至所羅門兄弟銀行，後來成為ＬＴＣＭ合夥人。

勞倫斯・希利伯蘭（Lawrence Hilibrand）　擁有兩個麻省理工學院的學位，ＬＴＣＭ合夥人。

羅伯特・C・默頓（Robert C. Merton）　哈佛大學的金融領域頂尖學者，ＬＴＣＭ合夥人。

邁倫・舒爾茲（Myron S. Scholes） 經濟學家，曾在所羅門兄弟銀行設立專事衍生性金融商品交易的子公司，後來成為LTCM的合夥人。

托馬斯・貝爾（Thomas Bell） LTCM委託的律師。

盛信律師事務所（Simpson Thacher & Bartlett） 托馬斯・貝爾與人合夥創立的事務所。

理查・黎伊（Richard F. Leahy） 原為所羅門兄弟銀行的高階主管，後來成為LTCM合夥人。

詹姆斯・麥肯泰（James J. McEntee） 曾經創辦債券交易公司，後來成為LTCM合夥人。

大衛・W・穆林斯（David W. Mullins） 美國聯邦準備委員會副主席，後來成為LTCM合夥人。

阿爾貝托・喬瓦尼尼（Alberto Giovannini） 曾經就讀麻省理工學院，擔任過義大利財政部官員，也是哥倫比亞大學教授，受聘LTCM。

彼得・羅森塔爾（Peter Rosenthal） 媒體發言人。

威廉・F・夏普（William F. Sharpe） 獲得諾貝爾獎的經濟學家，是LTCM某個投資人的顧問。

大衛・莫德斯特（David Modest） 出身麻省理工學院的經濟學家。

漢斯・赫夫施密德（Hans Hufschmid） 專門從事貨幣交易。

黃奇輔（Chi-fu Huang） 麻省理工學院著名數學家和電腦模擬專家，營運管理LTCM東京辦事處。

克里希那馬哈（Arjun Krishnamachar） 與黃奇輔一起營運管理LTCM東京辦事處。

馬丁・西格爾（Martin Siegel） 處理巴西和其他新興市場。

亞倫・蘇尼爾（Alain Sunier） 懂統計學的年輕股票研究員。

詹姆斯・里卡茲（James Rickards） 法律總顧問。

勞勃・薩斯塔克（Robert Shustak） 財務長。

馬特・扎姆斯（Matt Zames） 交易員。

麥克・瑞斯曼（Mike Reisman） 回購交易員。
麥特・扎姆斯（Matt Zames） 的交易員。

美國政府機構的人員（美聯準、紐約聯準銀行與財政部等）

艾倫・葛林斯潘（Alan Greenspan） 美聯準（美國聯邦準備系統）主席。
威廉・J・麥克唐納（William J. McDonough） 紐約聯邦準備銀行主席。
大衛・W・穆林斯（David W. Mullins） 美國聯邦準備委員會副主席，後來成為LTCM合夥人。
尼古拉斯・布雷迪（Nicholas Brady） 大衛・W・穆林斯任職財政部時的上司。
布魯克斯利・伯恩（Brooksley Born） 商品期貨交易委員會主席。
切斯特・費爾德伯格（Chester Feldberg） 紐約聯邦準備銀行的執行副總裁。
約翰・懷特海德（John Whitehead） 紐約聯邦準備銀行主席。
彼得・費雪（Peter Fisher） 任職紐約聯邦準備銀行，負責交易活動。
迪諾・柯斯（Dino Kos） 彼得・費雪的助理。
羅伯特・魯賓（Robert Rubin） 財政部長（一九九五～一九九九）。
蓋瑞・詹斯勒（Gary Gensler） 財政部助理部長，也是財政部長羅伯特・魯賓在高盛時的合夥人。
理查・格拉索（Richard Grasso） 紐約證交所主席。
大衛・倫克爾（David Runkel） 美國眾議院銀行委員會的發言人。

所羅門兄弟銀行的人員

約翰・葛德佛倫（John Gutfreund） 所羅門兄弟銀行的經營合夥人。

艾倫・芬恩（Allan Fine） 所羅門兄弟的合夥人。

馬丁・萊博維茨（Martin Leibowitz） 所羅門兄弟聘用的數學家。

威廉・麥金塔（William McIntosh） 面試梅里韋瑟的所羅門兄弟合夥人。

小克雷格・寇茲（Craig Coats Jr.） 所羅門兄弟的政府債券交易部門負責人。

傑伊・希金斯（Jay Higgins） 所羅門兄弟的投資銀行家。

傑拉德・羅森菲爾德（Gerald Rosenfeld） 所羅門兄弟的財務長。

蘭迪・希勒（Randy Hiller） 所羅門兄弟套利小組的抵押貸款交易員，因看不慣該小組的排他性而離職。

德里克・莫恩（Deryck Maughan） 保羅・莫澤事件後，所羅門兄弟的新任執行長。

羅伯特・史塔維斯（Robert Stavis） 所羅門兄弟時期曾在套利小組工作，後來成為該公司套利部門主管。

文森・麥湯尼（Vincent Mattone） 在所羅門兄弟工作過，梅里韋瑟在貝爾斯登的朋友。

科斯塔斯・卡普蘭尼斯（Costas Kaplanis） 梅里韋瑟在所羅門兄弟的交易員，但未加入LTCM。

大衛・史文森（David Swensen） 耶魯大學博士，任職所羅門兄弟。

安德魯・霍爾（Andrew Hall） 一九八〇年代曾在所羅門兄弟工作的石油交易員。

羅伯・阿德里安（Rob Adrian） 所羅門兄弟的股票風險管理負責人。

安迪・康斯坦（Andy Constan） 負責所羅門兄弟的衍生性金融商品交易。

大通曼哈頓銀行／摩根大通集團的人員

托馬斯・雷伯瑞克（Thomas Labrecque） 大通曼哈頓銀行總裁兼首席運營官。

華特・施普萊（Walter Shipley） 大通曼哈頓的執行長。

羅伯特・史壯（Robert Strong） 大通曼哈頓的信貸總監。

威廉・哈里森（William Harrison）　大通曼哈頓的副董事長。

道格拉斯・華納（Douglas Warner）　摩根大通的董事長。

羅貝托・門多薩（Roberto Mendoza）　摩根大通的副董事長。

美林證券的人員

戴維・科曼斯基（David Komansky）　美林證券的董事長，二〇一一年過世。

赫伯特・艾里森（Herbert Allison）　美林董座戴維・科曼斯基的副手。

戴爾・邁爾（Dale Meyer）　任職美林證券。

愛德森・米契（Edson Mitchell）　美林證券高層，負責監督長期資本的基金募資之事。

大衛・科曼斯基（David Komansky）　負責美林證券的資本市場。

凱文・鄧利維（Kevin Dunleavy）　業務員。

丹尼爾・納波利（Daniel Napoli）　風險經理。

史蒂芬・貝洛提（Stephen Bellotti）　主管外匯交易。

羅伯特・麥克唐納（Robert McDonough）　負責對沖基金的信貸主管。

理查・鄧恩（Richard Dunn）　歐洲與英國債務市場主管。

湯姆・戴維斯（Tom Davis）　任職美林證券。

世達律師事務所（Skadden, Arps, Slate, Meagher & Flom）　美林證券的外部律師事務所。

菲利普・哈里斯（Philip Harris）　世達律師事務所的合夥人。

J・格里高利・米爾默（J. Gregory Milmoe）　世達律師事務所的合夥人，代表美林證券談判。

高盛銀行的人員

強恩・科津（Jon Corzine） 高盛銀行的執行長，梅里韋瑟在芝加哥大學的同學。

洛伊德・布蘭克費恩（Lloyd Blankfein） 合夥人。

蘇利文・克倫威爾律師事務所（Sullivan & Cromwell） 代表高盛的外部律師事務所。

雅各・戈德菲爾德（Jacob Goldfield） 負責辦事處營運的重要成員。

約翰・塞恩（John Thain） 財務長。

彼得・克勞斯（Peter Kraus） 投資銀行家。

約翰・米德（John Mead） 外聘法律顧問，任職蘇利文・克倫威爾律師事務所。

羅伯特・卡茨（Robert Katz） 內部法律顧問。

貝爾斯登銀行的人員

詹姆斯・凱恩（James Cayne） 貝爾斯登的執行長。

文森・麥湯尼（Vincent Mattone） 在所羅門兄弟工作過，梅里韋瑟在貝爾斯登的朋友。

艾倫・格林伯格（Alan Greenberg） 貝爾斯登的董事長，年近七旬。

麥克・亞利克斯（Michael Alix） 信貸部門高級主管。

華倫・史貝克特（Warren Spector） 執行副總裁。

旅行者集團暨所羅門美邦公司的人員

桑佛・魏爾（Sanford I. Weill） 旅行者集團暨所羅門美邦公司的董事長。

史蒂芬・布萊克（Steven Black） 所羅門美邦的全球股票業務主管。

瑞銀集團的人員

戴維・索洛（David Solo）一九八六年受聘於「奧康納與夥伴」，後來任職瑞銀集團。
朗恩・坦南鮑姆（Ron Tannenbaum）前所羅門兄弟業務員，LTCM在瑞銀的重要盟友。
馬西斯・卡比亞拉維塔（Mathis Cabiallavetta）瑞銀的執行長。
拉米・戈德斯坦（Ramy Goldstein）股票衍生性金融商品業務負責人。
漢斯－彼得・鮑爾（Hans-Peter Bauer）固定收益、貨幣和衍生性金融商品主管。
史蒂文・舒爾曼（Steven Schulman）風險經理。
瓦納・波納道爾（Werner Bonadurer）任職瑞銀集團。
菲力克斯・費許（Felix Fischer）首席風險管理執行官。

美國信孚銀行的人員

法蘭克・紐曼（Frank Newman）美國信孚銀行董事長。
史蒂夫・佛瑞德漢姆（Steve Freidheim）交易員兼對沖基金經理。
史蒂夫・弗雷德海姆（Steve Freidheim）高階主管。

瑞士信貸第一波士頓的人員

艾倫・惠特（Allen Wheat）瑞士信貸第一波士頓的執行長。
尼爾・索斯（Neil Soss）經濟學家。
馬修・阿列克西（Matthew Alexy）策略師。

瑞士銀行公司的人員

安德魯・西西利亞諾（Andrew Siciliano） 債券和貨幣部門負責人。

馬塞爾・奧斯佩爾（Marcel Ospel） 國際部負責人。

提姆・弗雷德里克森（Tim Fredrickson） 衍生性金融商品業務負責人。

花旗集團的人員

華特・瑞斯頓（Walter Wriston） 花旗銀行的董事長。

威廉・羅德斯（William Rhodes） 副董事長。

1994年3月至1998年10月長期資本的基金投資的一美元總價值。

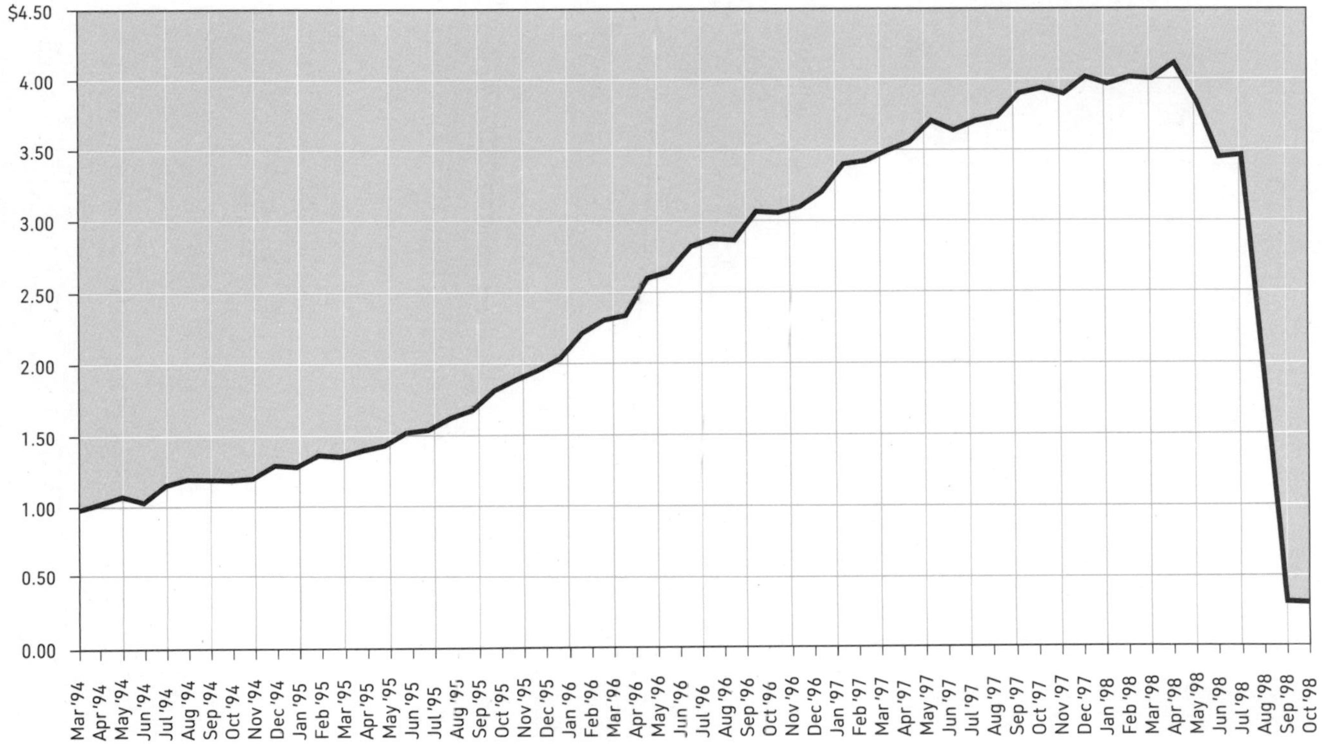

前言
Introduction

紐約聯邦準備銀行（Federal Reserve Bank）座落在華爾街中心的一塊灰色砂岩石板上。雖然這棟一九二四年興建的建築是紐約市的地標，但位處在周圍生氣勃勃的企業建築物之間，它卻顯得毫不起眼、靜悄悄的。那個區域零星散布著一些折扣商店和小餐館，而且幾乎到處是證券經紀商和銀行。緊鄰聯準銀行的，有一座修鞋攤和一家日式餐館，以及大通曼哈頓銀行（Chase Mahattan Bank）；再過去幾個街口，就能到摩根大通集團（J. P. Morgan）。更往西一點，則是美國人的證券公司美林證券（Merrill Lynch），它凝視著哈德遜河，在河的對面則是美國其他地區和美林大多數的客戶。銀行的摩天大樓散發出一種開放、親切的氣氛，不過紐約聯準銀行的大樓，就像佛羅倫斯的文藝復興時期展示品那樣，明顯地不可親近。它的拱形窗子外面有金屬柵欄圍著，而位在自由街的主要入口處，有一排嚴嚴實實的黑衣哨兵警備著。

紐約聯準銀行只是美國的中央銀行——美國聯邦準備系統（U.S. Federal Reserve System，簡稱「美聯準」與「Fed」）的一個分行[1]，不過卻是最重要的分行。由於紐約聯準銀行地處華爾街，這個地利之便使它成了艾倫・葛林斯潘（Alan Greenspan）所執掌、遠在華盛頓的理事會（聯準會）在市場上的耳目。強勢的紐約聯準主席威廉・J・麥克唐納（William J. McDonough）經常和銀行家及交易員對話。麥克唐納想要跟上交易員彼此分享的八卦。他尤其想聽到任何可能擾亂市場，甚至更極端的擾亂金融體系的小道消息。但麥克唐納還是會盡量待在幕後。美聯準一直是個有爭議的監管機構——一個和華爾街走得很近的公僕組織，是市場的民主式亂局中的一個隱蔽機構。要麥克唐納出手干預，即使是最小程度的干預，得要是一場危機，甚至一場戰爭才行。在一九九八年剛剛入秋之際，麥克唐納就出手干預了——而且力道還不小。

亂源似乎很小，而且遙遠得可笑，以至於看似微不足道。但事情不總是這樣子發展的嗎？茶葉被倒入海港，奧地利大公遭槍殺，火種就瞬間被點燃，爆發了危機，整個世界就變得不一樣了。在這個案例裡，打出的子彈是長期資本管理公司（Long-Term Capital Management，簡稱LTCM），這家民營合夥投資公司總部設在康乃狄克州的格林威治，離華爾街大約四十幾英里。LTCM員工不到兩百人，只為一百名投資者管理資金，而且保證至少有百分之九十九的美國人沒聽過它。實際上，在五年以前[2]，甚至還沒有這家公司。

但是在一九九八年九月二十三日這個星期三下午，LTCM似乎已經不容小覷。由於LTCM引發的金融危機，麥克唐納「召集」——美聯準對「邀請」的慣用說法——華爾街各大銀行的負責人。美國信孚銀行（Bankers Trust）、貝爾斯登（Bear Stearns）、大通曼哈頓銀行（Chase

Manhattan）、高盛、摩根大通、雷曼兄弟、美林證券、摩根史坦利，以及所羅門兄弟（Salomon Brothers）的頭頭們，首次齊聚集在十樓聯準會會議室的油畫之下——這次不是為了幫拉丁美洲國家紓困，而是要想辦法拯救自家人。紐約證券交易所的主席，以及歐洲主要銀行的代表，也加入了他們的行列。美聯準不曾主辦過這麼大的聚會，所以沒有足夠的皮製主管椅可以應付需求，這些執行長因此不得不縮著身子坐在金屬折疊椅上。

儘管麥克唐納是公職人員，不過這場會議是機密性的。眾所周知，當時的美國正處於史上一波大牛市的鼎盛時期，儘管那陣子就和之前幾年的秋天一樣，已經看到一些市場衰退的跡象。從八月中旬以來，俄羅斯開始拖欠其盧布債務時，全球債券市場尤其動盪。但這並不是麥克唐納召集銀行家的原因。

從事債券交易的長期資本，正處於破產邊緣。該基金由所羅門兄弟的前員工、著名的交易員約翰・梅里韋瑟（John W. Meriwether）經營，他是個做人圓融但行事謹慎的中西部人，在銀行家之間很受歡迎。正是因為他的緣故，銀行家們才同意貸款給長期資本，並且同意了非常大方寬鬆的條款。但梅里韋瑟只是長期資本的門面而已。該基金的核心，是一群有著博士學位的精明套利者。他們其中許多人當過教授，有兩人還得過諾貝爾獎；他們都絕頂聰明，自己也都知道這點。

1 編註：本書以「美聯準」稱呼美國聯邦準備系統，其理事會則稱為「聯準會」；不採用「美聯儲」這個譯名。

2 編註：本書最早於二〇〇〇年出版，長期資本管理公司創於一九九四年。

四年來，長期資本一直讓華爾街欣羨不已。該基金一年的收益超過四十%，不曾虧損，也沒有波動性，似乎一點風險也沒有。該公司聰明絕頂的超人們，顯然已經能夠把不確定的世界限縮成精確而冷冰冰的機率——在形式上，他們是現代金融必須提供的最佳人選。

這個沒沒無聞的套利基金，已經募集到令人咋舌的一千億美元資金，幾乎所有資金都是向麥克唐納面前的這些銀行家借來的。不過就算這筆債再怎麼驚人，和長期資本最嚴重的問題相比，也只是小巫見大巫。該基金已經簽訂了數千筆衍生性金融商品合約，這些合約使得該基金和華爾街的每家銀行無止境地糾纏在一起。這些合約本質上是對市場價格的單方面下注，掩飾著背後的一大筆天文數字——總值超過一兆美元的暴險。

如果長期資本違約，則會議室裡的所有銀行都會變成持有合約的一方，而合約的另一方已不復存在。換句話說，他們將面臨龐大且難以承受的風險。毫無疑問，當每家銀行爭先恐後地想擺脫目前的單方面義務的處境，設法出售從長期資本拿到的擔保品時，必定會演變成一場風暴。

市場有多悠久，對市場的恐慌也就多悠久，但此時衍生性金融商品是相對新穎的東西。監督機關對這些新式金融商品的潛在風險憂心忡忡，因為這些新產品會把該國的金融機構，牽扯進複雜的互惠義務關係裡。官員們想知道，如果這個關係裡的某個大環節失敗了，會發生什麼事。麥克唐納擔心市場會停止運作，貿易活動將會停擺，整個系統本身將會崩潰。

抽著雪茄的貝爾斯登執行長詹姆斯・凱恩（James Cayne）曾經誓言，如果長期資本可動用的現金少於五億美元，他將停止清算和該基金的交易——這樣一來該基金就會倒閉。在那年年初時，這似乎還言之過早，因為長期資本的資金還有四十七億美元。但是在過去的五個星期內，或說自從俄羅斯拖欠債務後，長期資本每天都要蒙受令其麻木的鉅額虧損。它的資本已經跌落最谷底，凱恩認為它怎麼救都救不活了。

該基金已經向華倫・巴菲特討過救兵。它也找過喬治・索羅斯。還去過美林證券。它一家一家地徵詢了能想到的每家銀行，現在已經走投無路了。這就是為什麼麥克唐納非得邀請銀行家來開會，就像教父會召集對手以及可能開戰的家族見面一樣。如果這些銀行一家接著一家拋售手上的債券，最後將會造成全世界恐慌。如果他們共同行動，也許可以避免一場災難。儘管麥克唐納沒有明講，但他希望這些銀行投資四十億美元來拯救這個基金。他希望它們當時能馬上進行——等到隔天就為時已晚了。

不過這些銀行家覺得，長期資本已經給他們帶來夠多的麻煩了。長期資本那些愛藏私、關係緊密的數學家，老是對華爾街的其他人不屑一顧。促成長期資本成立的美林證券，一直以來都試圖和該基金建立起可以獲利、互惠互利的關係。其他許多銀行也是這樣想。但是長期資本回絕了它們。這群教授一向喜歡按照自己的條件做交易，而且只照他們的條件進行，完全不想和中途加入的銀行碰面。從前那麼傲慢的長期資本現在回頭懇求銀行家幫忙，對此銀行家們可是不太樂意。

而且由於長期資本推波助瀾造成的市場動盪，也讓這些銀行家本人深受其害。高盛銀行執行長強恩・科津（Jon Corzine）那時候面臨合作夥伴反叛，這些合作夥伴被高盛那時的營業損失嚇壞了，而且和科津不同，他們可不想把不斷減少的資金拿去幫助競爭對手。旅行者集團暨所羅門美邦公司（Traveller / Salomon Smith Barney）董事長桑佛・魏爾（Sanford I. Weill）也遭受了重大損失。魏爾擔心那些虧損會危及他的公司與花旗集團合併一事，而魏爾把這件合併案視為其輝煌職業生涯中最重大的成就。他最近關閉了自己的套利部門——幾年前，梅里韋瑟曾在這個部門展開他的職業生涯——而且對於給其他套利基金紓困也興趣缺缺。

麥克唐納環顧四周。他的這些賓客或多或少都遇到了麻煩，其中很多都是長期資本的直接受害者。這些銀行的股票市值已經暴跌。這些銀行家也和麥克唐納一樣，很害怕這場從亞洲貨幣貶值開始，蔓延到俄羅斯、巴西，如今纏住長期資本的全球性風暴，將使整個華爾街陷入困境。

雷曼兄弟董事長理查・富爾德（Richard Fuld）反駁了有關他的公司因為過度投資長期資本而瀕臨倒閉的謠言。代表瑞士大型銀行瑞銀集團（Union Bank of Switzerland，簡稱UBS）的戴維・索洛（David Solo）認為，他的銀行已經投入太深了，他們銀行很愚蠢地投資了長期資本的債券，蒙受了巨額虧損。托馬斯・雷伯瑞克（Thomas Labrecque）的大通曼哈頓銀行曾經融資給這家對沖基金五億美元；雷伯瑞克希望對方先償還那筆貸款，他才會考慮要不要增加投資。

魁梧的美林證券董事長戴維・科曼斯基（David Komansky）是最擔心的人。在短短兩個月內，美林證券的股票市值已經腰斬——一百九十億美元的市值就這樣化為飛灰。美林證券也在債券交易上蒙受了驚人的損失，現在它自己的信用評等也岌岌可危。

科曼斯基個人投資了該基金將近一百萬美元，對於長期資本倒閉可能造成的混亂也很恐懼。但是他也知道，這間會議室裡的人對長期資本有多麼感冒。他認為再怎麼樣，這些銀行家都不太可能點頭同意。

科曼斯基體認到，特立獨行的貝爾斯登執行長凱恩的立場，勢必會產生舉足輕重的影響。清算完和長期資本的交易的貝爾斯登，比其他公司都更了解對沖基金的本質。當其他銀行家緊張地在座位上舉棋不定時，科曼斯基的副手赫伯特・艾里森（Herbert Allison）詢問了凱恩他的立場是什麼。

凱恩很明白地宣告了自己的立場：貝爾斯登不會投資長期資本半毛錢。這些銀行家，這群華爾街的菁英，沉默了一會兒。接下來，整個房間就亂成一團了。

PART 1

長期資本管理公司崛起歷程

THE RISE OF
LONG-TERM CAPITAL MANAGEMENT

1 約翰・梅里韋瑟 Meriwether

若要說約翰・梅里韋瑟當年在所羅門兄弟時有找到什麼信條，那就是「控制好你的損失，直到它們變成收益」。從這句話可能就可以精確知道，梅里韋瑟是在何時得到啟示的。一九七九年，證券交易商艾克司登投資公司（J. F. Eckstein & Co.）瀕臨破產。六神無主的艾克司登找上了所羅門兄弟，和一個由所羅門兄弟數名合夥人與梅里韋瑟組成的小組開會，梅里韋瑟當時只是個年僅三十一歲、臉蛋稚嫩的交易員。艾克司登懇求他們說：「我得到了一筆大單，但我沒辦法接續著做下去。你們出資買斷我這筆交易怎麼樣呢？」

狀況是這樣的：艾克司登買進了短期國庫券（Treasury bill）期貨——顧名思義，短期國庫券期貨就是提供將來用固定價格交付美國短期國庫券的合約。它們的交易價格，通常會比標的國庫券實際的價格再稍微打個折。在傳統的套利模式裡，艾克司登會買進期貨，賣出國庫券，然後等著兩者價格趨近。由於大多數的人在不久之後買國庫券的價格，會跟現在買國庫券的價格差不多，所以認為國庫券與期貨的價格會趨於一致是很合理的。交易裡有一些特殊技巧，這是艾克司登的公司、長期資本未來的業務，甚至是每個從事過這種交易的套利者的祕密。艾克司登並不知道兩個證券的價格是會上漲、還是會下跌，其實他也不在乎。對他來說，重要的是這兩個價格相互之間會怎麼變化。

利用購入國庫券期貨和做空（也就是押注在價格正在下跌的）實質國庫券，艾克司登實際上是在兩邊押注，其中一邊是上漲，另一邊是下跌。[1]取決於價格是否上漲或下跌，他可望從其中一筆交易賺到錢，而另一筆會賠錢。不過，只要較低價的資產（期貨）上漲得比國庫券漲幅多一點，或是下跌得比國庫券跌幅少一點，艾克司登那筆賺錢的交易，獲利就會遠多於另一邊的損失。這就是套利的基本概念。

艾克司登這樣子雙邊押注過很多次，基本上都能成功賺到錢。隨著他賺得愈來愈多，他也逐漸投入愈來愈多錢。在一九七九年六月，正常的走勢因為不明原因反轉了：期貨價格比國庫券價格更高。艾克司登堅信原來的那種關係會回復，所以又做了一筆非常大的交易。但差距不僅沒有拉近，反而擴大了。艾克司登因為被追繳巨額保證金，所以很急著想要賣出。

發生這件事的時候，梅里韋瑟才剛在所羅門內成立一個債券套利小組。他立即看出艾克司登的交易方式很合理，因為兩者的價格遲早會趨同。但同時，所羅門兄弟勢必得拿出自己數千萬美元的資本來冒險，而它的資本總額才兩億美元而已。合夥人們當然是繃緊神經，但也同意接手艾克司登的部位（position，意指期貨合約）。在接下來的幾個星期，價差持續擴大，所羅門兄弟因而蒙受嚴重虧損。該公司的資本帳戶通常是隨便寫在一本小冊子裡，然後放在合夥人艾倫·芬恩（Allan Fine）的辦公室外面。每天下午，其他合夥人都會緊張地踮著腳，走到芬恩的辦公室外面，查看他們虧損了多少。梅里韋瑟冷靜地堅持說，他們最後一定能獲利的。經營合夥人約翰·葛德佛倫（John Gutfreund）告訴他：「最好是能賺到錢，要不然你就準備被開除吧。」

後來價差還真的縮小了，所羅門兄弟大賺了一筆。那時幾乎沒有人交易過金融期貨，但梅里韋瑟很了解金融期貨交易。隔年，他升職為合夥人。更重要的是，他那個名字很不吉利的小小部門——「國內固定收益套利小組」（Domestic Fixed Income Arbitrage Group）——此時已獲得全權委託，可以使用所羅門兄弟的資本進行差價交易。事實上，梅里韋瑟已經找到他這輩子要做的事了。

• • •

梅里韋瑟於一九四七年出生，在芝加哥南邊羅斯蘭（Roseland）的羅斯摩爾（Rosemoor）地區長大，這是由市長理查·戴利（Richard Daley）治理的民主愛爾蘭天主教據點。他是家裡三個小孩之一，不過也是一個大家庭的成員，這個大家庭包括巷子對面的四個堂兄弟。事實上，整個社區鄰

1 在實務上，做空者賣的是借來的證券。往後他們必須返還這些證券——他們相信，到那個時候，價格已經下跌了。賤買貴賣的原則仍然成立。賣空者只是顛倒順序：先高價賣出，之後再用低價買進。

里都是家族親戚，梅里韋瑟幾乎認識這地區的每一個人。這裡是圍繞著籃球場、汽水店和教區的一個自給自足的小地方。它的東側與和伊利諾中央鐵路的軌道接壤，北邊以一道紅色木板圍籬為界，圍籬再過去則是一片有火車調度場和工廠的荒蕪區域。這裡就算不是窮鄉僻壤，也肯定不是什麼富饒小鎮。梅里韋瑟的父親是個會計師，母親在教育委員會工作，父母都很嚴格。和大多數鄰居一樣，梅里韋瑟家住在一個小巧的黃褐色磚房，有著修剪整齊的草坪和整潔的花園。這裡的每個人都會把小孩送進當地的學校上學（少數沒有去上學的會被當成「公眾人物」，遭到排擠）。梅里韋瑟穿著淺藍色襯衫、打上深藍色領帶，進入了聖約翰基督學校修士會小學（St. John de la Salle Elementary）就讀，後來再升上孟德爾天主教中學（Mendel Catholic High School），由奧思定會（Augustinian）教士教導。這裡的紀律很嚴厲；他們會拿尺修理男孩子，最嚴重的情況，還會叫他們一整節課罰跪。在這種喬伊斯式管理方式下受教育，梅里韋瑟在成長過程中已經習慣了無所不在的秩序感。就像梅里韋瑟的朋友、理髮師的兒子回想過往時說的：「我們不敢在（小學）校園裡到處亂晃，因為一輩子都會被修女處罰，而且以後會被送進地獄。」至於他們最終的出路，據說羅斯摩爾的年輕人有三種選擇：上大學、當警察或進牢房（這話大概只有一半是開玩笑）。梅里韋瑟從來沒有懷疑過他所選的路，他的所有同輩也都沒有。

他是個有人氣、聰明的學生，往後似乎也會功成名就。他有取得美國國家高中榮譽生會（National Honor Society）的資格，尤其在數學拿到特別高分——對於債券交易員，數學是必備的學科。也許是數學的規則性吸引了他。他曾經受一種約束感所左右，似乎只要越線就會招來一頓責打。他的一位密友就回顧說，儘管梅里韋瑟有點說話不饒人，但他也從未惹上嚴重的麻煩。〔2〕他會藏起自己的感情，壓制下任何魯莽的衝動念頭，用一種優雅的矜持表象，把自己的動機包裝和掩藏起。他雖然聰明，但沒到出類拔萃的程度，很受人喜愛，但並不引人注目。的確，在鄰里之間、在那段時期裡，他算是不怎麼起眼，然而在當時當地，若不這樣平凡低調，可能會過得很慘。

梅里韋瑟也喜歡賭博，不過只有在他贏面大到足以占上風時，他才會賭。而他那種對於冒險的謹慎作法，用在賭博這方面，確實能變成他的優勢。他學會了賭馬，也會玩二十一點，後者是從打牌的祖母那裡耳濡目染而來。他會用這種先天對勝負機率的感覺來下賭注，他會賭芝加哥小熊隊的比賽，不過要等到天氣報告之後，知道瑞格利球場（Wrigley Field）的風向如何再下注。〔3〕梅里韋瑟首度嘗試投資股票是在十二歲左右，不過，若是因此認為他的任何同輩、甚至這個謙遜的棕髮男孩本人，能變成霍瑞修・愛爾傑（Horatio Alger）筆下注定在華爾街揚名立萬的少年英雄，想到投資股票這種事，那就大錯特錯了。「約翰和他的哥哥在高中時買股票賺到了錢，」幾十年後，他的母親回憶道：「是他父親向他建議的。」這才是實情。

梅里韋瑟靠著一項異於他人的嗜好，成功脫離羅斯摩爾生活圈：不是投資股票，而是打高爾

2 Author interview with Thomas E. Creevy.

3 Gretchen Morgenson, "The Man Behind the Curtain," *The New York Times*, October 2, 1998.

夫球。從童年時期開始，他就時常出沒在公共公園的高爾夫球課，而這並不是羅斯摩爾男孩子慣常的休閒活動。他是孟德爾中學校隊的傑出隊員，得過兩次芝加哥郊區天主教聯盟高爾夫巡迴賽優勝。他還曾在弗羅斯穆爾鄉村俱樂部（Flossmoor Country Club）當桿弟，要去那個俱樂部，得在該市南部搭乘一段不算短的鐵路或公車路程。弗羅斯穆爾的主管很喜歡這個認真、討人喜歡的年輕人，還讓他幫最有錢的球員們當桿弟——這可是個賺外快的特權。其中一名俱樂部會員還幫他取得奇克·伊文斯獎學金（Chick Evans Scholarship），這項獎學金是以二十世紀初的高爾夫選手奇克·伊文斯命名的，他樂於為桿弟提供大學獎學金。

梅里韋瑟選擇在伊利諾伊州埃文斯頓市（Evanston）的密西根湖寒冷水域旁的西北大學就讀，那是個離羅斯摩爾二十五英里遠、完全不同的世界。到那時為止，他的人生經歷已經突顯出兩個相當矛盾的事實。第一個是：融入鄰里或教會這類群體會帶來幸福感，這來自虔誠恪遵宗教的價值觀與禮儀；有條理與好習慣本身就是美德。然而第二種是：梅里韋瑟已經了解到，發展出超越別人的優勢——好比能在高爾夫球賽練出街坊裡其他人達不到的低差點程度——是值得的。

梅里韋瑟從西北大學畢業後，教了一年高中數學，後來就前往芝加哥大學攻讀商學院學位。他後來在華爾街的競爭對手、農民之子強恩·科津，就是他在芝加哥大學的同學。梅里韋瑟就讀商學院時，半工半讀在ＣＮＡ金融公司（CNA Financial Corporation）兼職當分析員，一九七三年從商學院畢業。隔年，所羅門兄弟聘用了時年二十七歲、眼神堅定、雙頰圓潤、身材結實的梅里韋瑟。所羅門兄弟雖然當時還只是一家小公司，但它位居許多巨大變動的核心，這些變動往後將處處劇烈牽動著債券市場。

在一九六〇年代中期以前，債券交易一直是一種無聊的消遣。投資人通常會從他所在地的銀行信託部門購買債券，藉此獲得穩定的收益，若他確實曾對購買債券考慮再三，只要債券沒有拖欠清償，他通常會對這次買的債券感到滿意。很少有投資人會積極買賣債券，想著靠管理債券投資組合來賺到多於其他人的收益，或是打敗指標指數（benchmark Index），那完全是異類。這是好事，因為當時根本沒有這樣的指數。那時主宰債券市場的人師，是所羅門兄弟自家的希德尼・霍默（Sidney Homer，一九〇二～一九八三），他是哈佛大學出身的古典主義者，是畫家溫斯洛・霍默（Winslow Homer）的遠親，他的母親則是大都會歌劇院的女高音。霍默著有金融鉅著《利率史》（*A History of Interest Rates: 2000 BC to the Present*），是位紳士型學者——這在華爾街是稀有物種，很快就絕跡了。

至少與現在的市場相比，霍默那時的市場特色是固定關係：固定貨幣、受規範的利率和固定的黃金價格（每盎司三十五美元）。但是在一九六〇年代末，傳播到西方國家的通貨膨脹大流行，從此摧毀了這個安逸的世界。隨著通貨膨脹率上升，利率也跟著增加，而那些用看似很吸引人的四％利率買下的政府債券，市值就腰斬了一半以上。一九七一年，美國政府鬆綁了黃金價格；接著是阿拉伯國家石油禁運。如果債券持有人對債券穩定性仍懷有任何幻想，那麼大多由藍籌帳戶持有的賓州中央鐵路公司（Penn Central Railroad）破產一事，則永遠地打碎了這種幻想。債券投資人大多虧損慘重，心態開始動搖。世界各國政府逐漸被迫放棄對利率和貨幣的限制。固定關係的世界結束了。

大豆期貨突然就顯得過時；金錢才是現在的熱門商品。期貨交易設計出新式合約，來因應像國庫券、債券和日圓這類金融產品，而且在專業的投資組合經理人意識到並且想要買賣時，到處有新工具、新期權、新債券可以交易。到了一九七〇年代末，像所羅門兄弟這些公司，以霍默從未想過的方式，分割、拆解債券：例如，將房屋貸款混合在一起，然後將它濃縮成大小合適、容易買得起的證券。

另一個重大變革是電腦。直到一九六〇年代末期，每當交易員想查債券價格，都要在一本厚重的藍皮書裡查找。一九六九年，所羅門兄弟聘用了數學家馬丁・萊博維茨（Martin Leibowitz），他取得所羅門兄弟的第一部電腦。萊博維茨成了所羅門兄弟歷史上最受歡迎的數學家，或者看似如此。因為當時債券市場正熱門，所羅門兄弟的交易員為了更快知道債券的價格，會群聚在他身邊查詢——他們可沒有時間翻找藍皮書。到了一九七〇年代初期，交易員就擁有了各自的簡略版手持式計算機，這也稍微加快了債券市場的節奏。

梅里韋瑟進入所羅門兄弟的融資部門，也就是回購協議部（Repo Department），他入職時，正值債券市場變得亂七八糟之際。債券市場曾是可以預測且風險相對較低的，但現在正隨著環境變革和時機而變得波動，尤其是對於更年輕、眼光敏銳的分析師而言。梅里韋瑟剛到紐約時，連一個人都不認識，他在曼哈頓一家運動俱樂部租了一個房間，而且很快發現債券市場正是他能施展身手的地方。債券對數學型的人特別有吸引力，因為決定債券價值的大部分因素都容易量化。基本上，債券的價格取決於兩個因素。其中一個可以從債券本身的票息（coupon）來查明。如果今天你可以用十%的利率借錢給人，那麼你也可以選擇付出溢價購買殖利率十二%的債券。那麼你該付出多少溢價？這取決於債券的到期日（maturity）、付款的時間、日後的殖利率（如果你已有判斷的話），以及聰明的債券發行者設計的債券流動性，例如債券是否可贖回、可否轉換為股權等等。

另一個因素是違約的風險。在大多數情況下，這並不是全然可以量化的，而且風險也不是很大。儘管如此，風險還是有的。通用電氣的風險很小，但不會比美國政府小。惠普比通用電氣的風險稍高。Amazon.com的風險又再高一點。因此，債券投資人貸款給亞馬遜或玻利維亞所要求的利率，會比貸款給通用電氣或法國的利率還高。決定利率要高出多少，就是債券交易的核心，但重點是，債券是以數學上的價差在交易的。一個債券的風險愈高，利差就愈大——也就是說，該債券的殖利率和（幾乎無風險的）公債的殖利率之間的差值就愈大。儘管並不是常態，不過通常利差也會逐漸增加——這意思就是，由於兩年期票據的不確定性比三十天票據更高，投資人會要求前者的殖利率要略高於後者。

這些規則相當於債券交易的教理；它們給世界各地的債券，定下了殖利率與利差的龐大模型。它們像大型宗教的教規一樣，錯綜複雜且不可更動，難怪梅里韋瑟對這些規則感到滿意（他還在公事包裡放著念珠和禱告卡）。亟欲學到東西的他像神學院學生一樣，向他的老闆們提出許多尖銳的問題。所羅門兄弟的高級主管覺得他很有前途，於是派他去做政府機構債券的交易。過沒多久，紐約市幾乎都還不出貸款，各種機構債券的價差都飆升。梅里韋瑟估計，這個市場已經出了大狀況——當然，也不是每個政府實體都即將破產——所以他買下所有能買的債券。後來利差還真的縮小了，梅里韋瑟的交易因而賺了好幾百萬美元。〔4〕

他在一九七七年成立的套利小組，代表著所羅門兄弟進化過程中，一個微妙而重要的轉變。這也是一九九〇年代長期資本要複製的模式——套利小組是讓梅里韋瑟變得習慣承受這種巨大風險，並且感到自在的實驗場域。儘管所羅門兄弟一直在做債券交易，不過此前其核心業務，還是相對更安全的為客戶買賣債券。但是由梅里韋瑟帶領的套利部門，後來變成了主要業務，拿所羅門自家公司的資本做風險投資。因為這是新領域，梅里韋瑟的競爭對手很少，而且可以挑選的目標多得很。就像在艾克司登那次交易一樣，他通常會賭（比如某個期貨合約和其標的債券之間，或是兩個債券之間的）價差會縮小。他也可以押注價差會擴大，但是他大多押注價差會收斂。梅里韋瑟交易的另一方可能是保險公司、銀行，或是投機客，他不會知道，通常他也不在意。偶爾，其他這些投資者可能會嚇得撤回資本，導致利差進一步擴大，造成梅里韋瑟至少在短期內出現虧損。不過要是他有資本繼續撐下去，那麼從長遠來看他終究會賺到錢，或者說他的經驗似乎證明了這一點。到頭來，價差總是會出現；那是他從艾克司登那件事學到的，也是多年後他在長期資本要倚賴的經驗。然而，要是梅里韋瑟與艾克司登做的那筆交易沒那麼快成功，那麼他可能從中學到另一個同樣有價值的教訓，那就是：儘管一筆正在賠錢的交易到最後可能會好轉（當然，假設從一開始就已經完全想過這一點了），不過或許會翻盤得太晚，導致交易員得不到任何好處——當然，意思就是交易員可能在這段期間就破產了。

• • •

在一九八〇年代初期，梅里韋瑟是所羅門兄弟中前景看好的新秀。他靦腆的個性和強硬的撲克臉，在他擔任交易員要用到的技能上，完美地發揮作用。面試他的所羅門兄弟合夥人威廉·麥金塔（William McIntosh）說：「約翰頭腦很機靈。完全猜不透他在想什麼。」作家麥可·路易士（Michael Lewis）曾是梅里韋瑟的同事，他在著作《老千騙局》（*Liar's Poker*）裡，對梅里韋瑟也有著同樣的評價：

4 同前註。

他獲利的時候，表情也和虧損時一樣，有點緊繃、毫不喜形於色。我認為，對於通常會讓交易員完蛋的兩種情緒——恐懼和貪婪——他有著很卓越的控制力，從這點來看，一個極力追求自我利益的人所能達到的氣度，最多也就像他這種程度而已。〔5〕

可惜《老千騙局》太著重敘述一個假想的事件。在那個事件裡，據說梅里韋瑟很大膽的和經營合夥人葛德佛倫賭了一局一百萬美元的撲克，這個故事不僅看起來很假，這傳聞也讓梅里韋瑟被封為衝動魯莽的代表，但那根本不是他的作風。〔6〕梅里韋瑟是這場計算好的賭局的神父。他做事謹慎以避免犯錯；他不會透露自己的半點私事。對他的同事來說，他的背景、他的家人、他的整個過去都是一片空白，就彷彿某人說的，他「畫下一條不能超過的界線」。他極度隱瞞私事，以至於即使在長期資本事件成為頭版新聞時，《紐約時報》一位作家在想盡辦法確認梅里韋瑟是否有兄弟姊妹後，勉強引用了那些認為他是獨生子的朋友的錯誤觀點。〔7〕對於交易員這個職業，沉默寡言是個完美的特質，但光是這點還不夠。梅里韋瑟必定已經察覺自己欠缺一種優勢——某種像他高中時在高爾夫球場上發展出來的那種特長，某種能讓所羅門兄弟顯得和其他債券交易商不一樣的優勢。

他的解決方案看似簡單：為什麼不聘請更聰明的交易員？那種完全不同於坊間傳說中只憑膽識做買賣、毫不科學的尼安德塔人，而是將市場視為一種知識學科的交易員？只會讀死書的數學家在學術界人滿為患，這麼多年來，他們發表過很多讓人費解的論文來討論市場。華爾街已經開始雇用這些人，不過只用在做研究，因為做研究不會對他們造成傷害。在華爾街，這些蛋頭學者被貼上了「量化分析師」(quant)的標籤，他們不適合做人們在做的交易競爭。所羅門的政府債券交易部門負責人小克雷格・寇茲（Craig Coats Jr.）是交易現場的典型代表：英俊、高大、討人喜歡，一定會和客戶相處融洽。確實，他讀大學時很混，不過他曾擔任籃球隊的前鋒，也有意從商。梅里韋瑟想要消除的，就是這一種熱情的元素；他偏愛學者的那種冷靜的紀律，以及他們面對市場時所使用的嚴謹且高度量化的方法。

學術界令華爾街大多數高層人士感到迷惑，不過梅里韋瑟當過數學老師，而且有芝加哥大學企管碩士學位，他對此感到很自在——那將是他的優勢。一九八三年，梅里韋瑟打電話給艾瑞克・羅森菲爾德（Eric Rosenfeld），他是哈佛商學院的助理教授，曾在麻省理工學院受過良好訓練，是個討人喜歡的人；梅里韋瑟問羅森菲爾德能否推薦自己的學生給他。羅森菲爾德是麻州康科德（Concord）一名成功的財務管理師的兒子，是個電腦怪咖，很早就開始用量化的方法進行投資了。

5 Michael Lewis, *Liar's Poker* (New York: Penguin, 1989), 15.

6 Roger Lowenstein, *Buffett: The Making of an American Capitalist* (New York: Random House, 1995), 371, note. Lewis himself backed away from the tale in a subsequent *New York Times Magazine* piece, saying only that Meriwether had "supposedly" issued the challenge; see Michael Lewis, "How the Eggheads Cracked," *The New York Times Magazine*, January 24, 1999.

7 Morgenson, "The Man Behind the Curtain."

在哈佛，他教得很掙扎。〔8〕羅森菲爾德話不多且枯燥，相當聰明，不過他在課堂上不會表現出威嚴的樣子。遠遠地看，他就像一隻纖瘦、戴著眼鏡的老鼠。學生對他來說很難搞；他的同事說：「他被學生搞得落荒而逃。」羅森菲爾德接到梅里韋瑟打來的電話時，正在打考試成績。他回憶說，當時他一年大約賺三萬美元；他立即提到自己想參加所羅門的面試。十天後，他被聘用了。〔9〕

梅里韋瑟沒有就此收手。繼羅森菲爾德之後，他還聘了這些人：擁有倫敦政經學院金融學碩士學位的伊朗裔美國人維克多．哈罕尼（Victor J. Haghani）；曾協助柯林頓競選州檢察長，擁有麻省理工學院的金融經濟學博士學位，來自阿肯色州的格雷戈里．霍金斯（Gregory Hawkins）；以及熱情且有數學頭腦的經濟學家威廉．克拉斯克（William Krasker），他也擁有麻省理工學院博士學位，是羅森菲爾德在哈佛大學的同事。還有可能最沉迷電腦、當然也最聰明的勞倫斯．希利伯蘭（Lawrence Hilibrand），他有兩個麻省理工的學位。希利伯蘭被所羅門的研究部門延攬，這個部門是量化分析師的傳統大本營，不過梅里韋瑟很快就把他調到套利交易團隊，當然，這個部門也是後來的長期資本的核心。

這些蛋頭學者馬上就喜歡上華爾街。他們把弄得到手的所有過去的債券價格下載到電腦裡，將這些債券的歷史關係加以篩選濃縮，並且建立模型模擬這些價格在未來的走勢。於是，當某個地方的市場價格因不明原因而偏離常軌，他們就可以從電腦模型知道。

這些模型不會下令他們進行交易；它們提供了有前後脈絡的論據，供這些從事數據計算的人參考。它們把複雜的世界加以簡化。也許兩年期美國公債票據的殖利率，要比一般狀況下更接近十年期債券的殖利率；或許兩者之間的價差，和其他國家地區的同類價差相比，顯得異常接近。這些模型把市場濃縮成明確的調查數據。正如其中一位組員所說：「鑑於世界各地各種事物的狀態——殖利率曲線的形狀、波動、利率——不同的金融市場做出的說明是否會不一致？」這是他們談論的方式，也是他們思考的方式。每個價格都是一種「說明」；如果兩個說明有衝突，那就可能有套利的機會。

整個實驗肯定會失敗——除了兩個較樂觀的情況。第一個，這些教授很聰明。他們堅守自己的組織結構，而且他們的機會很多，尤其是在衍生性金融商品這類比較新的市場裡。這些教授會把機會說成是低效率的；在一個完全有效率的市場裡，所有價格都是正確的，那就沒有人有商品可以交易了。然而，由於他們進行交易的這些市場仍然在發展，所以價格往往不正確，會有很多機會。此外，教授們把從學校裡學到的一個不變的信條，運用在這個工作上——隨著時間過去，所有市場會變得愈來愈有效率。

尤其，他們認為，風險較高的債券和風險較小的債券之間，價差會趨於縮小。照理說是會這

8 Author interviews with Mitchell Kapor and William Sahlman.

9 Michael Siconolfi, Anita Raghavan, and Mitchell Pacelle, "All Bets Are Off: How the Salesmanship and Brainpower Failed at Long-Term Capital," *The Wall Street Journal*, November 16,1998.

樣沒錯，那是因為價差多少反映了投機的資產所帶有的不確定性。如果市場到後來確實變得更有效率，那麼這種風險較高的債券的波動性就會降低，因此看來更具確定性，投資人所要求的溢價會因而傾向縮小。例如，在一九八〇年代初期，交換交易（swap，一種衍生性金融商品交易）的價差，在後來變成了二%。套利部門的一名資淺組員回憶說道：「他們看著這數字說：『這數字不可能是對的；風險不可能這麼高。』他們說：『長期趨勢是市場將會變得更有效率。』」

交換交易的價差確實壓縮了，先是縮小到一%，到最後縮小至〇．二五%。整個華爾街都在做這種交換交易，包括所羅門兄弟的政府債券交易部門，而該部門是由愈來愈謹慎的小克雷格．寇茲掌管的。差異在於，梅里韋瑟的套利小組是用非常龐大的金額來做這種交易。如果在某筆交易中他們居於下風，套利者——尤其是向來信心滿滿的希利伯蘭——就會加倍下注。有他們的電腦模型當靠山，他們比其他人更加篤定——幾乎沒有對手。只要有足夠的時間，有足夠的資本，這些學界出身的年輕天才就會覺得自己不可能犯錯，而定期參加各地學術會議招聘這種人才的梅里韋瑟，開始相信這些天才是對的。

第二個樂觀的狀況則是：這些教授有個保護者，罩著他們不受公司政治角力所干擾，而且幫他們取得進行交易的資本。但是梅里韋瑟認為，這樣的實驗無法運作下去；這些教授實在太格格不入了。希利伯蘭是紐澤西州櫻桃山一名工程師的兒子，他就像學院版的高爾（Al Gore）；他的社交能力很笨拙，會用呆板和專業（儘管像數學答案那樣精確）的回覆，來回答看來非常簡單的問題。好比有一次，一名不屬於套利小組的交易員試圖說服希利伯蘭，不要買進和賣出某兩支債券。希利伯蘭彷彿在指導學生一樣，回應道：「但是它們的定價這麼異於常態。」他那名同事早已習慣交易大廳裡挑釁的酸言酸語，立刻還擊說：「我也是想到同樣的形容詞——異於常態！」相對於周遭那些任性而不受控的交易員，套利組組員算是安靜的知識分子。為套利小組建立了很多模型、做事謹慎的克拉斯克教授，非常富有個人魅力。羅森菲爾德有一種愛挖苦人的幽默感，但是待在有很多合夥人都不曾上過大學，更別說讀過麻省理工學院研究所的一家公司裡，他會避開鋒頭，也不多說話。

梅里韋瑟把這組人馬帶到華爾街真的是神來之筆——後來所羅門的競爭對手紛紛效仿他這個做法。「他找來了一群被企業界當做怪胎的傢伙。」所羅門的投資銀行家傑伊・希金斯（Jay Higgins）說道，「要不是因為約翰，那些傢伙恐怕還在貝爾實驗室撥弄他們的計算尺，他們自己也心知肚明。」〔10〕

這些教授很會把一筆交易簡化成加加減減；他們可以把火腿三明治拆解到剩下它的成分風險，但是他們幾乎無法正常的交談。梅里韋瑟為他們建立了一個安全、自成體系的地方，讓他們發揮他們的技術；他滿懷崇敬地把套利部門打造成另一個世界。多虧了梅里韋瑟，這些交易員彼

10 The second part of the quotation is from Kevin Muehring, "John Meriwether by the Numbers," *Institutional Investor*, November 1996.

此處得很融洽，而且不覺得有必要和外人合得來。

梅里韋瑟會說：「我們星期天要打高爾夫球，」而且不必多加一句：「希望你也能參加。」像希利伯蘭和羅森菲爾德，以前從未打過高爾夫球，也很快就學會了。梅里韋瑟也喜歡上騎馬，還得到了幾匹純種馬；很自然的，他也把旗下的交易員帶去馬場跑道。他甚至每年都帶著手下和他們的另一半前往安提瓜（Antigua）。他不只在證券交易時間需要他們，他需要他們的一切，無時無刻。他在培植自己的交易員，同時在整個團隊周圍建立起防護網，這道防護就像羅斯摩爾的紅色木板圍籬一樣堅固。

梅里韋瑟把賭博變成他們的共同生活裡，一個讓彼此關係更緊密的部分，他就是這樣的人。套利部門會在高爾夫球聚的週末，設計出精美的投注池；他們會賭馬；他們會一起去大西洋城一日遊。他們會下注賭選舉結果。他們賭任何能讓他們對賠率的熱愛更高漲的事情。他們討論運動賽事時，談的不是比賽本身，而是討論「價差賭注」(point spread)。

梅里韋瑟喜歡他的交易員玩「騙子撲克」(Liar's Poker)，這種賭局是利用紙鈔上的序號來配成撲克牌型。他喜歡測試他的交易員；他認為這種賭局能磨練他們的直覺，而且他們打得不好時，他會變得很不友善，並威脅要退出。一開始只是好玩，到後來他們變得認真起來；交易員會玩上好幾個小時，有時候賭注會上看好幾萬美元。羅森菲爾德的桌上還留著一個信封，裡面塞滿幾百張紙鈔。後來，當某些鈔票似乎太常出現，他們就棄用紙鈔，找了一部電腦來產生亂數表。套利小組的這些男子似乎賭上癮了：「若是你沒有和J. M.的下屬玩過騙子撲克來決定誰付帳，那你就不能和他們一起出門吃晚餐。」所羅門財務長傑拉德・羅森菲爾德（Gerald Rosenfeld）回憶道。梅里韋瑟是個不錯的玩家。有著撲克臉、很難看出心思的艾瑞克・羅森菲爾德也一樣厲害（他與傑拉德・羅森菲爾德沒有關係）。正直坦率的希利伯蘭有點不太懂變通；他沒辦法撒謊，也很久沒有唬人了；他留著八字鬍而且異常聰明，有一種超乎常人的超然態度。有一次有人問他，如果他的老婆從事抵押貸款業務（希利伯蘭在交易的項目），他是否會覺得彆扭，希利伯蘭毫不遲疑地回答：「喔，我從不跟老婆談公事。」

套利小組裡的十二個人變得非常親密。他們坐的位子，是所羅門兄弟喧鬧的交易大廳中間的兩排桌子，湯姆・沃爾夫（Tom Wolfe）的小說《虛榮的篝火》（*The Bonfire of the Vanities*）[11]裡的投資銀行就是以此為原型。套利小組的抵押貸款交易員蘭迪・希勒（Randy Hiller）發現，小組的這種排他性太過傲慢，後來便離職了。另一個叛逃者被當做叛徒；出於報復，梅里韋瑟命令組員不要跟他打高爾夫球。不過離職的交易員很少，留下來的幾乎都很崇拜梅里韋瑟。他們講到他時都要低聲細語，就好像他是把族人帶到巴勒斯坦的摩西似的。梅里韋瑟並未全然回報這些讚美，不過他給了大家一些更有價值的東西。他的興趣和好奇心刺激了這些教授；這點給了他們考驗，使他們更精進。

11 譯註：《虛榮的篝火》曾改編成同名電影《走夜路的男人》，由湯姆・漢克、布魯斯・威利、梅蘭妮・葛瑞菲絲主演。

他用由衷的忠誠回報他們。他從不大吼大叫，不過就算有也沒什麼大不了。對這些交易員來說，「J.M.」這兩個首字母——這是梅里韋瑟一貫的綽號——和任兩個字母有同樣的影響力。

儘管梅里韋瑟在樓上有自己的辦公室，但他通常會坐在交易大廳裡，和其他人一起擠在一張小桌子前。他在做歐元交易時會不停抽菸，並藉著追問一些探測性問題來監督這些教授。不知怎麼的，他會用一種令人感動的謙虛，來隱蔽自己宏大的企圖心。他很喜歡說他從不聘用不比自己聰明的人。他從不談論自己，但沒有人注意到這點，因為他對別人正在做的事真的很感興趣。這些模型不是他建立的，但他很了解它們要表達什麼。他相信這些模型，因為這是他的下屬建立的。有一次，一名叫安迪（Andy）的交易員在某筆抵押貸款交易中賠錢後，要求J.M.允許他加倍買賣，J.M.立即給了他權限。安迪問梅里韋瑟：「你不想了解這項交易的更多細節嗎？」梅里韋瑟那種信任他人的回應，深深影響了這名交易員。J.M.回答：「我做的交易就只有聘用你那時。」

一九八一年，梅里韋瑟和來自加州的嚴肅馬術家米米．默瑞（Mimi Murray）結婚，他們兩人住在上東區約克大道（York Avenue）一間小巧的兩房公寓裡。據他的一位同事說，他們想要生小孩，但是還沒如願。

除了米米，J.M.的家人就是所羅門了。他連吃午餐都沒有離開辦公桌；事實上，他的午休時間和教授們的模型一樣很規律。所羅門供應的是中式午餐，有很長的一段時間，每天都會有服務生帶著波隆那三明治配白麵包、兩顆蘋果，以及藏在銀色托盤蓋下的帳單，晃到梅里韋瑟身旁。

J. M.會吃掉一顆蘋果，然後把另一顆當做小禮物，隨性送給同事。該小組的其他組員可能會點中國菜，如果有醬汁漏出來沾到J. M.的辦公桌，珍貴領土受到侵入的他就會皺著眉頭說：「看這樣子，我得放棄這張辦公桌，回我的辦公室待在那邊上班了。」

華爾街那些銀行家動輒發脾氣，J. M.算是當中的異類，他比較認同那些一起長大的地區學校男孩，而不是他加入的那群有錢的企業高階主管。在狂放的一九八〇年代，其他金融家往往快速成為時髦的社交版面常客，梅里韋瑟不同於那些人，他很討厭受到關注（他刪掉了所羅門兄弟年度報告裡自己的照片），也不吃任何帶有法國菜風味的食物。在東京時，他去麥當勞用餐。曾經是局外人的他，把自己的小組打造成一個局外人部落，就像羅斯摩爾那個他已經離開的世界一樣，具備凝聚力、忠誠和保護力。他的夥伴們都是用維克（Vic）、酋長（Sheik）、E. R.和霍克（Hawk）這類小學生會用的綽號來互稱。

儘管J. M.了解他的市場，但他擔任交易員這工作的聲譽被誇大了。他的真正技能是塑造人的能力，他會用特別低調的方式來進行。他和一群人說話時會很彆扭，話會說得破碎而不連貫，別人得把字句拼湊起來才能了解這些話的意思。[12]不過他對自己團隊的信心往往溢於言表，這點對於他們團隊的士氣就像強心針般有效。再加上交易員本身不同尋常的自信，梅里韋瑟對他們的信心是個具影響力、卻很可能引火上身的混合物。他們早已眼高於頂，這下自信更加膨脹了。此外，J. M.願意冒著危險用所羅門兄弟的資本，注資給希利伯蘭及其他人，這使得交易員們習以為常，以為他們永遠能得到更多資金。

隨著套利小組愈來愈會賺錢，該小組的地盤就不可避免地擴張了。梅里韋瑟的聲望壓過了像寇茲之類的對手，取得了公司所有債券交易的控制權，包括政府債券、抵押貸款、高收益公司債券、歐洲債券和日本權證。對於該小組來說，把模型應用在新興的、更好的地方，似乎也很合理。不過所羅門的其他人開始不爽了。J. M.要派希利伯蘭或維克多．哈罕尼其中一人，去所羅門的倫敦辦公室或東京辦公室，而這位特使會宣布：「這次交易很不錯，不過你應該賺到這次交易的十倍才對。」不是兩倍，而是十倍！彷彿他們自己都不會賠錢。當時希利伯蘭和哈罕尼都才二十幾歲，而他們講話的對象年齡可能是他們的兩倍。後來他們又開始說：「不要做這次交易；這筆交易我們會做得比其他人都更好，所以我們以後要把這些交易全拿到套利部門櫃檯上進行。」

希利伯蘭尤其惹人厭。他雖然很鄭重、很有禮貌，但是當他用數學的確定性，在老手面前擺出高姿態、惹他們生氣時，對他們是一種打擊。有一次，他試圖說服一些商品交易員，應該要遵循類似債券價格的模式來押注石油價格。交易員在希利伯蘭搖頭晃腦時疑惑地聽著。他突然舉起一隻手，並大聲宣布：「考慮一下底下的假設。」彷彿他從高處發出詔令，會被刻在石頭上似的。

交易員過著焦慮的日子；他們會一整天對著電話大吼大叫，從交易廳這一頭喊過那一頭，還得緊張地盯著電腦螢幕。套利交易小組就處在這種受控制的嘈雜騷亂當中，似乎是個神祕而有特權的次文化。其中一半的時間裡，這些男子像參加研討會一樣，用晦澀難懂的詞彙討論交易；另一半的時間，他們邊開懷大笑、邊玩騙子的撲克。他們穿著平價西裝，氣定神閒，儘管其他人全都正以瘋狂的步調在工作，但他們似乎還能對最好的交易目標挑三揀四。

這個小組極度排斥對外交流；它似乎也採取J. M.天生守口如瓶的做法做為保護色。儘管所有交易員都被建議要謹慎小心，但教授們拒絕和所羅門的同事分享任何資訊，這使得寇茲與其他人更加不滿。儘管套利小組吸收了從主要債券交易大廳傳來、有價值的所有小道消息，但它私下成立了自己的研究機構，並嚴格阻止所羅門的其他人打聽他們的交易。有一次，競爭對手保德信證券（Prudential-Bache）挖角了所羅門的抵押貸款交易員，這被視為一記高招。「他第一個想要的東西是什麼？」一名當時保德信證券的經理笑著回憶說：「分析資料？更好的電腦系統或軟體？都不是。他想要一些鎖來鎖檔案櫃。這要求也反映出他們的心態！」在對梅里韋瑟的狂熱忠誠驅動下，套利交易小組培養出一種壁壘分明的派系感。這種派系認同，使得往後的長期資本離華爾街其他公司的圈子太過遙遠，遠得危險。希利伯蘭變得對自己的隱私十分鑽牛角尖，甚至拒絕讓所羅門兄弟照相。〔13〕

• • •

12 Lewis, "How the Eggheads Cracked."

13 Douglas Frantz and Peter Truell, "Long-Term Capital: A Case of Markets over Minds," *The New York Times*, October 11,1998.

在所羅門兄弟的其他區域苦苦掙扎之時，套利小組愈來愈耀武揚威。希利伯蘭施壓公司取消投資銀行業務，他有理有據地表示，投資銀行業務拿走太多紅利，而且沒有盡到本分。後來他還宣告，套利小組不應該分擔員工餐廳的費用，因為他們沒有在員工餐廳用餐。希利伯蘭忠於自己的右派自由主義信條，抱怨說自己受到「壟斷供應商」左右，彷彿每個交易員與業務員都應該協商出自己的午餐條件。更深入的事實是，希利伯蘭和他在套利小組的同伴，幾乎不曾尊重在所羅門其他區域工作的大多數同事。希金斯在談到 J. M. 的下屬時說：「就好像他們是在太空船的太空艙裡面似的。他們呼吸的空氣都和其他人不一樣。」

希利伯蘭和羅森菲爾德不斷向 J. M. 要更多錢。他們看過所羅門的薪酬約定，像社會主義式的，對所有部門都自由隨興地撒錢。他們覺得，公司大部分的錢都是套利交易部門賺的，所以只有他們應該拿到報酬。

一九八七年，企業狙擊手羅納德・佩里曼（Ronald Perelman）對所羅門進行惡意收購競標。約翰・葛德佛倫有充分的理由擔心，如果佩里曼贏得競標，所羅門受到信賴的銀行家聲譽會萬劫不復（確實，所羅門的企業客戶很可能會發現，自己在佩里曼的狙擊名單上）。葛德佛倫藉由把公司的控制權賣給一位非常友好的投資者，也就是億萬富翁華倫・巴菲特，擋下了佩里曼的收購。總是以數學的角度來考量所有事情的希利伯蘭，認為這次交易對所羅門來說很吃虧，他感到很生氣。這位二十七歲的神童雖然很堅定地忠於自我，卻看不到像所羅門兄弟的道德形象這類無形資產也值得付出代價。事實上他還飛往奧馬哈，試圖勸巴菲特（現為所羅門董事會成員）把他投資的部分賣回來，巴菲特當然拒絕了。

J. M.試著運用對大公司的忠誠度，來磨掉他手下那些沒耐性的年輕惡霸的脾氣。當交易員的抗議聲浪愈來愈大，J. M.邀請希利伯蘭和羅森菲爾德，和較年長的合夥人威廉·麥金塔共進晚餐，讓他們聽聽所羅門的歷史。J. M.是愛爾蘭天主教傳統的自由派民主黨人，對公司的共同福利具有更強烈的感覺，也擁有能將他那殘酷職業的冷酷無情軟化的優雅。他的副手們偶爾會吵著，應該把套利交易部門從所羅門兄弟分割出去。對此梅里韋瑟沒有理會，他會告訴他們：「我會忠於這裡的人。而且無論如何，你們正在變得貪婪。想想在哈林區生活的人吧。」他敦促所羅門精簡人事，但並非沒有關照其他部門。萬一有需要，他會在深思熟慮後告訴財務長：「我們在進行一筆大交易；可能會賠上不少——我只是想先讓你知道。」在一九八七年的黑色星期一股災中，套利部門真的在一天之內，就賠掉了一億兩千萬美元。〔14〕所羅門的其他人不太確定這個部門在做什麼，或是它的資金槓桿是怎樣，但他們很直覺地信任梅里韋瑟。甚至他在公司的競爭對手也喜歡他。接下來，一切都崩塌了。

14 Lewis, "How the Eggheads Cracked."

一九八九年，由於手下那些年輕交易員不肯死心、持續施壓，梅里韋瑟說服了葛德佛倫採用一套公式。用這個公式，他的套利交易員可以從該小組賺的利潤當中，得到固定十五％的抽成。在希利伯蘭揚言要閃人後，公司祕密允許了這個協議。〔15〕J.M.通常會將自己排除在協議之外，他告訴葛德佛倫，覺得付多少錢給他才合理，就付那麼多。接著套利部門迎來了輝煌的一年，其中分紅最多的希利伯蘭，拿到了驚人的兩千三百萬美元高薪。雖然希利伯蘭低調地繼續搭火車上班、開淩志汽車，但是他的薪資金額外洩後，仍然把同事醞釀已久的積怨帶到了檯面上，尤其所羅門的其他部門都沒有按照這個公式給薪。正如所羅門公司董事、也是巴菲特的合夥人查理・蒙格（Charlie Munger）所說的：「所羅門的甲狀腺功能亢進愈發嚴重，簡直荒腔走板。」

尤其，三十四歲的交易員保羅・莫澤（Paul Mozer）更是憤怒。莫澤曾經是套利小組的成員，但大約在兩年多前，他就被迫離開了這個很賺錢的部門，去執行政府部門業務。莫澤身材纖瘦結實，眼距窄，態度緊張。就在希利伯蘭的薪水引發軒然大波的一年之後，一九九一年，莫澤去找了梅里韋瑟，並說出驚人的自白：他曾向美國財政部提交虛假競標，以取得未經授權的政府債券股份拍賣。

梅里韋瑟嚇得瞠目結舌，問道：「還有別的嗎？」莫澤說沒有了。

梅里韋瑟向葛德佛倫報告了這件事。他們兩人與另外兩名高階主管，一致認同這件事非同小可，卻也對此無能為力。儘管對莫澤感到不滿，梅里韋瑟仍然沒有背棄他。不過也很難想像重視團結與忠誠的J. M.會採取其他作為。他幫莫澤辯護，認為他是勤奮的員工，也只犯過一次錯，最終還讓莫澤留下來負責政府部門的業務——這是個大錯誤，不是道德上的錯誤，而是J. M.特有的忠誠準則導致他誤判局勢。實際上，莫澤是個反覆無常的交易員——他的動機比較多是出於憤怒，而不是真的期待拿到分潤——他一再衝動地違反規則，損害了梅里韋瑟、他的上司以及整家公司的聲譽。不得不說，莫澤犯的罪行實在太過愚蠢，以至於他的上司很容易忽略掉。此時負責所羅門債券業務的梅里韋瑟，很自然地不會想到要詢問是否有交易員曾經瞞騙財政部。但是J. M.在這件事事發後的寬大處理，令人難以理解。幾個月後，就在八月，所羅門發現莫澤向梅里韋瑟坦承的內容本身就是謊話，因為他早已犯過無數次違規行為。儘管此時所羅門兄弟確實報告了此事，但財政部和聯準會卻大為惱火。這件醜聞所掀起的軒然大波，和造成醜聞的不當行為相比，似乎是小題大做了點。[16]不管怎樣，一個人根本不會——也不可能——騙過財政部。華爾街的一方之霸葛德佛倫，因此被迫下台。

15 Randall Smith and Michael Siconolfi, "Roaring '90s? Here Comes Salomon's $23 Million Man," *The Wall Street Journal*, January 7, 1991; Martin Mayer, *Nightmare on Wall Street: Salomon Brothers and the Cor ruption of the Marketplace* (New York: Simon & Schuster, 1993), 36.

16 See Lowenstein, *Buffett*, 374–85, for a detailed account of the Mozer scandal.

巴菲特從奧馬哈飛來，擔任新的執行長，儘管只是臨時性的。他立即問疲憊不堪的所羅門高階主管：「有什麼辦法可以留住J. M.？」當然，梅里韋瑟是該公司的頭號賺錢工具，而且大家都知道他的品德無可挑剔。他的交易員激動地為他辯護，指出J. M.已經立即向他的上司報告此事了。但是涉及這件醜聞的所有人都背負著壓力。最先把梅里韋瑟帶進所羅門的公司合夥人麥金塔，大老遠地走到J. M.在四十二樓的辦公室告訴他，為了公司著想，他應該辭職。而幾乎就在套利小組組員即將理出頭緒前，他們的負責人辭職了。整件事這麼出乎意料，梅里韋瑟覺得很不真實；而且他還得承受登上頭版新聞的痛苦。他後來在《商業周刊》中表示：「我是個相當害羞內向的人。」〔17〕完整的真相卻是更加慘痛：儘管J. M.自認並沒有做錯事，但他還是被推到一旁——甚至被暗地裡指責。這種受到鎂光燈關注的痛苦經歷，使他對於長期資本後來的憾事更加遮遮掩掩。與此同時，在套利小組內部，爭取J. M.復職成了一項運動，希利伯蘭和羅森菲爾德把J. M.的辦公室維持得原封不動，高爾夫球桿、辦公桌和電腦都留著，彷彿J. M.只是去休個長假而已。新任執行長德里克・莫恩（Deryck Maughan）很敏銳地推測，只要這個緬懷J. M.的地方還留著，J. M.就會一直是他潛在的競爭對手。果然，一年後，當梅里韋瑟解決了由莫澤事件引發的法律問題，此時分別擔任套利小組與政府部門業務負責人的希利伯蘭和羅森菲爾德，便遊說要讓J. M.回鍋擔任共同執行長。〔18〕

莫恩是個官僚，個性機伶而且不喜歡這種事，他試圖將所羅門重新打造成提供全面服務的全球性銀行，而套利事業只是一個部門。希利伯蘭堅決反對這種路線，他在J.M.不在的期間，愈來愈堅持自己的主張。他希望所羅門解雇其投資銀行家，並緊縮套利交易。同時，他在抵押貸款業務下了一筆幾近災難的賭注，並拖欠了四億美元。在這種情況下，大多數交易員都會收手，但希利伯蘭還只是暖身而已；他冷靜地建議所羅門把它的資本承諾提高一倍！由於希利伯蘭這麼誠心地相信自己的交易，所以他可能得承受其他交易員不曾受過的痛苦。他說，市場就像變形的妙妙圈（Slinky），最後一定會彈回來。據說他只有一次遭受永久損失，這證明了他其實不是賭徒。但是，對於他深信自己的判斷正確無誤一事，亟需某種能約束它的影響力，以免他逐漸走向偏鋒。

把資本承諾加倍就太多了，不過管理層讓希利伯蘭繼續他已經在進行的交易。到最後，這筆交易是賺錢的，但它也提醒了所羅門的管理階層，儘管希利伯蘭批評許多部門好比超重的行李，套利小組卻隨意要求所羅門給資金，也不管公司資本正在下跌。公司的高階主管對於套利小組用掉多少資本、或它的交易產生多大風險，可能看法不一，教條主義的希利伯蘭就這些事對他們說教了好幾個小時。簡言之，假如某段時間裡妙妙圈沒有回彈，套利部門可能會損失多少錢？對於希利伯蘭回覆的那種數學說法，巴菲特和蒙格都不滿意。[19]巴菲特答應讓J.M.回鍋——不過，不

17 Leah Nathans Spiro, "Dream Team," *Business Week*, August 29, 1994.

18 證券交易委員會提出民事訴訟，指控梅里韋瑟沒有嚴格監督莫澤。在沒有認罪也沒有否認有罪的情況下，梅里韋瑟達成和解，協議處以三個月停止證券業務和罰款五萬美元。

會像希利伯蘭想要的那樣，把整個公司都託付給他。

當然，梅里韋瑟不可能勉強接受這種有限制條件的回鍋。莫澤的醜聞已經斷絕J. M.取得所羅門兄弟最高主管職位的任何希望，但是它為一場更盛大的戲播下了種子。此時已經四十五歲的J. M.，卷曲的頭髮垂下蓋住無法猜透的眼神，他斷絕了和所羅門兄弟的對話。他制定計畫，打算成立一個新的獨立套利投資基金——可能是對沖基金，並打算繼續突襲他如此深愛的，由他組建的套利小組。

19 Author interview with Charlie Munger.

2 對沖基金 Hedge Fund

先生，我愛樹籬（hedge）。

——亨利．菲爾丁（Henry Fielding），一七三六年

隨你喜歡怎麼預言就怎麼預言，不過界限（hedge）一直都在。

——奧利佛．溫德爾．霍姆斯（Oliver Wendell Holmes），一八六一年

一九九〇年代初期，梅里韋瑟開始重操舊業時，投資這一行進入了黃金時代。擁有投資的美國人比起以前更多，股票價格也上漲到了驚人的高點。市場指數一次又一次飆升衝破以前從未想到的障礙。一次又一次創下新紀錄，使舊標準黯然失色。投資人眼花撩亂，但並未因此自滿。那是一個黃金時代，卻也是個緊張的時代。美國人無聊沒事做的時候，就焦慮地盯著記錄市場最新動向的顯示幕，來打發時間。體育館、機場、單身酒吧等等，到處都有股價播報螢幕。股市專

家們一再預言股市會回檔甚至崩盤；雖然他們總是猜錯，但投資人也很難不在意。投資者雖然貪心，但也很警覺。一些已經致富到遠超乎自己所能想像的人，想要找別的地方再進行投資，而且他們希望假使股市崩盤、或說當股市崩盤時，這個投資標的不致嚴重受創。

而且到處都有很多有錢人。這點有很大的程度要歸功於股市榮景，全世界至少有六百萬人以上認為自己是百萬美元富翁，這些人的資產加總起來達到十七兆美元。〔1〕至少對於這六百萬名幸運者而言，投資對沖基金具有特殊的吸引力。

就證券法來說，根本沒有對沖基金（hedge fund）這種東西。實際上，該術語是指有限合夥制，至少從一九二〇年代就已經有少數這種合夥關係在運作。被稱為「價值投資之父」的班傑明．葛拉漢（Benjamin Graham）所操作的投資，也許是史上第一個對沖基金。不像比較常見的共同基金，這些合夥關係是躲在華爾街暗處運作的。這些基金是私募的，而且大體上是為有錢人所設計、不受監管的聯合投資池（investment pool）。它們不需要在證券交易委員會註冊，不過有些必須向華盛頓的另一局處「商品期貨交易委員會」（CFTC）進行有限備案。在大多數情況下，他們會隱藏投資組合的內容。它們選擇借多少錢，就能借到多少；或者它們的銀行可以借它們多少錢，它們就借多少——前述兩者的結果通常是一樣的。而且不同於共同基金，它們可以集中它們的投資組合，而不會考慮分散投資。實際上，對沖基金可以自由選擇任何或是所有更奇怪的投資組合，例如期權、衍生性金融商品、賣空、極高資金槓桿等等。

為了換到這樣的自由，對沖基金必須限制投資人加入，只開放給少數幾名最佳的投資者；實際上，它們的運作方式就像私人俱樂部。根據法律，每個基金最多能跟九十九個資產至少一百萬美元的投資人、個人或機構簽約；或者假設每個投資者都有至少五百萬美元的投資組合，那麼基金最多跟五百個投資人簽約。其隱含的邏輯是，如果基金只開放給一小群百萬富翁和機構，那麼像證券交易委員會這類機構就不必費心監管它。百萬富翁想必很清楚自己在做什麼吧；如果他們沒搞清楚，賠錢就只能算在自己頭上，不能怪別人。

直到最近，投資人已經普遍不知道對沖基金經理人是何許人。但是在一九八〇年代和一九九〇年代，一些大型基金的營運商都惡名遠播，其中最聲名狼藉的是移民的貨幣投機客喬治・索羅斯（George Soros）。一九九二年，索羅斯的「量子基金」（Quantum Fund）因為「打破」英格蘭銀行防線，並迫使它讓英鎊貶值（他不斷賣空英鎊使英鎊持續貶值）而聞名，這記高招讓他大賺十億美元。幾年後，索羅斯因為逼得東南亞貨幣急遽貶值而飽受指責——這回指責他也許沒什麼道理。由於索羅斯和另外一些高知名度的經理人，例如朱利安・羅伯遜（Julian Robertson）和麥克・史坦哈特（Michael Steinhardt），對沖基金營運商給了大眾一種猶如海盜的印象——膽大妄為，能把市場搞得天翻地覆。史坦哈特曾吹牛說，他和他的同伴是資本主義殘存的少數邊防堡壘之一。[2]當時

1 Franklin R. Edwards, "Hedge Funds and the Collapse of LongTerm Capital Management," *Journal of Economic Perspectives*, 13, no. 2 (Spring 1999),193.

大家對於對沖基金經理人的普遍印象，不外乎是張揚跋扈的冒險家，有時能賺進巨額收益，有時又遭受慘重損失；一九九八年《韋氏大學詞典》（*Webster's College Dictionary*）把對沖基金定義為使用「高風險投機方法」的投資基金。

然而，儘管有著勇敢冒進的形象，大多數的對沖基金還是相當溫和的；事實上，這才是它們真正吸引人的地方。「對沖基金」一詞是從「多方下注」（hedge one's bets）這個俗語衍生的口語，意思是藉由在另一方下注，來限制投機活動產生虧損的可能性。這種用法是從一般常見用做「邊界」或「界限」的「花園樹籬」的概念演變而來，就連莎士比亞也用過（「英格蘭被包圍著」）。[3]一直到梅里韋瑟正港的前輩阿佛雷德．溫斯洛．瓊斯（Alfred Winslow Jones）在一九四九年組織起合夥關係之前，還沒有人想過把這個詞用在投資基金上。[4]雖然這種合夥關係存在已久，不過是這位澳大利亞出生的《財星》雜誌撰稿人瓊斯，最先操作一個平衡的或對沖的投資組合。瓊斯擔心自己的股票會在普通市場暴跌期間下跌，因此決定利用對沖（**也就是同時做多和做空**）來中和市場因素。像大多數投資人一樣，他買進自己認為便宜的股票，但也賣空價格似乎過高的股票。至少從理論上來看，瓊斯的投資組合是「市場中立」（market neutral）的。任何影響市場上漲或下跌的大事件——戰爭、彈劾、氣候變遷——都只會使瓊斯的投資組合的一半增加而另一半下跌。他的淨收益，只能取決於他單獨選擇表現相對最佳和最差股票的能力。

這是一種保守的方法，可能會賺得比較少，但是虧損也會比較少，這點吸引了一九九〇年代神經緊張的投資人。現代的對沖基金揚棄了索羅斯那種大膽做法，它們大多會標榜自己能夠穩定獲利。他們期待隨著持有時間愈長，獲得愈豐厚的收益，而不是追蹤交易活絡的市場忽上忽下的走勢。在理想情況下，它們能賺到和普通股票基金相同或更高的利潤，不過當大家都虧損時，它們還能保住自己的資金。

儘管人們對於對沖基金了解甚少，但每當美國人像以前在比較狂飆的房價那樣，瘋狂比較投資的收益時，這些基金總會贏得神祕的好名聲，因為它們似乎既能避開常見的風險，同時找到了致富之道。參加烤肉派對的人只顧著談論他們的共同基金，但是共同基金太普通了！對於有辦法的人，對於會到漢普頓（Hamptons）避暑的人、家裡用安迪・沃荷作品裝飾的人，對於藝術和慈善晚宴的贊助者，投資對沖基金意味著他們具備某種地位——那是躋身華爾街最聰明和最精明人物之列的一種象徵。當全世界的人都在討論投資時，有什麼比從旁慎重其事地提及某個精明、年輕的對沖基金經理人，要更令人激動的？這個經理人謹慎、精明，正在運用某人的資源。對沖基金成了「最富有而且最優秀」的象徵。矛盾的是，對沖基金經理人收取的高額佣金，更增添了他

2 Gary Weiss, "Fall Guys?" *Business Week*, April 25,1994.

3 *King John*, 2.1.26,1595, cited in O.E.D., vol. 7,96.

4 Edwards, "Hedge Funds and the Collapse of Long-Term Capital Management," 189–90; Ted Caldwell, "Introduction: The Model for Superior Performance," in *Hedge Funds: Investment and Portfolio Strategies for the Institutional Investor*, ed. Jess Lederman and Robert A. Klein (New York: Irwin Professional Publishing, 1995),5–10.

們的吸引力，因為除了那些特別有才能的人，還有誰有能耐收取這麼浮誇的費用呢？對沖基金經理人不僅從投資人的獲利分走一大筆分紅，還會貪婪地要求拿到一定比例的資產。

因為這種種原因，美國的對沖基金數量暴增。一九六八年證券交易委員會進行調查時，只找到兩百一十五個對沖基金。[5]到了一九九〇年代，這類基金可能已經多達三千個（沒人知道確切數字）。它們分布在許多投資方式和資產類型裡，大多數是小型基金。它們持有的資本可能總計達三千億美元左右；至於股票共同基金的總資本，則約為三．二兆美元。[6]然而，投資者想要的更多。他們正在尋找一種既大膽又安全的替代品來取代普通期權（plain vanilla）：不是風險最大的投資方式，而是最有把握的投資方式；不是最招搖的，而是最聰明的。這一切的答案，正是梅里韋瑟想到的對沖基金。

梅里韋瑟向阿佛雷德．瓊斯看齊，預想著專注在債券市場上進行「相對值」交易的長期資本管理公司。因此，長期資本會買進某些債券，並賣出另一些債券。它會押注「配對」債券之間的價差是擴大還是縮小。假如義大利的利率很顯然比德國的利率高（代表義大利的債券會比德國的債券便宜），如果差價縮小，那麼投資義大利債券並做空德國債券的交易員就會從中獲利。這是一種風險相對低的策略。由於債券通常會同步上漲或下跌，因此利差的波動幅度不會像債券本身那樣大。就像瓊斯的基金那樣，理論上，即使市場上漲或下跌，甚至崩盤，長期資本也不會因此受影響。

但是有一個顯著的區別：梅里韋瑟打從一開始，就打算把長期資本的資金槓桿拉高到二、三十倍，甚至更高。這是長期資本的投資策略裡必要的部分，因為它打算買進的債券和打算售出的債券兩者的差距，絕大多數經常是很微小的。為了從這麼微小的價差中獲得可觀的利潤，長期資本就得靠借貸把它的投資金額加到很多很多倍。任何去過遊樂場的人，都可以明顯看出這種策略多麼有吸引力。那就像蹺蹺板，能讓小孩子抬起的重量，比只用自己的力氣抬起的重量還要重很多。財務槓桿會增加你的「力量」——也就是你的賺錢倍率——因為它讓你能夠把借來的資本像你自己的錢一樣用來賺取收益。當然，你賠錢的倍率也會加倍。如果長期資本因為某種原因而策略失靈，它的損失將會更龐大，並且更快速累積。事實上，這種規模的損失很可能會害死人——但這種情況似乎不太可能發生。

• • •

一九九三年年初，梅里韋瑟拜訪了美林證券董事長丹尼爾・塔利（Daniel Tully）。當時 J.M.仍

5 同前註 Caldwell

6 "Hedge Funds, Leverage, and the Lessons of Long-Term Capital Management," Report of the President's Working Group on Financial Markets, April 1999,1.

很擔心莫澤事件壞了他的名聲，他急忙問道：「我的信譽已經毀了嗎？」塔利否認了。塔利讓梅里韋瑟和美林證券內部籌募對沖基金資金的人保持聯繫，不久後，美林同意接下長期資本的募資工作。

J. M.的設計野心很大。他就是要複製出套利小組，一個雖然沒有所羅門集團數十億美元資本、信用額度、資訊網路以及七千名員工做後盾，但同樣有能力觸及全球並且能夠承接龐大部位的組織。他幫所羅門立下不少汗馬功勞，沒想到卻因為遭到懷疑而被迫離開，對此他深感痛苦，因而亟欲證明自己沒有錯——也許得靠打造出更好的東西來證明。

梅里韋瑟希望籌到多達二十五億美元的資金（傳統的基金可能一開始只有這數額的百分之一）。確實，和長期資本有關的每件事都很龐大。它收的費用也遠高於業界平均收費。J. M.和他的合夥人除了可以從投資獲利中抽取二十五％，每年還能收取二％的資產管理費用。J. M.認為，要維持全球性的營運，收取這樣的費用是必要的——不過這只表明他的願景是長遠的。

此外，該基金堅持要求投資人保證至少投資三年，這種禁售協議（lockup）當時在對沖基金界幾乎聞所未聞。禁售是合理的；如果變化莫測的市場變得不利於獲利，那麼（禁售基金部位）能使長期資本有真正「長期」的資本做為緩衝；就像銀行可能會告訴儲戶：「明天再過來！」儘管如此，這也是在要求投資者表現出無比的信任——尤其是因為J. M.沒有正式的業績紀錄能給他們看。儘管許多人有所耳聞，近年來所羅門公司的收益大部分是套利部門賺的，但是該小組究竟獲利多少並沒有公開。即使大概知道套利交易賺了什麼的投資人，也不了解它是怎麼賺到的。其具體細節——模型、價差、怪異的衍生性金融商品——太過晦澀難懂了。此外，梅里韋瑟前不久才因為莫澤事件而被證券交易委員會制裁，人們對於和他一起進行投資，仍然有很大的疑慮。

在美林著手制定募資策略時，J. M.以前的團隊開始從所羅門出走。艾瑞克．羅森菲爾德在一九九三年年初離職。那位伊朗裔塞法迪猶太人維克多．哈罕尼，在羅森菲爾德之後離開；他在所羅門的交易大廳裡發布這個消息時，大家熱烈鼓掌。七月，格雷戈里．霍金斯辭職。雖然J. M.還缺勞倫斯．希利伯蘭，因為所羅門極力挽留他，他心裡還在天人交戰著，但梅里韋瑟現在正策畫著以他那些頭號交易員為核心的計畫。他對前同事仍然有很強烈的忠誠感，而且感人的是，他還提供「非執行董事長」職位給所羅門下台的執行長葛德佛倫——條件是要葛德佛倫放棄他與所羅門之間為了欠薪問題正在進行的惡鬥。儘管鮮少人注意到，但是對於套利小組大獲成功，葛德佛倫其實有著舉足輕重的影響：他抑制了交易員有時候冒進越界的傾向。不過以後不會這樣了。在長期資本管理公司裡，J. M.勢必得管制自己徒弟的行為。

無論如何，J. M.需要的正面評價，要比葛德佛倫、甚至他那些才華橫溢卻默默無聞的年輕套利交易員所能提供的還要多。他需要一種優勢——一種能證明他與投資人的大膽計畫的東西。他必須重建自己的團隊，讓外界看到這支團隊不是一群普通的債券交易員，而是金融業中一場更盛大的實驗。這次，招聘沒有名氣的助理教授來任職這種事可行不通了——如果他打算募資二十五億美元，就不能這麼做。這次，梅里韋瑟找上了學術界的第一把交椅。哈佛大學的羅伯特·C·默頓（Robert C. Merton）是金融領域的頂尖學者，被同領域的許多人視為天才。他曾培訓過好幾代華爾街交易員，包括羅森菲爾德。在一九八〇年代，羅森菲爾德說服默頓擔任所羅門的顧問，因此默頓和套利小組關係已經很友好了。更重要的是，默頓的大名不只在美國，就連在歐洲和亞洲，都能立即打開機會的大門。

默頓是哥倫比亞大學研究科學家行為的著名社會學家羅伯特·K·默頓（Robert K. Merton）的兒子。老默頓在兒子出生後不久，就創造了「自證預言」（Self-fulfilling prophecy）這個概念，他舉儲戶為例來說明這種現象：儲戶會因為擔心銀行倒帳，而去銀行擠兌——對他的兒子來說，這個例證猶如預言。〔7〕小默頓在紐約市郊的哈德遜河畔哈斯丁長大，他不論處理什麼事，都展現了能設計出系統性處理方法的本領。他是死忠的棒球迷和汽車迷，很熱衷於記住球員的打擊率，以及記住每一款美國品牌汽車的引擎規格。〔8〕後來，他打撲克牌的時候，會盯著燈泡讓瞳孔收縮，好擾亂對手。當時他已經很像他父親研究的那些科學家，彷彿仿效他們似的；後來有個作家形容他「會尋找他身邊的所有秩序」。〔9〕

默頓就讀加州理工學院大學部時，養成了另一個興趣。他經常在早上六點半紐約股市開市時，到當地的一家證券行，花好幾個小時買賣股票和觀察股市。像是天意註定的，後來他轉學到麻省理工學院念經濟學。在一九六〇年代末期，經濟學家才剛開始把金融轉變成數學學科。在著名的保羅・薩繆爾森（Paul Samuelson）旗下工作的默頓，簡直就是開創了一個新領域。在那個時期，經濟學家都在建立模型，來描繪市場在特定時間點呈現的樣貌（或理論上該是什麼樣子）。默頓達成了牛頓式的進展，他模擬出在一連串無限微小的時刻裡的市場價格。他稱這種情況為「連續時間金融學」（continuous time finance）。多年以後，法國興業銀行（Société Générale）的衍生性金融商品專家史丹・喬納斯（Stan Jonas）評論道：「和默頓所完成的事情相比，一九七〇年代金融界的其他所有事物，大多只是不足掛齒的小事。」他那油印的藍色講義成了大家的紀念品。

一九七〇年代初，默頓解決了另外兩名經濟學家費雪・布雷克（Fischer Black）和邁倫・舒爾茲（Myron S. Scholes）未完全解決的問題：推導出股票期權「修正」價格的公式。默頓了解了期權和標的股票之間的密切關係，用一個巧妙的數學解法完全解決這一道難題。然後他大方地等到他的同行發表後，他才發表。因此，這個公式後來被稱為「布雷克－舒爾茲模型」。正因為期權沒有活躍的市場，所以很少人會在意。不過巧合的是，在布雷克－舒爾茲模型公式出現前一個月，芝加哥期權交易所已經開始列出股票期權提供交易了。沒多久，德州儀器公司就在《華爾街日報》

7 Robert K. Merton, "The Self-Fulfilling Prophecy," *Antioch Review*, 8, no. 2 (June 1948), 194–95.

8 Robert C. Merton, unpublished autobiography, May 1998.

9 Gretchen Morgenson and Michael M. Weinstein, "Teachings of Two Nobelists Also Proved Their Undoing," *The New York Times*, November 14, 1998.

上刊登廣告：「想要找出布雷克－舒爾茲值，現在您可以利用我們的……計算機。」〔10〕這是衍生性金融商品革命的真正開端。此前從來沒有大學教授能對華爾街有這麼重大的影響。

在一九八〇年代，梅里韋瑟和許多交易員就像交易股票和債券一樣，開始習慣交易這些新奇的工具。與實際證券相反，衍生性金融商品只是一種合約，它們的價值是從股票、債券或其他資產衍生而來（名字就是這樣來的）。例如，一個股票期權的價值（也就是在某個時間段裡以特定價格購買一支股票的權利），會隨著標的股票的價格變化。

默頓欣然接受了加入長期資本的機會，因為這似乎是在現實世界中展示他的理論的一個機會。他那時正主張，衍生性金融商品已經模糊掉了投資公司、銀行和其他金融機構之間的界線。在默頓協助創造出來的衍生性金融商品的無縫世界中，只要能夠建構適當的合約，任何人都可以承擔借錢或提供股權的風險。重要的是功能，而不是形式。在抵押貸款界早已證明這一點，抵押貸款曾經完全由當地銀行專門提供，現在主要由無數個購買小部分證券化抵押債券組合的不同投資人來提供資金。

事實上，默頓並沒有把長期資本當作「對沖基金」看待，他和其他合夥人都對這個用詞嗤之以鼻，他們認為長期資本跟銀行一樣，是提供資金給市場的金融中介機構，只不過長期資本是這類機構中最先進的。在街頭巷尾的銀行借用了儲戶的錢，然後貸款給當地居民和企業。銀行把資產——也就是借出去的貸款——與負債相搭配，利用向借款人收取比付給儲戶的利息稍高的利率，來賺取微薄的利差。長期資本用類似的做法，藉由售出一組債券來「借錢」，然後買進另一組債券來「借出」資金——後者可能是比較沒有需求的債券，因此殖利率稍微高於利率。因此，該基金像銀行一樣能賺到利差。雖然這樣子描述是極其簡化了，但長期資本藉著投資在更高風險（代表收益也更高）的債券，必定會達到向市場「提供流動性」的結果。而銀行除了提供流動性，還做了什麼？多虧了默頓，這家新生的對沖基金開始思考更寬廣的目標。

可惜的是，默頓在銷售基金方面幾乎派不上用場。他太一本正經了，而且在哈佛大學忙著教課。不過在一九九三年夏天，J. M.招募了第二位學術界明星：邁倫・舒爾茲。雖然其他學者視他為重量級人物，不過拜布雷克－舒爾茲模型所賜，舒爾茲在華爾街的名氣更大。舒爾茲也曾經在所羅門工作，所以也和梅里韋瑟的團隊很親近。這麼一來，長期資本有了兩名金融界最傑出的人才，據說兩人都在諾貝爾獎候選人名單上，所以長期資本相當於找來了麥可・喬丹和穆罕默德・阿里組成一隊。一名後來投資了該基金的基金經理人就說：「這下更是神祕到了極點。」

一九九三年秋天，美林證券發起一場荒唐的徵求投資人活動。重量級客戶坐著豪華轎車，前往位於下曼哈頓的美林證券總部，在那裡發表了該基金的介紹說明，眾人宣誓保密，然後再回到他們的豪華轎車。隨後美林和各組合作夥伴便開始行動，在紐約、波士頓、費城、塔拉赫

10 Peter L. Bernstein, *Against the Gods: The Remarkable Story of Risk* (New York: John Wiley & Sons, 1996),310–16. See also Bernstein's account of the Black-Scholes model in *Capital Ideas: The Improbable Origins of Modern Wall Street* (New York: Free Press, 1992), 207–16.

西、亞特蘭大、芝加哥、聖路易斯、辛辛那提、麥迪遜、堪薩斯城、達拉斯、丹佛、洛杉磯、阿姆斯特丹、倫敦、馬德里、巴黎、布魯塞爾、蘇黎世、羅馬、聖保羅、布宜諾斯艾利斯、東京、香港、阿布達比和沙烏地阿拉伯各地停留。長期資本設定，每位投資人至少要一千萬美元資金。

這次行動開局不順。J. M.有政治家的風範卻很拘謹，彷彿害怕他說的任何話會洩露團隊的祕密似的。「大家都想看看J. M.，但是J. M.從來不發表談話，」美林證券的戴爾・邁爾（Dale Meyer）抱怨道。低調的羅森菲爾德太低調了，有一名投資人甚至覺得他好像都在昏睡。霍金斯最糟糕，他是默頓以前的學生，講話夾雜一大堆代表代數符號的希臘字母。這些合夥人不懂得怎麼說故事；他們給人的感覺像數學教授。就連基金的名字也了無新意；只有正經八百的默頓才喜歡這名字。投資人有千百種理由可以推辭。很多人對J. M.不願意討論他的投資策略感到反感。有些人對J. M.小心翼翼披露的預期資金槓桿感到害怕。洛克菲勒基金會和洛茲集團（Loews Corporation）等機構不願支付這麼高的收費。尤其對那些為機構提供建議、以及決定要在哪裡投資大筆資金的投資顧問來說，長期資本的整個假設條件似乎還沒經過檢驗。

一直在釋出資訊以提高長期資本地位的梅里韋瑟，動身前往奧馬哈和巴菲特餐敘，因為他很清楚，如果巴菲特投資，其他人也會跟著投資。這名開朗的億萬富翁仍舊表現出他一貫的本性——友善、會鼓勵別人，而且完全不願意亂開支票。

被國內最富有的這位投資人拒絕後，J. M.找上了高盛執行長強恩・科津。科津長久以來一直很羨慕梅里韋瑟在所羅門的套利部門，也試圖在高盛建立可一較高下的事業。科津提出，高盛可以成為長期資本的大股東，或者將梅里韋瑟成立的這個新基金納入高盛旗下。最後，這兩種方式都沒談成。瑞銀集團觀望了很久，但也放棄了。沒有贏得這些大銀行的信任的確很傷。儘管J.M.勇氣十足，但他還是擔心被所羅門排除在外。他非常需要一個大公司當靠山。

為了把必要需求轉化為優勢，J.M.接下來尋求一些外國銀行成為長期資本的準合作夥伴，幫該基金增添國際性光環。每個合作夥伴——J.M.暱稱他們為「戰略性投資人」——將投資一億美元，並且共享有關他們當地市場的內部資訊。從理論上講，至少長期資本會回報。把可能的投資人稱為「戰略性」投資人來取悅他們，這種計畫完全是梅里韋瑟會做的。默頓喜歡這個主意；這似乎可以驗證他的理論，也就是舊的制度關係是克服得了的。這開啟了第二條路線，由J.M.單槍匹馬地向外國銀行示好，而招募客戶的事就交給美林證券負責。

美林證券藉由設計出一種巧妙的「饋線」系統來推動籌款活動，這個系統使長期資本能夠從他們想像得到的每個稅務和法律領域的投資人那裡募集資金。一個給一般的美國投資人使用；另一個給免稅退休金投資；再一個給想要用日圓對沖利潤的日本人；還有一個則適用於歐洲的機構，這些機構只能投資在交易所上市的股票（該支線在愛爾蘭證券交易所進行了虛擬上市）。

饋線沒有保留金錢；它們是票據管道，把資金傳送到一個中央基金，稱為「長期資本投資組合」（LTCP），它是開曼群島的一個合夥企業。就所有實際目的而言，長期資本投資組合就是基金：它是可以買賣債券並持有資產的實體。管理該基金的機構是「長期資本管理公司」，這是一家位在德拉瓦州，由J. M.、他的合夥人和他們某些人的配偶擁有的合夥企業。雖然這樣一個複雜的組織可能會令其他人退避三舍，但合夥人倒是很能接受它，他們認為他們能夠打造出複雜的交易，是勝過其他交易員的一項優勢。當然，這些合夥人不是在開曼群島或德拉瓦州附近，而是在格林威治、康乃迪克和倫敦的辦公室裡。

這些合夥人剛展開行銷活動，就稍事暫停了一下。他們正在他們的律師托馬斯・貝爾（Thomas Bell）的辦公室裡，他是盛信律師事務所（Simpson Thacher & Bartlett）的合夥律師。這時羅森菲爾德興奮地跳起來說：「看看這個！你看到所羅門做了什麼嗎？」他拋下一張紙——所羅門的收益表。所羅門兄弟最終決定把套利小組賺的收益拆分出來，因此長期資本現在能夠向合作夥伴提出先前的紀錄。從前述紀錄來看，所羅門之前大部分的獲利，很明顯都是靠J. M.的團隊賺來的——他在公司的最後五年裡，每年獲利超過五億美元。然而，即使有這些成績也不足以說服投資人。儘管美林證券苦苦哀求，這群合夥人對他們的經營策略仍然毫不鬆口。長期資本甚至拒絕提出交易的案例，因此潛在的投資人對公司合夥人的提議幾乎一無所知。畢竟，大多數投資人根本還不了解債券套利交易。

美林證券的高層愛德森・米契（Edson Mitchell）是個老菸槍，他負責監督這次的基金募資，他很希望J. M.能敞開心扉。J. M.好像忘記了他是跟別人要錢的人。即使在和米契私下會談時，

J. M.也不會透露他打過電話給哪些銀行；他把每一個細節都當成國家機密看待。遇上這麼謹慎的客戶，米契甚至沒辦法把基金賣給他自己的老闆。儘管米契提議讓美林證券成為戰略合作夥伴，但負責美林證券資本市場的大衛・科曼斯基（David Komansky）還是很謹慎地拒絕了。他同意把美林證券收取的費用投資進去，大約一千五百萬美元，但不願再加碼。

在各地遊說募資期間，有一次一行人包括舒爾茲、霍金斯和一些美林證券的人，千辛萬苦地來到印第安納波利斯，拜訪了一家大型保險公司康塞科（Conseco）。他們筋疲力盡地抵達目的地。舒爾茲開始討論到，即使在相對有效率的市場裡，長期資本要怎麼樣才能做捆綁銷售。突然，三十歲的衍生性金融商品交易員安德魯・周（Andrew Chow）沒大沒小地脫口而出：「沒有那麼多機會；不可能會像在公債市場上賺那麼多。」周的最高學歷只不過是金融碩士，卻對著名的布雷克－舒爾茲模型發明者似乎沒有絲毫敬畏之意。坐在皮製辦公椅的舒爾茲一聽火大了，他往前傾身說道：「你就是主因——就因為有像你這樣的傻瓜，我們就可能賺那麼多。」[11]康塞科的人生氣了，這場會議也不歡而散。美林證券要求舒爾茲道歉。霍金斯認為這件事情很搞笑，他還因此捧腹大笑。

但事實上，舒爾茲是該基金的最佳推銷員。投資者至少還聽過他的大名，有對夫婦甚至選過

11 Author interview with Maxwell Bublitz.

他的課。而且舒爾茲天生就很會講故事，性情多變卻外向。他曾用一個生動的比喻來推銷該基金。他說明，長期資本數千筆交易的每一筆交易，都能賺到微小的價差，就好像把其他人沒看在眼裡的小零錢用吸塵器吸過來一樣。他在演說的時候，會好像憑空摘下似的掏出一枚零錢——一個無傷大雅的小把戲。甚至在提到該基金通常只有少數人知道的細節時，舒爾茲也能藉由數學流暢地帶過，讓大多數才參加面談的人感覺像卑微的學生。康塞科的投資部門負責人麥克斯威爾．巴布利茨（Maxwell Bublitz）說：「他們用邁倫（舒爾茲）來讓你們大吃一驚。」

舒爾茲的父親是在安大略執業的牙醫，他看似也不太可能成為學者。憑著努力不懈的創業精神，他和他的兄弟已經做過不少投資事業，例如出版，還有販售緞面床單之類的。〔12〕在一九六二年大學畢業後，閒不住的舒爾茲儘管對電腦一竅不通，仍舊在芝加哥大學找到一個電腦程式設計師的暑期工作。這名商學院的教職員這才見識到電腦的威力，於是推廣以數據為基礎進行研究，尤其是根據股票市場價格來進行研究。舒爾茲的電腦工作非常有價值，因而教授們敦促他再留下來，要他自己進行市場研究。〔13〕

碰巧的是，舒爾茲處在新保守主義騷動的大環境中。尤金．法馬（Eugene F. Fama）和默頓．米勒（Merton H. Miller）等學者，正在發展後來成為現代金融中心思想的學說：有效市場假說。這個學說所假設的前提，是股票價格永遠是「正確的」；因此，沒有人能夠預測市場未來的方向，反過來說，市場未來的方向必然是「隨機的」。當然，因為價格是正確的，設定價格的人必須既理性又消息靈通。實際上，這個假說假設世界各地的所有交易所和證券公司——或者至少有足夠多到能決定價格的交易所和證券公司——都是由一群冷靜而自制的希利伯蘭在任職，對於任何一支股票「值多少錢」，從來不會多付錢，也不會少付。維克多．尼德霍夫（Victor Niederhoffer）是舒爾茲在芝加哥大學的同窗同學，後來也成立自己的對沖基金，據他表示，舒爾茲是「隨機漫步黑手黨」（Random Walk Cosa Nostra）的一員，這個團體會有條有理地反駁任何認為市場可能出錯的主張。曾有一名房地產經紀人慫恿舒爾茲在大學附近的海德公園買房子，並聲稱該地區的房價預計一年會上漲十二%，黝黑而健談的舒爾茲駁斥道，如果這說法是真的，現在那一區所有的房子早就被買光了。儘管相信這樣的信條，舒爾茲卻也從未全然認為自己無法擊敗市場。一九六〇年代後期，他把薪水拿來投資股票，借錢來支付生活開銷。股市暴跌時，他不得不拜託銀行展延還款時間，以避免被迫在股票巨額虧損時賣出。最終，他的股票價格回升了——這可不是長期資本合夥人最近一次了解到跟銀行打好關係的價值。〔14〕

雖然默頓是最後把理論完善的理論家，但舒爾茲因找到檢驗理論的巧妙方法而受到讚譽。

12 Author interview with Eugene F. Fama; see also Bernstein, *Capital Ideas*, 212.

13 Mike Shahin, "The Making of a Nobel Prize Winner: Myron Samuel Scholes Never Felt the Need to Be Conventional," *Ottawa Citizen*, October 25,1997; Bernstein, Capital Ideas, 212.

14 Shahin，同前註。

舒爾茲愛爭辯的程度，和默頓拘謹的程度差不多，他熱情地促成一次又一次腦力激盪，其中大多數雖不太可能成真，但往往迸發創意的火花。靠著務實作風，他為所羅門做出了真正的貢獻，他在所羅門設立專事衍生性金融商品交易的子公司。此外舒爾茲不管是在美國還是海外，都是頂尖的稅法專家。他把稅務視為一場超大型的智力競賽：「沒有人真正繳稅過。」他曾經不屑地這麼說。〔15〕舒爾茲認為人們會無所不用其極的避稅，也許是因為他們不符合芝加哥學派把人類視為經濟機器人的模型。在長期資本，舒爾茲帶頭進行了一個精巧的計畫，這個計畫讓合夥人延後領取他們分到的獲利，最高推遲入袋達十年，就為了拖延繳稅時間。他向律師詳細講述了細節，但合夥人傾向於原諒他一頭熱。他們被舒爾茲的活力和懂得生活樂趣所吸引。他一直在重塑自我，開始接觸新的運動像是滑雪還有高爾夫球（受到梅里韋瑟影響），並且會興致勃勃地投入。

有了舒爾茲參與，行銷活動逐漸有起色。該基金拿出誘人的利多來吸引投資人，長期資本告訴他們，（扣掉公司合夥人收取的管理費後）每年投資報酬率要達到三十%並不是不可能。此外，雖然合夥人清楚說明了相關的風險，但他們也強調他們打算加以差異化。他們打算把投資組合分散在全球各地——他們的雞蛋會好好地分散到不同的籃子裡。這麼一來（萬一遇到股災），沒有任何單一市場能夠拖垮這個基金。

合夥人死命地追著最精挑細選的投資人，經常邀請潛在客戶回到他們最早期位在格林威治海邊汽船路的總部。有些投資人和公司合夥人會面多達七、八次。這些合夥人穿著卡其休閒褲和高爾夫球衫，看起來非常有自信。事實上，他們在所羅門就已經賺了很多錢，投資人想到他們可能會再來一遍就興奮了起來。儘管對梅里韋瑟團隊的實際運作方式不甚了解，但面對這樣聰明的菁英分子，投資人漸漸忘記他們做的事令人難以置信。最終也投資了長期資本的瑞士銀行家雷蒙・拜爾（Raymond Baer）說得很明白：「這是一群很懂得怎麼賺錢的明星組合。」到了一九九三年底，儘管該基金尚未公開而且進度遠遠落後，但答應要投資的資金開始陸續湧入。當希利伯蘭終於從所羅門兄弟跳槽並加入他們，合夥人們士氣大振。默頓和舒爾茲可以增加行銷時所需要的明星光芒，但希利伯蘭才是能讓收益不斷進袋的人。

J. M.還給兩個往來很久的高爾夫球球友提供了合夥人資格，也就是所羅門的高階主管理查・黎伊（Richard F. Leahy），以及曾經創辦債券交易公司的摯友詹姆斯・麥肯泰（James J. McEntee）。長期資本的交易員工作呆板無趣，他們兩人都不是做這些事的料。黎伊是個隨和親切的業務員，長期資本預計要派他和華爾街的銀行家打交道——這種工作不是固執的交易員能夠勝任的。不過，麥肯泰的角色就是個謎團了。他賣掉公司後，過著高檔時髦的日子，搭直升機通勤回漢普頓的家，坐噴射客機飛往格林納丁斯的一座小島，人們因為這樣而暱稱他為「美男子」。和那些知識豐富的套利者相比，在布朗克斯出生的麥肯泰是靠直覺做買賣的傳統派。但梅里韋瑟很高興身邊有這

15 Author interview with William F. Sharpe.

樣的朋友；和這些朋友玩鬧，他很放鬆，甚至變得很愛交際。也不算是巧合，黎伊和麥肯泰都是愛爾蘭裔美國人，而J. M.和愛爾蘭裔美國人相處總是覺得很自在。他們也是合夥人當中，最貼近J. M.內心的那塊資產的——遠在愛爾蘭西南部海岸，那座精心整修、名為「瓦特維爾」（Waterville）的高爾夫球場。

在一九九四年初，J. M.找來了最讓人震驚的人物：美國聯邦準備委員會副主席大衛．W．穆林斯（David W. Mullins），在美聯準的官員裡，層級僅次於美聯準主席艾倫．葛林斯潘。穆林斯也曾是默頓在麻省理工學院的學生，後來在哈佛大學任教，在那裡和羅森菲爾德結交成了朋友。由於他曾擔任中央銀行官員，這使得長期資本有了別人比不上的機會，能和國際銀行接觸。此外，在莫澤案中，穆林斯亦是美聯準的關鍵人物。而這也代表著，梅里韋瑟現在已經從華盛頓取得一份合格證書了。

穆林斯和梅里韋瑟一樣，從年輕的時候就開始投資了，他的父親是阿肯色大學校長，他在哈佛大學也是非常受歡迎的講師。諷刺的是，他的公職生涯是以金融危機專家的身分開始的；如果市場再次陷入亂局，他有望成為長期資本的股災處理專家。在一九八七年股市崩盤後，穆林斯協助撰寫了白宮的特別委員會（藍帶委員會）報告，把嚴重的過錯歸咎於新興的衍生性金融商品市場，因為這個市場的拋售潮像滾雪球般愈來愈大，才引發崩盤。後來他進入財政部，協助起草了美國破產的儲蓄和貸款行業的紓困法案。身為監管者，他敏銳地警覺到，市場根本不是完美的定價機器，而是每隔一段時間就會衝過頭，陷入險境。在他跳槽到長期資本的一年前，他評論說：「我們的金融系統是變化快速，有無窮創意的。它的設計使得它偶爾會出現有驚無險的狀況。」對於將來要加入的這個基金，穆林斯知道的東西遠遠超出他的想像，他認為美聯準的任務，應該涵蓋挽救受到「流動性問題」威脅的民營機構。〔16〕

一臉苦笑，講話輕聲細語，斯斯文文的穆林斯穿著像個銀行家，被認為很有可能接任葛林斯潘的位子。穆林斯在財政部的前上司尼古拉斯．布雷迪（Nicholas Brady），想知道他什麼時候加入長期資本，和「那些傢伙」在做什麼事。不過，穆林斯加入長期資本一事安撫了投資人，因為他對市場前景的看法，可能和這些投資人的看法非常相似。確實，利用把中央銀行前官員納入麾下，長期資本就有機會掌握世界各國準政府帳戶裡的大筆資金，一般私營基金很難有這樣的機會。很快的，長期資本贏得了香港土地發展局、新加坡政府投資公司、台灣銀行、曼谷銀行和科威特國營養老基金的投資委託。在一次罕見而破天荒成功中，長期資本甚至吸引到義大利中央銀行外匯局投資一億美元。這類的政治實體完全不投資對沖基金。但是負責監督義大利外匯局投資活動的皮耶安東尼奧．錢佩科萊（Pierantonio Ciampicali）認為，長期資本不是「對沖基金」，而是「聲譽卓著」的精英投資組織。〔17〕

16 Kenneth H. Bacon, "Fed Says Clinton Bank-Regulation Plan Would Limit Its Ability to Handle Crises," *The Wall Street Journal*, December 3,1993.

個人投資客對於這個大肆吹噓擁有金融界最頂尖智囊、以及一名常駐的前中央銀行官員的基金，同樣心生敬畏；在華爾街迷戀的猜測葛林斯潘動向的競賽中，穆林斯也有可能比其他人領先一步。上市的證券也令人驚豔。在日本，長期資本和住友銀行簽下一億美元的資金。在歐洲，金融鉅子德國德勒斯登銀行、列支敦士登全球信託基金，以及瑞士民營銀行瑞士寶盛銀行（Bank Julius Baer，向它的富豪客戶推銷此基金），都被長期資本抓到手，投資三千萬美元到一億美元不等。紐約共和國集團（Republic New York Corporation）這個由國際銀行家艾德蒙・薩夫拉（Edmond Safra）經營管理的祕密組織，也被長期資本這些輝煌的資歷迷住了，受到這個基金可能贏得的商機所吸引[18]，它投資了六千五百萬美元。長期資本還吸引了巴西最大的投資銀行加蘭蒂亞銀行（Banco Garantia）。

在美國，長期資本從眾多飛黃騰達的名流和機構那裡獲得資金。好萊塢經紀人麥克・奧維茨（Michael Ovitz）投資了；運動鞋龍頭耐吉的執行長菲爾・奈特（Phil Knight），以及精英顧問公司麥肯錫夥伴公司（McKinsey & Company），紐約石油高階主管羅伯特・貝爾佛（Robert Belfer）的合夥人也都投資了。貝爾斯登的執行長詹姆斯・凱恩認為，長期資本會賺回很多錢，所以它收取的管理費就不痛不癢了。和其他人一樣，對於J. M.和他合夥人願意自掏腰包投資一・四六億美元，凱恩覺得比較放心（羅森菲爾德和其他人還把他們孩子的錢投了進去）。在學術界，這些教授的才華是家喻戶曉，他們的名氣很吃香：聖約翰大學和葉史瓦大學（Yeshiva University）各投資了一千萬美元；匹茲堡大學拿出五百萬，也搭上車了。在俄亥俄州的榭柯高地（Shaker Heights），典範顧問公司（Paragon Advisors）幫長期資本找來它的有錢客戶。典範的總裁特倫斯・蘇利文（Terence Sullivan）在攻讀商學院學位時，就讀過默頓和舒爾茲的事蹟；他覺得這樣的投資操作風險很低。〔19〕

在企業界，潘恩韋伯投資銀行（Paine Webber）投資了一億美元，它們認為充分利用長期資本的投資概念是會賺到錢的；該銀行董事長唐納・梅倫（Donald Marron）個人加碼投資了一千萬美元。其他投資的企業還有百得公司（Black & Decker Corporation）退休基金、紐約大陸保險公司（後來被洛茲集團收購）和總統人壽保險公司（Presidential Life Corporation）。

長期資本在一九九四年二月底開業。梅里韋瑟、羅森菲爾德、霍金斯和黎伊買了一批可以存放好幾年的勃艮第好酒來慶祝。除了它的十一個合夥人，該基金還有大約三十名交易員和行政人員，以及價值一千萬美元的SPARC工作站，這些效能強大的昇陽微系統（Sun Microsystems）機器很受交易員和工程師喜愛。長期資本的募資閃電戰撈進了十二億五千萬美元，比J.M.的目標少了很多，不過仍然是有史以來最大的新創企業。〔20〕

17 James Blitz, "Bank of Italy Put $250m into LTCM," *Financial Times*, October 2,1998.
18 Author interview with Walter Weiner.
19 Author interview with Terence Sullivan; Michael Siconolfi, Anita Raghavan, and Mitchell Pacelle, "All Bets Are Off: How the Salesmanship and Brainpower Failed at Long-Term Capital," *The Wall Street Journal*, November 16,1998.
20 Peter Truell, "An Alchemist Who Turned Gold into Lead," *The New York Times*, September 25,1998.

3 首次發行公債 On the Run

實際上，他們（長期資本）是全世界最好的金融學校。——《機構投資人》雜誌

長期資本得到了上帝的眷顧。它在最佳的時機籌到了資金，在華爾街開始烏雲罩頂時，把這些錢派上用場。投資人渴望能一帆風順，但矛盾的是，市場變得動盪時，機會往往最多。價格持平時，交易就變成乏味沉悶的消遣。當價格開始波動，那就彷彿以往平靜的河流被小漩渦和水流擾動冒出氣泡。這支股票被水流拖著跑，那支股票被沖到上游。原本還和和樂樂一起行動的兩個債券，現在被拆散了，以前還可以預測的價差，如今不再同步震盪。突然間，投資人感覺正在隨波逐流。那些意志薄弱或沒有安全感的人，可能會恐慌或是想方設法要拋售。如果這麼做的人夠多，危險的暗流就可能扭曲整個市場。對於少數緊抓著自己的資本且堅信自身智慧的人，這正是機會向他們招手的時刻。

在一九九四年，梅里韋瑟募資結束的時候，葛林斯潘開始擔心美國經濟可能會過熱。正要準

備跳槽到長期資本，開始清理美聯準辦公桌的穆林斯，力勸美聯準主席要緊縮信貸。〔1〕到了二月，就在利率處於最低點，而且實際上投資人感覺最糟糕的時候——葛林斯潘決定提高短期利率，這嚇壞了華爾街。這是五年來第一次這樣子升息。但是，如果這位開口如神諭般的美聯準主席想要的是平穩市場，這個措施反倒適得其反。債券價格暴跌（當然，債券價格變動方向和利率相反）。葛林斯潘僅僅加息一碼〔2〕，是最溫和的幅度，相較於此，債券價格的跌幅超出了「應有的」幅度。有些人迫不急待想要拋售。

到了五月，也就是長期資本首次亮相後不到兩個月，美國三十年期公債的價格從近期的高點暴跌十六%——在相對溫和的固定收益證券世界裡，這是很大的變動幅度——殖利率因而從六．二%上升到七．六%。歐洲的債券價格也在崩盤。各式各樣的投資者，包括對沖基金（當中有很多已經債台高築），正準備從債券市場抽身。麥克．史坦哈特就是這樣的財務槓桿操作者，他看得驚心動魄。史坦哈特押注在歐洲債券，利率每上升一個基點，就會損失七百萬美元。向來神氣活現的史坦哈特在短短四天之內，賠掉投資人的八億美元資金。而遭國際貨幣的反彈效應所波及的喬治．索羅斯，在兩天之內就賠掉他客戶六．五億美元的資金。〔3〕

對於梅里韋瑟來說，這次騷亂是最好的消息。在拋售熱潮期間的某天早上，J. M.走過他公司的一名交易員前面。他正好瞥見那名交易員的電腦螢幕，很吃驚地說道：「舉白旗投降的傢伙真是一波又一波啊。」J. M.也知道，驚慌失措的投資人要退場時不太會挑剔。由於他們急著拋售，更是助長了價差擴大，也正好製造出梅里韋瑟所期待、可供利用的缺口。債券市場異常的大幅波動……通常與利差擴大有關。」他在一則（對他來說）罕見的給投資人的公開信裡，輕描淡寫地寫道：「這樣的價差擴大，創造出更進一步的機會，來增加長期資本投資組合的收斂性和相對價值交易部位。」〔4〕在經過兩個月的持平後，長期資本在五月上漲了七%，開始了一段令人振奮的獲利期。梅里韋瑟應該沒有想到，有朝一日長期資本會和一些驚慌失措、財務槓桿過大的對沖基金互換位置。但是在一九九四年，長期資本開業的最初幾個月期間展開的債券市場崩盤，是該公司應該密切關注的。

評論員開始看出國際債券市場具備連通性。《華爾街日報》就評論說：「在看似（與美國）毫不相關的市場發生的內爆，正在美國公債市場產生迴響。」〔5〕像是歐洲債券價格下滑、美國信孚銀行交易虧損、專門從事抵押貸款交易的對沖基金亞斯金資本管理公司（Askin Capital Management）倒閉，以及墨西哥總統選舉領先者遭暗殺等事件的發展，都加重了從葛林斯潘溫和調息後開始的

1 Keith Bradsher, "No. 2 Official Is Resigning from the Fed," The New York Times, February 2,1994.
2 編註：原文為 quarter-point 指〇．二五%的利率，也就是一碼。point 譯為基點、基本點或基準點，指〇．〇一%的利率。
3 This chapter draws extensively from *The Wall Street Journal*'s splendid account of the bond market turmoil: David Wessel, Laura Jereski, and Randall Smith, "Stormy Spring: Three-Month Tumult in Bonds Lays Bare New Financial Forces," May 20,1994. Notes for pages 29–41
4 LTCM, letter to investors, July 12,1994.
5 Wessel, Jereski, and Smith, "Stormy Spring."

美國公債跌勢。

突然間，市場彼此更加緊密地連結了——這個發展對於長期資本極其重要。這意味著某個市場的趨勢，可能會擴散到另一個市場；一個獨立市場的不景氣，可能演變成大範圍的潰敗。有了可以在任何市場依個人喜好量身訂作的衍生性金融商品，紐約的投機客要在日本做冒險的股票投資，或是阿姆斯特丹的投機客要在巴西賭一把，都是簡單輕鬆的事——這使得某一地的麻煩更可能滲透到另一地。對於被綁在電子螢幕前的交易員，市場之間的區別（比如美國的房貸和法國的政府貸款）幾乎不復存在。它們都是用衍生性金融商品拼湊在一起的風險連續體上面的點。

交易員慌慌亂亂地償還債務，瑞士信貸第一波士頓（Credit Suisse First Boston）的經濟學家尼爾・索斯（Neil Soss）向《華爾街日報》解釋說：「你不會賣掉你應該賣的，而是能賣什麼就賣什麼。」藉由操作一支證券的槓桿，投資人有可能放棄對其他所有證券的控制權。這個道理非常值得記住：這些證券可能毫不相關，但擁有它們的是同樣的投資人，因此在艱難的時候就會暗地將它們連結起來。而當金融小兵組成的大軍插手同樣的證券，邊界就會縮小。藉由分散投資來當保險的概念，勢必值得商榷——而這個概念，正是長期資本確保自身安危的基礎。

史坦哈特把他的虧損歸咎在一次突然蒸發的「流動性」。幾年之後，長期資本的嘴裡也會吐出這個詞。[6]但「流動性」只是個假想敵。每當市場暴跌，投資人都會發現：怎麼沒有足夠的買家可以轉手！正如凱因斯所說的，對整個社群來說，不可能有「流動性」。[7]史坦哈特的錯誤，在於認為市場有責任維持流動，或是認為總會有買家出現承接賣盤。一九九四年真正的罪魁禍首是資金槓桿。如果你不負債，你就不會破產，也不會被迫賣出（證券），在這種情況下，是無關「流動性」的。但資金槓桿過高的公司可能不得不出售手上的證券，所以虧損很快愈來愈多，導致破產。槓桿操作總是會加劇這種殘酷的情勢，其危險不容忽視。

長期資本真是好運成雙：在它把大筆資金投資進去之前，價差擴大了，而且一旦機會真的出現，長期資本還能利用眾多投資者陷入的困境——能這麼做的公司不多。而且它的交易是好交易。這些交易並非零風險；還沒有好到該基金可以不分青紅皂白地操作資金槓桿。不過就總體來說，他們聰明而且很會找機會。長期資本幾乎可以馬上靠這些交易賺大錢。

它的首批交易之一，關係到了同樣的三十年期公債。當然，公債是由美國政府發行（分成多種到期年數），用意是為聯邦預算籌措資金。其中每天交易的大約有一千七百億美元，它們普遍被認為是世界上風險最低的投資。但是，三十年期公債在發行六個月左右，發生了一件有趣的事情：投資者把它們塞進保險箱和抽屜裡，打算長期持有。隨著流通量減少，這些債券變得愈來愈難交易。在此同時，財政部發行了一種新的三十年期債券，現在它們的前景很看好。在華爾街，

6 同前註。

7 John M. Keynes, *The General Theory of Employment, Interest and Money* (New York: Cambridge University Press, 1973; first published 1936),155.

還要二十九年半才到期的舊債券，大家叫做「非首次發行債券」（off the run）；而閃亮的新模式則是「首次發行債券」（on the run）。非首次發行債券由於流動性較差，被認為比較沒人想買。這種債券於是開始稍微打折進行交易（也就是可以用稍低的價格買進，換句話說，等同於有略高的殖利率）。套利交易員稱之為「開放性價差」。

一九九四年，長期資本注意到這種價差異常擴大。一九九三年二月發行的債券殖利率為七·三六%，六個月後也就是八月，發行的債券殖利率只有七·二四%，少了十二個基點。每個星期二，長期資本的合夥人都會召開一次風險管理會議，在早期的某次會議上，他們提議押注這個十二個基點的差距會縮小。這點還不能夠說是：「一支債券比較便宜，一支債券比較昂貴。」這些教授必須知道為什麼會有價差——想要了解價差是否有可能維持、還是會擴大，這是首要的問題。在這種情況下，價差看起來幾乎不重要。畢竟，美國政府更有可能清償在二十九年半到期的公債，而不是三十年到期的公債。但有些機構太過膽小，太過官僚，拒絕持有任何債券，只想持有流動性最高的證券。長期資本認為，一些機構有時任性獨斷的要求所造成的市場扭曲，會增加很多機會。[8]這些機構願意支付溢價購買新發行的公債，以前在所羅門就經常進行這種交易的長期資本合夥人們，很高興地蒐購了這些債券。他們稱其為「立即交易」（snap trade），因為（流動性差與流動性佳的）這兩種債券通常在幾個月內就會被綁在一起（snapped together）。實際上，長期資本會因為本身願意持有流動性差的債券而收取費用。

羅森菲爾德指出：「我們有很多交易是會提供流動性的，我們買的是每個人都想賣掉的東西。」他顯然沒有想到，由於長期資本偏好購買在每個市場流動性較差的證券，其資產並未像兩顆骰子滾動時互不相干那樣，完全獨立於其他市場。事實上，如果遇到「每個人」都想賣掉的時候，它的資產很容易一起下跌。

• • •

十二個基點是很小的價差；通常，這不值得費心去做。每一對一千美元的債券，價差只有十五．八〇美元。甚至比如說在幾個月內，價差縮小到三分之二，長期資本在這些一千美元的債券上也只能賺到十美元（一%）。但是如果利用槓桿操作，把那個微小的價差加倍呢？假如這麼做，確實可行！出於這樣的策略，長期資本購買了十億美元更便宜的非首次發行債券。它還賣出十億美元更昂貴的首次發行公債。這筆金額相當驚人。這下子，這些合夥人就把長期資本的全部資金都賭下去了！可以確定的是，他們不太可能賠很多。因為他們買進一個債券同時賣出另一個債券，他們只是賭這些債券的價格會收斂（converge）〔9〕，而且就像前面提到的，債券價差的變化遠

8 André F. Perold, "Long-Term Capital Management, L.P. (A)," *Harvard Business Schocl*, case N9-200-007, October 27, 1999, 3.

9 編註：「收斂」指隨著債券的到期日愈來愈近，其價格會逐步接近本身的票面金額。

比債券本身價格的變化還小。你的房子可能會價格暴跌，不過一旦發生這種事，你鄰居的房子價格同樣可能暴跌。當然，至少在短期之內，會有一些價差可能擴大的風險。如果兩支債券以十二個基點的價差交易，誰敢說價差不會擴大到十四個基點——或者在極度緊迫的時期，不會擴大到二十個基點？

長期資本精確計算出，持有一種債券並做空另一種債券的風險，是直接持有任何一種債券的二十五分之一。〔10〕因此長期資本認為，它可以謹慎地利用這種多頭／空頭套利二十五次。這種做法讓它的獲利潛力倍增，但正如我們看到的，它虧損的可能性也增加了。但無論如何，它借用以前的做法。它用從華爾街某家銀行（或是多家銀行）借來的錢，購買更便宜的非首次發行債券。同樣的，它透過貸款來取得其他債券，也就是那些它用來賣空的債券。

儘管這種交易是長期資本種種業務中最簡單的，但實際上它涉及很多層面。長期資本剛買下這些非首次發行債券，就把它們借給華爾街的其他公司，然後這些公司把現金匯給長期資本做為抵押。接著長期資本轉個身，又把這筆現金當作它借來的債券的抵押品。在華爾街，這種短期的、有抵押的貸款稱為「回購融資」（repo financing）。

這種交易的美妙之處在於，長期資本的現金交易能完全打平。長期資本花在做多（購入）的金錢和它做空（售出）賺回來的錢差不多。它付出去的抵押品等於它拿回來的抵押品。換句話說，長期資本沒有花到自己半毛錢現金，就成功完成總值二十億美元的交易。」〔11〕

在正常情況下，現在你從某家公司（比如說美林證券）借來一支債券時，必須多加一點抵押款——或許一千美元的公債需要拿出一〇一〇美元的抵押款，而風險較高的債券就付比較多抵押款。這筆十美元、相當於債券價值一%的原始保證金，被稱為「估值折扣」（haircut）。這是美林證券在債券價格上漲時保護自己的方式。

估值折扣自然可以抑制你交易金額的多寡。但是，如果你可以不用支付估值折扣，那麼你的交易金額就沒有極限了。這就像駕駛一輛不需加油的汽車，你想開多遠就能夠開多遠。更重要的是，報酬率實質上會更高——如果你不用付給美林證券這筆額外的保證金。

而且打從一開始，長期資本的政策就是拒絕支付、或者大幅減少支付估值折扣。這項政策肯定是梅里韋瑟的主意，儘管他謙遜有禮，但對於他接觸到的交易、高爾夫、撞球、賽馬和其他各方面，他的好勝心都很強。和銀行會面時，通常由羅森菲爾德和黎伊這兩個比較友善、一派輕鬆的合夥人出馬，不過希利伯蘭也會參加。不論什麼情況，這幾個合夥人都會禮貌但堅定地表示，該基金資本非常雄厚，沒有必要公布原始保證金——而且，它不會和任何立場相左的

10 Author interview with Eric Rosenfeld.

11 要維持這個部位並非完全零成本。雖然這是一項簡單的交易，但它實際上包含了四種支付方式。長期資本在其支付的抵押品上收取利息，並以略高的利率為它接收的抵押品支付利息。由於它收取了其擁有的債券的七·三六%票息，在它賣空的債券支付較低的七·二四%的利率，它彌補了部分赤字。總體而言，長期資本每月只支出幾個基點的費用。

人交易。美林證券同意放棄他們平常收取的估值折扣，也認可這個做法。高盛、摩根大通、摩根史坦利以及多數其他銀行也是如此。潘恩韋伯投資銀行由於舉棋不定，幾乎拿不到長期資本的任何業務。「如果你要和他們做生意，就別無選擇。」J.M.可敬的競爭對手，高盛的科津回憶道。

儘管長期資本的交易可能極度複雜，而且最後可能多達數千筆，但該基金只有大約十幾個主要策略。[12]有些策略，例如公債套利交易，就和買賣有形證券有關。其他的像衍生性金融商品交易則沒有。它們只是長期資本與銀行和其他交易對手進行的賭注，這些賭注則取決於各種市場價格的最終結果。

舉個例子來說明：想像一個紅襪隊球迷和一個洋基隊球迷，在球季開始前約定好，只要對方支持的球隊得到一分就付給對方一千美元。長期資本的衍生性金融商品合約就和這種約定差不多，只是它的收益和債券、股票等等的變動有關，而不是跟好球壞球有關。這些衍生性金融商品合約不會出現在長期資本的資產負債表上，正式的說不算「債務」。但是如果市場變動對該基金不利，結果顯然會是一樣的。並且長期資本通常能夠拒絕支付衍生性金融商品交易的原始保證金；它在沒有投入任何原始資金的情況下，進行了這些賭注。

雖然偶有例外，但通常它在實際證券的回購融資會採取相同的條款。此外，長期資本通常會說服銀行，提供比其他基金的貸款期限更長的貸款。[13]因此，長期資本可能更能忍耐。即使銀行想收回其貸款，它們也沒辦法這麼快如願。一家前幾大投資銀行的某名資深主管指出：「每個人都只能任他們擺布。」

這就是梅里韋瑟的行銷策略真正派上用場的地方。如果銀行再多考慮一下，他們就會了解到長期資本其實是受惠於他們。但是銀行並非把該基金當成一個亟需累積信用的新創公司看待，而當它是個由著名學者和傑出交易員組成、前景大好的公司，有點像默頓想到的新時代「金融中介機構」。畢竟，人們普遍認為長期資本有著具備卓越、幾乎不會失敗的技術的優點。銀行，就像某些媒體一樣，隨便就假定事實真是這樣。《商業周刊》滔滔不絕地表示，該基金的博士們將在華爾街引起「新的電腦時代」。《商業周刊》在該基金成立的第一年發表的一篇封面故事裡寫著：「從來沒有這麼多學術界人才，能拿到這麼多錢進場投資。」〔14〕如果一個新時代即將出現，沒有人會想錯過它。長期資本就像大學的舞會上首次登場的名媛一樣吸引眾人目光，所有銀行都想爭前邀舞。

銀行要合理化其寬鬆的信貸條件也不會麻煩。畢竟，銀行確實持有抵押品，而且長期資本通常在每個交易日結束時都能現金結算，從賺錢的那方拿錢，付給賠錢的那方。此外長期資本非常有錢，所以它垮台的風險似乎很小。除非該公司因無法想像的突發意外而大賠——比方說，被迫

12 Perold, "LTCM (A)," 6.

13 同前註。

14 Leah Nathans Spiro, "Dream Team," *Business Week*, August 29, 1994.

立刻拋棄大部分資產，並且進入非流動性的市場——銀行家抵押品的價值才會受到威脅，銀行本身也才會面臨損失。

此外，許多銀行的負責人，例如高盛的科津和美林證券的塔利，私底下是喜歡梅里韋瑟這個人的，這使他們的公司偏愛長期資本。但長期資本的真正賣點，是它和世界各地一些舉足輕重的交易者之間的關係。一家和長期資本有業務往來的公司，有機會知道有關市場流動的寶貴內部知識——這在債券交易這一行裡完全合法。「你要怎麼叫大家來參加你的宴會？你就告訴他們，城裡每個酷炫的人都會到場，」蘇黎世的一名銀行家這麼說——他提供長期資本資金時並未收取估值折扣。「因此每個人都說，『好吧，我會加入，不過要是其他人有收估值折扣，那我也要收這筆錢。』」這一點，長期資本的做法尤其聰明。合夥人可以對每家新銀行說：「如果我們給你估值折扣，那麼其他銀行都會向我們收這筆錢。」所以他們到最後任何一家銀行都沒給。（在少數風險較高的交易裡，他們就真的答應支付估值折扣——但是少得可憐。）

由於許多銀行也做套利交易，梅里韋瑟（沒有惡意地）將它們視為主要競爭對手。〔15〕長期資本與其他對沖基金（例如索羅斯的量子基金）的相似程度，要低於它與高盛等銀行專有部門的相似程度。華爾街慢慢地從研究和客戶服務，轉向利潤豐厚的自有交易業務，在長期資本和它的貸方之間形成了謹慎的競爭關係。

J.M.在華爾街大型銀行工作過，他認為投資銀行充斥著洩密事件，無法相信它們不會偷走他的生意。事實上，大多數投資銀行都經常玩類似的策略。為了預防這種情況，長期資本把一筆交易每個階段的訂單，交給不同的證券公司。摩根會看到某一階段訂單，美林看到另一階段，高盛再看到另一段，但沒有人會看到全貌。甚至連長期資本的律師也被蒙在鼓裡。他會聽到合夥人們談論「交易策略三」，就好像長期資本正在開發核武一樣。

尤其是希利伯蘭，他拒絕讓銀行了解他的戰略，或是在交易中途和銀行往來。他會打電話給證券交易商，購買一億美元的債券，然後幾秒鐘後就掛斷電話。〔16〕「我只是關切保證金比率，但我不會提高保證金，」他直言不諱地告訴美林證券。凱文・鄧利維（Kevin Dunleavy）是美林證券的業務員，有時一天會打兩、三通電話給希利伯蘭，試圖推銷他幫聰明的希利伯蘭設計的策略。但鄧利維一再因為希利伯蘭口風太緊而感到沮喪，這樣子根本沒辦法為該帳戶提供服務。「你幾乎沒辦法提出你的想法，把這些想法補充到LTCM的策略裡。」留著軍人小平頭，真誠自然的紐約在地人鄧利維強調：「不接受華爾街提供的意見，這點相當異常。賴瑞（希利伯蘭）從來不講他的策略。他只會告訴你，他想做什麼。」

該基金把它的業務分開，為每種服務各選一家銀行，並且與所有銀行保持距離。長期資本謹慎地不想變得依賴任何銀行，它和高盛交易垃圾債券，和摩根大通進行政府債券和日圓的兌換交

15 Perold, "LTCM (A)," 3.

16 Author interview with Michael How.

易，和雷曼兄弟進行抵押貸款。美林證券是該基金在衍生性金融商品方面最大的對手，但在回購貸款方面卻遠遠落後長期資本。可以確定的是，這種分治法策略必定有它厲害的地方，因為長期資本和擁有最專業知識的銀行一起進行每一組交易。但是長期資本也因為這樣，喪失了建立更密切、更永續關係的好處。例如摩根大通就對長期資本非常好奇，並渴望發展更密切的合作關係，但卻卡在該基金不願意共享業務機密這關。這家華爾街大公司的風險管理負責人很納悶：「你怎麼能夠不知道他們的喜好，就提出意見？」身為套利交易者，長期資本合夥人們傾向把每一次交手當做一次單獨的交流，有可以計算的優點和缺點。每段關係都是一場「交易」——如果其他人有更好的價格，都可以重新協商或撤銷。合夥人們唯一的親密關係，只有在長期資本管理公司內部，仿效他們在所羅門兄弟裡最喜愛的團隊裡的安排。

他們是同類型的人——聰明、內向、自制、超然獨立。想要挑撥某個人和其他人的關係是沒用的；他們的波長太接近了。瑞士銀行公司（Swiss Bank Corporation）[17]的債券和貨幣部門負責人安德魯·西西利亞諾（Andrew Siciliano）曾被他們超乎尋常的緊密交情嚇到。有一次，西西利亞諾先和倫敦辦事處的負責人哈罕尼通過電話，在一、兩個月之後，再和在（康乃狄克州）格林威治的J. M.與羅森菲爾德通話。這兩個在美國的合夥人沒有任何遲疑；西西利亞諾有一種怪異的感覺，好像他是在接續著和哈罕尼的談話。

但也不是說公司內部沒有緊張關係。J. M.、希利伯蘭、羅森菲爾德和哈罕尼形成一個小團體，他們這幾個人的影響力就遠遠超過其他人。和所羅門一樣，職位較高的人拿的薪水比較高，核心圈子的人拿走了公司獲利的一半以上。這個小團體也有投票控制權。像邁倫・舒爾茲這些股份較少的合夥人，總希望能拿到更多的錢、獲得更大的權威。但核心圈的成員已經共事多年；就像在同一個家庭一樣，他們的排他性和同聲一氣已經變成老習慣了。

如果該公司能夠濃縮成單獨的一個人，那就是希利伯蘭了。老經驗的交易員往往比較憤世嫉俗和缺乏安全感，這是多年來經常誤判和僥倖逃過一劫造成的影響，但希利伯蘭很冷靜，而且有著令別人抓狂的自信。他是非常努力的人，是個不折不扣的套利交易者；他相信模擬結果，堅持他的價格，不會因為懷疑而困擾。羅森菲爾德討厭按照理論指定的那樣，靠出售下跌資產來進行對沖交易；希利伯蘭則相信理論並完全遵循。希利伯蘭的同事無比尊重他；不可避免地，在他們需要快速理解疑問時，會轉而向他求助。他相當能言善道，但他的回答卻像還未琢磨過的水晶，對新手來說很難理解。所羅門兄弟的德里克・莫恩（Deryck Maughan）說：「你可以用賴瑞的心思來折射光線了。」希利伯蘭和其他合夥人一樣，會用黑白二分法看待每個問題，但他在程度上比較嚴重。他值得信賴，而且察覺到違法行為時會很快動怒，但是對他的小圈圈外頭的要事卻視而不見。他在所羅門的同事曾經開玩笑說，根據自由主義者希利伯蘭的說法，如果你家門前的街道上

17 編註：請注意，瑞士銀行與「瑞銀集團」（UBS）是不同的公司，後者有時簡稱「瑞銀」。

有坑洞，你應該自己把它鋪平。不過對他來說，金錢可能不會比他們其中任何人重要。他在證券交易的智力挑戰裡，找到了自己熱愛的事。除了他的家人，他沒有對其他事情表現出興趣過。如果說有人發掘出希利伯蘭的另一面，那人就是J. M.了。希利伯蘭對老闆有一種盡孝道的依附感，或許源自他和父親的緊密關係。羅森菲爾德對梅里韋瑟也有類似的崇敬。

局外人無法完全解釋清楚J. M.對該小組的掌控。他不可能成為明星人物，因為太害羞而沒辦法待在聚光燈下。他說話片片段段的，似乎連眼神交流也讓他很不自在。[18]他完全閉口不談自己的私生活，甚至對親密的朋友也絕口不提。在建立起長期資本後，J. M.和他的妻子米米搬離了曼哈頓，搬到威徹斯特郡北塞勒姆的一座六十八英畝、市價兩百七十萬美元的莊園——還為太太建造了一座一萬五千平方英尺、有暖氣的室內馬圈。[19]從梅里韋瑟家和他們唯一的鄰居、藝人大衛・賴特曼（David Letterman）共用的私人車道，要再走四分之三英里路程才會到達這座莊園。似乎是為了更隱密，梅里韋瑟夫婦大規模改造了這座莊園，用石頭來做外圍防護。J. M.喜歡掌控自己的私生活，彷彿也是為了保護它免受不必要的擾動。

儘管J. M.會參加住家附近的教會，也多次造訪天主教聖地，但他從未談到自己的信仰。他的自制力是不留情面的。他也不會對他的交易員說出心裡話。在公司會議上，他大多不發言。他歡迎合夥人彼此開誠布公地辯論，但他通常只在最後才附和，或是完全不作聲。

該公司的總部，位在一棟四層樓玻璃帷幕辦公大樓的一樓，這棟建築座落在一條從商店林立、繁榮的格林威治市中心，穿過長島海峽邊成排維多利亞式住宅的大街上。在交易大廳裡，數十名長期資本日漸擴充的交易員和策略師幹部正在工作，合夥人和非合夥人並肩坐在那裡，擠在一張安裝了電腦和股市顯示幕的半圓形光滑辦公桌前。辦公室裡有個以前的房客所裝設，精心打造的廚房，但合夥人還是在他們的辦公桌上吃飯。他們不怎麼看重飲食。

J. M.、默頓和舒爾茲有私人辦公室（後兩人是因為他們沒有做交易工作），但J. M.通常會待在交易大廳中，一個鋪著桃花心木板的房間，從落地窗望著外面的河水，水面陽光燦爛，時常點綴著帆船。除了穆林斯穿著整齊，其他合夥人都是休閒的裝扮，穿著平底帆船鞋和休閒褲。房間裡都是交易員交談的悶哼聲，但這是一種在控制之下的悶哼聲，不像巨大的紐約交易大廳那樣混亂。這些合夥人只有偶爾想要重溫過去的生活時，會玩上幾回騙子的撲克。

除了只針對合夥人召開的星期二風險會議，在星期三上午，長期資本還會舉行對公司同仁開放的研討會；星期四下午通常會召開另一次會議，屆時合夥人們會把焦點放在特定交易上。默頓通常人在劍橋，會透過電話加入會議。儘管彼此近距離開會培養出一種堅定的團結，但同事甚至有些合夥人都心知肚明，他們永遠不可能成為核心圈的一份子。一名資淺的交易員一直擔心媒體會發現他的交易，他害怕會因為這樣而丟了工作。在格林威治的同事，甚至是資深交易員，都被

18 Michael Lewis, "How the Eggheads Cracked," *The New York Times Magazine*, January 24, 1999.

19 Author interview with Michael Friedlander; Gary Weiss, "Meriwether's Curious Deed," *Business Week*, October 19, 1998.

蒙在鼓裡，以至於有些人不得不打電話給倫敦的對應窗口，以了解該公司的買賣情況。合夥人們從來沒有邀請同事到家裡——似乎有一條不成文的規定，反對合夥人和員工彼此稱兄道弟。在大學當過冰球選手的理查・黎伊，還會和員工互相開點正常的辦公室玩笑，但大多數合夥人對員工的態度都冷冰冰的，一切公事公辦。這些合夥人很有禮貌，但只對彼此以及他們的工作有興趣。分析師、法務和會計人員是二等公民，被分派到後面的一個房間，放撞球桌的地方。

和華爾街的其他人一樣，長期資本的員工也賺了不少錢。薪資前幾名的員工一年能賺一、兩百萬美元。員工都隱約面臨著把獎金投資在該基金的壓力，但他們當中絕大多數的人都很想這樣做——很諷刺的是，這被認為是在該公司工作的最大福利。也因此，員工們信心滿滿地把大部分薪水再投資進去。

• • •

正如預測的那樣，長期資本持有的首次發行債券和非首次發行債券迅速反彈。長期資本「變魔術般」地賺了一千五百萬美元——因為它沒有動用到自己任何資本。就像舒爾茲所承諾的那樣，長期資本撿到五分錢，並利用槓桿操作把它變成更多錢。的確，有許多其他公司也做過同樣的交易。「但是我們提供更好的資金，」長期資本的一名員工指出。「長期資本真的是一家融資機構。」

長期資本比較想要穩當地賺到一分錢，而不是賭運氣去賺不見得能落袋的一塊錢，因為它可以像大量販店那樣利用微薄的利潤，一分錢、一分錢地賺進來，把這種過程重複幾千幾萬次。當然，即使是賭一分錢也不見得是穩贏的。就像基金經理史坦哈特當時剛得到的教訓：在你使用槓桿操作時，犯錯的懲罰就會變成無限大。不過在一九九四年，長期資本幾乎從未犯錯。事實上，幾乎它接手的每一筆交易都賺得盆滿缽滿。

長期資本把它最安全的證券買賣稱作「**收斂交易**」（convergence trade），因為這些工具會在特定日期期滿，這代表收斂顯然是確定的。其他交易被稱為「**相對價值交易**」（*relative value* trade），在這種交易裡，會預期最後收斂但不保證一定發生。〔20〕

一九九四年的債券市場波動，為房屋抵押貸款證券的大規模「相對價值交易」埋下了種子。抵押貸款證券是由抵押貸款共用資金的現金流背書的紙張。它們看起來似乎很無趣，但事實並非如此。不管在哪個時間，都有大約一兆美元未支付的抵押貸款證券。讓他們興奮的是，聰明的投資銀行家會把屋主支付的款項，分開放到兩個性質不同的共用資金裡：一個用在支付利息，另一個用來支付本金。如果你想想看，就會發現每個共用資金的價值（相對於另一個），將會隨著屋

20 Perold, "LTCM (A)," 3.

主提前還清貸款的速度而變化——長期資本也想到了，而且想了很多。如果你要把你的抵押貸款進行再融資，你就要一次還清貸款，也就是一大筆巨額的本金。這麼一來，你就沒有更多的現金投入純利息共用資金裡。但是，如果你打定主意並繼續每個月開出支票，你就會持續支付長達三十年的利息。因此，如果更多的人再融資，被稱為「IO」的純利息證券就會下跌；如果預付的人數減少，它們就會上漲。純本金證券（或稱「PO」）的情況正好相反。而且由於再融資利率可能會迅速變化，因此投資IO或PO可能會讓你賺一大筆或賠一大筆錢。

在一九九三年長期資本籌幕資金時，美國正好遇到再融資案大量增加。自從越戰以來，抵押貸款利率首次降到七％以下，從未再考慮過抵押貸款的嬰兒潮世代，對於將來自己每個月要支付的貸款金額有可能減少幾百美元，突然就神智不清了。拿到最低利率變成令人自豪的事；在那一年裡，大約有四成的美國人進行了再融資——實際上，有些人還再融資了兩次。理所當然的，IO的價格暴跌。事實上，它們跌得「太」多了。除非你認為全國的人明天都會進行再融資，要不然IO的價格根本太低了。確實，梅里韋瑟、希利伯蘭、羅森菲爾德、哈罕尼和霍金斯幫他們的個人帳戶買進了大批的IO證券。

一九九四年，正當長期資本要開始交易時，由於市場擔心會出現另一波再融資，IO證券仍然很便宜。威廉・克拉斯克設計了一個模型來預測提前還款金額。有著隱祕的魅力，捲髮、外向的抵押貸款交易員霍金斯，則不斷根據實際的提前還款紀錄檢查模型。IO證券的價格看起來太反常了，使得霍金斯不禁懷疑：「是模型有問題，還是這只不過是一次大好機會？」做事有條有理的克拉斯克仔細地重新調整了模型，結果模型幾乎是尖叫說：「買進！」因此長期資本再次利用大量的資金槓桿，開始大量買進IO證券。它取得大量的股份，估計價值二十億美元。

現在，在利率上升時，人們甚至不會去「考慮」再融資。但是當利率下降，他們就會跑去找抵押貸款經紀人。這意味著IO價格的漲跌和利率同步——所以押注在IO就像在賭利率升降。但這些合夥人不想預測利率；這種完全要靠猜測的事情會讓他們緊張不安，即使他們偶爾會這樣子賭運氣。由於利率受到太多變量影響，所以基本上是無法預測的。這群合夥人的強項，是做非常具體的對賭，它們不受普遍的未知數所影響。

簡單說，這群合夥人只是覺得，就目前的利率水準來看，IO很便宜。由於公債的價格走向正好和利率相反，因此這些合夥人藉由購買公債，來巧妙地對沖他們的賭注。淨效應是為了消除利率預測的任何要素。這些合夥人擅長識別特定的錯誤定價風險，並對沖其他所有風險。如果雅法橙（Haifa orange）相對於富士蘋果比較便宜，他們就會找到一系列交易，來孤立特定的套利交易；他們並非只是買下每一顆雅法橙，並賣掉每一顆富士蘋果。

到了春季，當利率飆升時，長期資本的IO價格也跟著狂飆，不過想當然耳，它的公債價格下跌了。因此，它在交易的某一段領先，而在另一段落後。到了一九九五年，當利率下降時，長期資本的公債價格上漲。但這一次人們並沒有急著再融資，因此長期資本的IO保住了他們以前的大部分收益。據推測，在一九九三年已經取得新的抵押貸款的人，並沒有那麼急著再次再融資。長期資本賺了幾億美元。此後該公司便逐漸變得炙手可熱。

儘管表面看來簡單，但要找到這些「小錢」絕非易事。長期資本一直在尋找可以兩兩配對的交易——或者經常是多組配對的交易——它們得「盈虧平衡」到足夠安全的程度，不過在一、兩個極特殊的方面不會打平，以提供可能的獲利。換句話說，在任何既定的策略中，長期資本通常希望暴露在一、兩個風險因素中——但最多就兩個。一個常見的例子是殖利率曲線交易——在特定的債務期間內，某些國家的利率可能會奇怪地偏離常態。例如，中期利率有可能遠高於短期利率，幾乎和長期利率一樣高。長期資本會編造出一系列套利交易，押注這種突然升高的利率有可能消失。

尋找這類複雜交易的最佳地點，是國際債券市場。歐洲和第三世界的市場效率不如美國；他們還沒有被使用電腦的套利交易者（或教授）吃乾抹淨。對長期資本來說，這些還沒被充分利用的市場，是有一大堆機會的歡樂狩獵場。在一九九四年，美國債券市場的大麻煩波及大西洋彼岸時，德國、法國和英國政府債務之間的利差，以及個別國家債券的期貨價差，都擴大到了荒謬的程度。長期資本便進軍歐洲，而且很快地大賺一筆。[21]它還進軍拉丁美洲，那裡的利差也擴大了。[22]可以交易的部位很小，但長期資本從各個角度追擊——你不可能平白在街上就能找到錢。

接著，羅森菲爾德在日本找到了一些「錢幣」，把跟東證股價指數期權走勢相反的日本股票認股權證進行套利交易——這是長期資本首次插足股票市場。

到了一九九〇年代中期，歐洲已經成為國際債券交易商的遊樂場，他們就貨幣聯盟的前景展開熱烈辯論。此時對於法國、德國、義大利和其他古老的民族國家是否真的會放棄自己的法郎、馬克、里拉等等，統一使用新發行的貨幣「歐元」，仍然存在很多疑慮——這使得歐洲市場愈來愈不安定。對此，每個交易者都有不同的看法——長期資本正是仰賴這種不確定的氛圍而蓬勃發展。許多投資銀行押注在義大利和西班牙這類表現較弱的國家發行的債券，將會比德國的債券相對走強，其根據的理論是如果歐盟真的成立，會迫使整個歐洲的利率趨於一致。長期資本進行了其中的一些交易，不過像平常一樣，合夥人不願意在大範圍的經濟理論上冒太大風險。長期資本的專長在於細節。在預測地緣政治趨勢方面，它沒有任何明顯的優勢。更重要的是，大多數美國合夥人都是歐洲懷疑論者。由於歐洲嚴格管制的經濟體長期落後美國，歐洲大陸似乎死板得無可救藥。瑞士合夥人漢斯・赫夫施密德（Hans Hufschmid）試圖推動融合的議題，但美國的合夥人，包括樂天派的倫敦辦事處執行長哈罕尼，都阻止了這個行動。

哈罕尼比較喜歡專注在針對「單一」國家的策略上，這些地方的風險因素較少。例如，他對兩期績優債券進行套利，這種債券相當於英國版的國庫券，其中一期因為不利的課稅方式而比較

21 Author interview with Eric Rosenfeld.
22 LTCM, letter to investors, October 11,1994.

便宜。在英國政府改變立場時，長期資本很快就賺到了兩億美元。〔23〕

哈罕尼經常用某個國家的殖利率曲線來對其進行交易。因此，他可能會做多德國十年期債券並賣出其五年期債券，這是一種微妙的交易，需要掌握數學知識並敏銳地了解當地經濟動向，但至少不需要比較兩國（比如德國和西班牙）的經濟動向。

有關長期資本的新聞報導，通常都會漏掉哈罕尼，他非常重視隱私。新聞媒體會大肆渲染梅里韋瑟的領導方式，以及默頓和舒爾茲的「模型」。但事實上，哈罕尼是關鍵玩家。儘管是J. M.主導公司，而羅森菲爾德負責公司每天的營運，不過哈罕尼和稍微資深的希利伯蘭對交易的影響力最大。他們倆同樣傑出且都精通數學，彼此還會用外人難以理解的暗語交談。

雖然他們兩人大多組成一個團隊運作，但哈罕尼要大膽得多。哈罕尼是天生的交易員，對市場脈動有一股直覺，並且有一種喜怒無常、衝動的傾向。如果有個模型認定某個證券定價錯誤，而且如果公司認為它理解價格失真的發生原因，希利伯蘭傾向於直接前進。相信自己直覺的哈罕尼可能會先押注在定價錯誤變得更嚴重的證券上。長期資本開業時，皮膚黝黑、留著鬍鬚的哈罕尼剛滿三十一歲（希利伯蘭三十四歲，羅森菲爾德四十歲，梅里韋瑟四十六歲），經常想要大展身手。儘管他活潑又健談，但說話不像希利伯蘭那樣直接；你永遠無法判斷哈罕尼是在認真地質疑你，還是在玩撲克。他有一種年輕人的衝動和對自己的信任，這也許是他的特權背景造成的。

哈罕尼的父親是一名富有的伊朗裔進出口貿易商，母親是美國人，他在成長過程中敏銳地意識到，政治上的逆流往往會推翻最完美的商業規畫。在青少年時期，他和他崇拜的父親在伊朗度過了兩年；後來的革命使他們被迫流亡。在所羅門兄弟公司，哈罕尼曾在倫敦和東京分社待過很長的時間，在那裡他推動當地的交易員採用套利集團的市場模型，並勸告經常有疑問的員工進行更大規模的交易。他和長期資本一起回到倫敦，正值歐洲大陸到處在討論貨幣聯盟的議題時。

哈罕尼避開了倫敦金融城（相當於倫敦的華爾街），在熱鬧的時尚區梅菲爾（Mayfair）租了宿舍。他用非正統的方式管理辦事處，鼓勵員工和他一起互通有無和互開玩笑。他的交易員和分析師的工時很長，但他們被公司不斷成長的利潤所激勵，而且因為看到老闆從大老遠騎自行車來辦公室上班，而深感折服。在交易活動比較緩和時，交易員會閒晃到交易大廳外的撞球室，哈罕尼會在那裡和訪客單挑。（J. M.也是，他造訪倫敦辦事處時，也不可免地拿起球桿，和所有來訪者較量。）哈罕尼不像某些合夥人那樣內向，他經常邀請交易員回家聚餐。在長期資本的第一個大月，也就是五月之後，他召集了包括祕書在內的所有倫敦辦事處員工，告訴他們要怎麼賺錢。這在更嚴格、更隱祕的格林威治總部會被當作異類，那裡盛行死板的種姓制度。

哈罕尼最重大的交易是在義大利——這是個大膽的選擇。義大利的財務狀況一團糟，義大利

23 Muehring, "Meriwether by the Numbers."

的政治也是一團糟。讓人害怕的是義大利有可能拖欠貸款，再加上義大利共產黨的實力仍然相當強大，共產黨曾經把義大利的利率調高到比德國高八個百分點——這是相當大的利差。義大利的債券市場仍在演變，政府發行了大量票據，部分是為了吸引投資者。對於債券交易者來說，這是一片沃土。很明顯，如果義大利自己站穩腳跟，那些押注義大利的人會像搶了銀行一樣賺大錢。但是如果沒有呢？

義大利市場更加複雜，因為這國家有一套詭異的稅法和兩種政府公債——一種支付浮動利率，另一種支付固定利率。奇怪的是，義大利政府被迫（由不信任的債券市場）支付的利率，還比一種叫做「交換交易」的普遍交易的利率衍生性金融商品更高。交換交易利率通常接近私營銀行的利率。因此，債券市場把義大利政府的風險評等為比私營銀行低。

哈罕尼認為，市場嚴重誇大了義大利政府違約的風險——相對於市場對其他風險所作的定價。憑著他典型的大膽作風，他建議進行特大規模的套利交易，來加以利用假設的定價錯誤。這是一場精心策畫的賭局，因為如果義大利政府真的違約，長期資本的同業可能會放棄它們的合約——而長期資本可能會賠個精光。對於那些依舊對義大利有疑慮的美國合夥人，這是他們最擔心的事。討厭冒險的比爾．克拉斯克尤其擔心，合夥人們就義大利市場問題激烈辯論了數小時。

簡單來說，這場套利交易鎖定在市場完全不重視羅馬當局。不過在長期資本裡，沒有什麼事是簡單的。具體而言，最後獲勝的哈罕尼買進了固定利率的義大利政府公債，並且做空了義大利交換交易的固定利率。他還買了浮動利率的政府票據，這是長期資本的一個妙招，因為很少有人能夠取得這種沒什麼人要交易的證券。哈罕尼也利用空頭部位抵銷了差距。起初，長期資本對整個交易部位進行了對沖，投了一份相當高額的義大利違約保險單（它甚至還拿出了第二份保單，以防保險公司破產）。[24]但隨著持有的義大利部位逐漸變大，該基金就負擔不起購買更多保險的支出，這麼一來增持義大利部位就完全只是冒險而已。一名內部人士判斷，如果義大利破產，該基金可能會賠掉一半的資本。

這家實際上沒有受到監管的對沖基金，並沒有向投資人披露它在義大利的風險投資；事實上，除了含糊的一語帶過，它完全沒有告訴投資人，公司把他們的錢投資在哪裡、或是怎麼投資那些錢。J. M.給的資訊充滿了討論債券波動的統計數據，對於公司實際上在做什麼，他一概不提。他用一種超然、冷漠的語氣，來掩飾自己的靦腆，彷彿他透露任何事情都是對投資者的恩惠似的。他生硬地宣告說：「我們的用意是與您，我們的投資人，維持不斷的溝通。」即使是J. M.披露的少數幾個乏味的重要消息，他也要求投資人保密，彷彿長期資本的天才是嬌嫩的林地植物似的，見不得光。合夥人們竭盡全力躲避媒體。他們甚至買下《商業周刊》已經刊登的照片的使用權，以免公眾看到他們的照片。

24 Author interview with Eric Rosenfeld.

• • •

由於長期資本所有注意力都放在風險投資上，所以它的管理有著嚴重缺陷。它不像銀行那樣，有獨立的風險管理人員在監督交易員，該公司的合夥人靠的是自我監督。儘管這種做法讓他們能夠避免大公司的組織僵化，但也沒有人能夠要求合夥人承擔責任。

交易員需要獲得風險管理委員會批准，才能開始交易；然而，希利伯蘭和哈罕尼總是有辦法獲得批准，他們會為了達到自己的目的而努力不懈地奮戰，其他合夥人遲早會順他們的意，就算只是因為太過疲憊。長期資本的管理體制之所以這樣寬鬆，大部分的責任要怪在梅里韋瑟頭上。如果要說J. M.有一個重大弱點，那就是他自己沒有參與辯論。而且沒有其他人可以擔任保姆的角色，就像在所羅門兄弟裡沒有葛德佛倫那樣。只能放牛吃草，讓交易員自己管自己。

合夥人確實不遺餘力地研究他們的交易，在義大利的交易就是很好的例子。哈罕尼招募了一個情報來源網絡，來增強他對義大利的了解。他聘請了阿爾貝托·喬瓦尼尼（Alberto Giovannini）——最初是擔任顧問，後來成為全職工作。喬瓦尼尼曾經就讀麻省理工學院，擔任過義大利財政部官員，也是哥倫比亞大學教授。當時他會在倫敦和羅馬兩地通勤往返，這樣他就能在羅馬看看家人，和義大利官員閒聊。但哈罕尼仍然不滿意，他請來了另一位麻省理工學院畢業生傑拉德·吉諾提（Gérard Gennotte），他是比利時駐義大利大使的兒子，能說流利的義大利語。「維克多一直很喜歡義大利。」哈罕尼的一名同事這麼說。當然，長期資本也開始認識義大利中央銀行，該行已經在該公司投資了一億美元，還再借給它一億五千萬美元。

然而，長期資本的方法太數學化了，所有這些情報會產生多少差異，很讓人懷疑。它的模型只有表示，和歷史模式以及預期風險相比之下，在義大利的交易是「便宜」的。合夥人們認為，在其他條件相同的情況下，未來會像過去一樣。因此，他們進場了。此外，它的模型也不是什麼祕密。「拿本《金融雜誌》翻一翻，你就能看到有人在某處應用模型。」所羅門兄弟的倫敦交易員在談到義大利交易的事時指出，「任何在大學一年級學過數學的人都做得到。」真相是，其他公司的交易員已經做這類交易很多年了。長期資本開始交易時，義大利的利差已經開始縮小；競爭對手的公司正要跟義大利說再見了。哈罕尼從所羅門兄弟那裡，獲得了他第一筆價值十億美元左右的義大利債券，而所羅門兄弟想要退出了。大家普遍認為長期資本有一個獨特的黑盒子，其實那只是個迷思。華爾街的其他公司也找到了接觸麻省理工學院的方法，多數大銀行也採用了類似的模型——更重要的是，它們正把這些模型應用在債券市場上相同的幾十種利差。

長期資本的優勢不在它的模型，而是，第一個，在它解讀模型的經驗。公司合夥人已經操作這類交易很多年了。第二個，公司有較佳的融資。在開業第一年，羅森菲爾德和三十家銀行及衍生性金融商品機構進行了回購融資，其中有二十家都是自由期限的。[25]有這麼容易融資的條件——而且合夥人這麼有自信——長期資本交易的規模就更大了，而且能夠在其他人都退出很久後，還能擠出利潤。「我們比其他人更專注在比較小的差值，」一名交易員說道：「我們認為還可以進一步對沖，並進一步操作槓桿。」〔25〕

至少有一位觀察家嚴重懷疑該基金漫不經心的債務處理方法。席司・克拉曼（Seth Klarman）是位在麻州劍橋的小型對沖基金組合包波斯特集團（Baupost Group）的普通合夥人，他在寫給自家投資人的信裡提到，曾有人提供他一筆由所羅門兄弟前債券交易員經營的新基金的股份（顯然是指長期資本），但是他拒絕了。克拉曼對華爾街的魯莽傾向感到不安。握有相當於金融商品的Veg-O-Matics處理機的投資銀行，正在把金融資產切成一塊一塊有效、新奇的證券——IO和PO——而投資人正在用魯莽的熱忱搜刮這些證券。更糟糕的是，投資者重新找回他們對資金槓桿的渴望。對於已經成為過去式的兩位數債券殖利率，投資人——尤其是「突然到處冒出來」的新對沖基金——總是靠著借貸之助，來讓他們帳面的獲利數字更好看。投資者怎麼能這麼肯定，市場會一直具有流動性呢？克拉曼很懷疑。他擔心投資者會「對『異常值』（outlier）事件的後果視而不見」，像是突然的動亂或偶爾的市場崩盤，從歷史上看，這類事件總是能打亂投資者最周密的計畫。總而言之，克拉曼警告說：「成功的投資人已經找好位置，以避開百年一遇的洪水。漸漸的，這樣的想法已經變得過時了。」轉回前面提的所羅門前交易員創辦的基金，也就是長期資本管理公司——克拉曼指出，它估計使用了極大的槓桿，有鑑於此，即使是單單一個嚴重的錯誤，也會對該基金的資本造成「重大打擊」。「當然，若同時發生兩個重大失誤，那將會

是大災難。」〔26〕

25 LTCM, letter to investors, July 12, 1994.

26 Seth A. Klarman, Baupost 1993 Partnership Letter, January 26, 1994.

4 親愛的投資人 Dear Investoirs

嚴格來講，根本不會有任何風險——如果全世界都像從前那樣運作的話。〔1〕

——默頓・米勒，經濟學家、諾貝爾獎得主

在一九九四年，也就是長期資本營運的第一年，收益為二十八％。在付給合夥人營運管理費用後，它的投資人帳戶增加了二十％。這一年債券投資人普遍虧損，因此這績效是相當驚人的。在十月，該基金很明顯會以跌破眾人眼鏡的數字作收時，梅里韋瑟警告他的投資人，不要指望會歷史重演。J. M.強調，長期資本很可能會有好幾年處於虧損：「即使在一年之內也可能發生重大虧損，這是再清楚不過的。」所有優秀的資金管理人都會寫出這樣的信。如果他們了解他們的業務，就會知道他們有可能經歷一些辛苦的日子。如果他們做人誠實，也會讓他們的投資人知道這

1 Author interview with Merton H. Miller.

一點，或者至少試著降低投資人的期望。

只不過，J. M.的信寫得更深入。在由他的兩位學界明星默頓和舒爾茲撰寫的附件中，長期資本不僅承認公司有可能虧損，還計算了虧損可能發生的機率，而且達到數學計算的精確度。就像一本撲克牌教學手冊可能會告訴你，抽到缺裡牌順的機率是八．五一%一樣，教授們計算出長期資本有十二%的時間（也就是每一百年內有十二年），至少會賠掉五%的投資金額。這封信還繼續說明了該基金至少虧損十%、十五%和二十%的精確機率。〔2〕

當然，長期資本可以利用變更某些假設值，來竄改虧損機率；因此，這封信不是只有一行數字，而是包含好幾欄，就像《每日賽馬資料表》的其中一頁一樣。重點是，長期資本精確地預測賠率。這就好像這些教授有一些祕密知識或改變過的世界觀，因為一般的投資人不會冒險做出這樣的預測。人們總希望大多數人知道他們的股票可能下跌，但要是被要求明確說出賠率，他們很可能會眨著眼不知如何是好。的確，長期資本的信揭露了另一種思考世界的方式。想像一下，你的孩子就讀的學校裡，有一名學生表現出染上具有潛在危險的傳染病的症狀。你會期待有個警告，也許是關於採取什麼預防措施的建議。但是，如果你是收到校長來信，說明你的孩子有十九%的機率會生病，有十二%的機率至少缺課一周，有二%的機率會死亡，你會覺得這有點奇怪，更不用說覺得對方冒昧了。你會更想知道校醫怎麼做，尤其是想了解他使用哪類藥品。

事實上，長期資本的信件中，講了很多該基金的哲學「藥品」。信裡沒有提到具體的交易或投資；沒有必要提這些事。只要知道，長期資本對於每項投資，主要關注以下兩個問題就夠了：預期的平均收益是多少，以及任何年份的收益與該平均收益的差異有多大？例如，擲一對骰子的平均點數為七，與平均點數的偏差不會超過五（一對骰子點數合計不會比十二大或比二小）。更重要的是，擲骰子的次數裡有三分之二的機率，會擲出七點或七點前後兩點以內的點數。

因此，如果一個理智的投資人有機會在擲出五點和九點之間同額下注，他會接受的。當然，你不見得會擲出五和九之間的數，因此（希望）你不會下太多賭注。但是，如果你可以在一百萬次擲骰上投注，然後到最後才結算呢？這種情況下，你應該和莊家賭下去。你可能會第一次就擲出雙么，可能第二次擲出，也許第三次才擲出。但是擲超過一百萬次，輸的機率就非常非常小了。可以試一下。

計算投資的機率要困難得多；事實上，生活上很少有哪方面可以這麼精確預測（幾乎很難見到厲害的算命師）。我們可以推斷，如果我們在股價八十美元時買進一張ＩＢＭ的股票，會比在

2 LTCM, letter to investors, "Addendum #1, Volatility and Risk Characteristics of Investments in Long-Term Capital Portfolio L.P.," October 10,1994.

股價九十美元時買進，有更大的獲利機率，就像假如你的小孩的兩個死黨生病了，而不是只有一個生病，那麼你的孩子生病的風險會更大。但是會大多少？我們就是沒有足夠的事實，能把市場虧損的風險或傳染的風險量化。

請注意，IBM股份（或傳染病）和一對骰子之間有個最重要的區別。擲骰子是有風險（畢竟，你有可能擲出雙么），但沒有不確定性，因為你知道（而且很確定）擲出七點和其他所有結果的機率。我們投資則要面臨風險和不確定性。IBM的股價有下跌的風險，而且股價下跌的可能也存在不確定性。有許多變量——政治上、經濟性、管理上、競爭性的因素——都可能影響這種我們完全無法克服的不確定性所造成的結果。

從這些方面來看，長期資本的信代表跨出了一大步。儘管它誠心地承認有風險，但它藉由用數字來表示可能損失的機率，以消除不確定性。對於J.M.和他的交易員來說，資金管理與其說是需要一連串判斷的一門「藝術」，還不如說是可以精確量化的一種「科學」。給投資人的這封信提到：「大略地說，經過一段長時間，投資人可能大約每五個月裡，有一個月會出現五%或更多的虧損，大約十個月裡有一個月會虧損十%以上。」它的投資組合在五十年裡只有一年，會虧損二十%以上——而默頓－舒爾茲規則裡，並沒有考慮到虧損更高的機率。

這個神奇預言的祕密非常簡單。就像賭骰子點數裡的關鍵數字，是和七的基本差值一樣，長期資本的關鍵數字是債券價格的「常態變異」（usual variance）或說「波動率」（volatility）。長期資本把數萬筆債券價格輸入SPARC電腦，它的交易員就能藉此了解歷史上的波動率——也就是以前債券價格的波動幅度有多大。這個數字是針對很多種類的債券，以每日、每月和每年等數千項時間區間計算得出的，它是他們對未來的風險進行評估的基礎。長期資本的媒體發言人彼得・羅森塔爾（Peter Rosenthal）伶牙俐嘴地解釋說：「風險是波動性的函數，這些東西都是可以量化的。」梅里韋瑟、默頓、舒爾茲和他們的同伴都真心相信這個信念。

他們的投資組合就像一頂裝著數千對數字的帽子，每對數字代表其對應的某筆交易裡的預期波動性與收益。在所羅門兄弟時期在套利小組工作的羅伯特・史塔維斯（Robert Stavis）表示：「他們一直在想著帽子裡的數字。」他們研究著個別的配對——IO證券、義大利公債等等——但他們也在考慮配對之間的相關性。抵押貸款的結果，會傾向於類似義大利的那樣子嗎？其中一筆交易下跌時，另一筆交易會上漲嗎？史塔維斯說，合夥人們會根據每筆交易同時對收益與波動性的影響、對前兩者各自單獨的影響，以及對整個投資組合的影響，調整每筆交易的權重。「而且他們會不斷調整組合。」

梅里韋瑟的交易員非常關心限制風險，認為可以藉由鎖定特定波動程度，來達到限制風險的目的，這點對於他們怎麼經營基金極為重要。如果該投資組合太平靜了，他們會借來更多證券，提高「波動率」；如果波動太大，他們會減少槓桿，讓基金平穩下來。他們沒有以特定的收益為目標，而是設計了「帽子」，這麼一來（他們相信）它在大多數年份裡起伏的幅度都會像股市一樣。

只要有再大一點點的波動，風險就會太高。波動再小一點，他們就會提交討論要不要把資金留著。協助銷售該基金的美林證券的戴爾・邁耶（Dale Meyer）指出：「對於任何具備他們的理論背景的人來說，波動性和收益是同樣的事。波動性增加代表著收益也會增加。」

如果這看起來沒什麼特別的，那只是因為到了一九九〇年代，這種方法已經遍及華爾街的大部分地區。交易大廳已經採納學術界對數字確定性的信任；銀行的風險管理人會緊盯著波動性，就好像他們控制著聖杯。摩根大通的一名高階主管在被問到怎麼定義風險時，輕鬆地回答說：「就是波動落在平均值左右的時候。」《華爾街日報》上印的每日收盤價，就像壽險公司的精算表或是玩花旗骰（craps）的已知和固定賠率一樣，既可靠又可以預測未來走勢，這也造成了現代華爾街的自大。這種自大主要源自默頓和舒爾茲。華爾街的每家投資銀行、每個交易大廳都聘請了年輕、聰明的博士，他們曾經師承默頓、舒爾茲本人，或他們兩人的學生。這些每年耗費數千萬美元聘用高薪的研究分析師（也就是選股員）的公司，會聘請金融專業人士在它們的交易台坐鎮，他們把資本冒險投資在「市場是有效率的」這個假設上，而「市場是有效率的」意味著股票價格永遠是正確的，因此選股是騙局。

長期資本的一些投資人，幾乎是打從娘胎出世就知道這條信條。典範顧問公司總裁泰倫斯・蘇利文會保留他和長期資本開會的記錄，他認為只有在發生一次罕見的「災難性」事件——也許像百年一次的大洪水——長期資本才會犯嚴重錯誤。蘇利文知道，有些時候，價格會偏離正常價格，市場動向會不利於長期資本，這時會耗掉它不少資金。但是，對於他們從事交易的所有市場而言，要始終背離正常值，那是統計上的異數，就像連續擲出七次雙么或是被閃電擊中兩次那樣。很久以前，蘇利文在匹茲堡大學商學院就學到了這一點——匹茲堡商學院和所有的這類學院一樣，都深陷在默頓和舒爾茲教的那套理論裡。

• • •

除了一些比較次要的、諮詢方面的事情，默頓和舒爾茲都沒有參與長期資本的交易。也不像某些投資人所堅信的，教授們建立了詳細說明各種交易案例的「模型」。但默頓和舒爾茲是創造出該基金經營哲學的人。就像舒爾茲在基金成立之初說的：「我們不僅僅是一家基金。我們還是一家金融技術公司。」〔3〕尤其重要的是，長期資本是用數字來管理風險的一項實驗。這項實驗的核心是「波動性」這個概念，在合夥人的心裡，波動性已經取代了資金槓桿，是風險的最佳代理。事實上，長期資本有很多交易試圖利用價差，就該公司的看法，價差顯示出對未來波動性風險的不精確預估值——這種波動性（對長期資本而言）是真正舉足輕重的一種風險。這種策略是直接

3 Leah Nathans Spiro, "Dream Team," *Business Week*, August 29, 1994.

從布雷克－舒爾茲公式演變而來的。

布雷克－舒爾茲公式是根據物理學的發現而建立的。統計學家很久以前就注意到「大數定律」。粗略地說，如果你有夠多的隨機事件樣本，它們會傾向於分布在大家很熟悉的鐘形曲線上，在平均值附近的樣本數最多，而在任一個端點的樣本數都會大幅減少。這稱為「常態分布」（normal distribution），或是用數學術語來說，叫做「對數常態分布」（log-normal distribution）。籃球教練都知道，根據平常的身高分布，在一個有一百名學齡男童的街區，可能會找到六十到七十名身高在平均身高左右的男孩，少數男孩比較矮而少數比較高，而且也許會找到一個可以擔任先發中鋒。如果教練運氣好，還有可能找到兩個中鋒。但他永遠不會在一條街上找到，比方說，二十個七呎長人——當然，假設這些家庭沒有血緣關係，否則這種挑選方式就不能算是隨機。就像彼得．伯恩斯坦（Peter Bernstein）寫過的〔4〕，大自然的模式只會從許多隨機事件的混亂失序中產生。〔5〕

布雷克、舒爾茲和默頓認為，金融市場的價格變化也是隨機的。〔6〕沒有人能夠預測任何特定的變化，不過他們假設，經過的時間夠長的話，所有這些價格的分布將反映其他隨機事件的模式，比如丟銅板、擲骰子或中學生的身高。義大利債券和首次發行公債的市場也可以描繪成鐘形曲線，這些市場裡有很多天數債券的價格只有微幅漲跌，只有觀察到極少的天數出現代表股價突然飆升或市場崩盤的極端情況。

他們相信，如果典型變化的量——「波動率」——是已知的，那麼股票、債券或任何其他資產隨著時間變動，依一定比例上漲或下跌的機率也可以推導出來。用來解布雷克－舒爾茲公式的微分方程式，是從描述現實世界裡其他現象（包括奶油在咖啡中的擴散方式的物理方程式）所改寫的。〔7〕任何單一分子的運動路線都是隨機的，但成為一團分子的話，這些分子就會以可預測的方式，從中心向外分布。奶油永遠不會只流到咖啡的某一邊。

布雷克－舒爾茲公式說，價格也不會（可預測地）走向某一端。在對期權（也就是在未來以規定的「履約價」購買證券的權利）進行估值時，最重要的是波動性，或者說是標的證券價格跳來跳去的速率。〔8〕這具有直觀上的意義：一筆證券的波動越大，就更有可能上漲到比履約價高。

但布雷克－舒爾茲公式做了一個非常關鍵的假設：證券的波動性是恆定的。要說購買ＩＢＭ期權的價值取決於其波動性，那是沒有意義的，除非你能對於波動性是什麼取得一致的看法。因

4 編註：彼得・伯恩斯坦是金融史學家，著有《風險之書》（*Against the Gods: The Remarkable Story of Risk*）等多本重要著作。

5 Peter L. Bernstein, *Against the Gods: The Remarkable Story of Risk* (New York: John Wiley & Sons, 1996), 141–2.

6 布雷克－舒爾茲公式明確指出：「我們會假設在股市和期權市場的理想條件……在連續的時間裡，股價會遵循隨機漫步模型。」

7 Fischer Black and Myron Scholes, "The Pricing of Options and Corporate Liabilities," *Journal of Political Economy*, May–June 1973, 637–54. Many writers have commented on the formula's link to physics; see, e.g., Todd E. Petzel, "Fischer Black and the Derivatives Revolution," *Journal of Portfolio Management*, December 1996, 87–91: "The BlackScholes formula is a basic heat exchange equation from physics."

8 在布萊克－舒爾茲公式出現前，大家早就知道決定期權價格的其他因素了。這些因素包括期權的期限、利率水準，以及標的證券的當前價格與可以行使期權的價格之間的價差。

正常的鐘型曲線

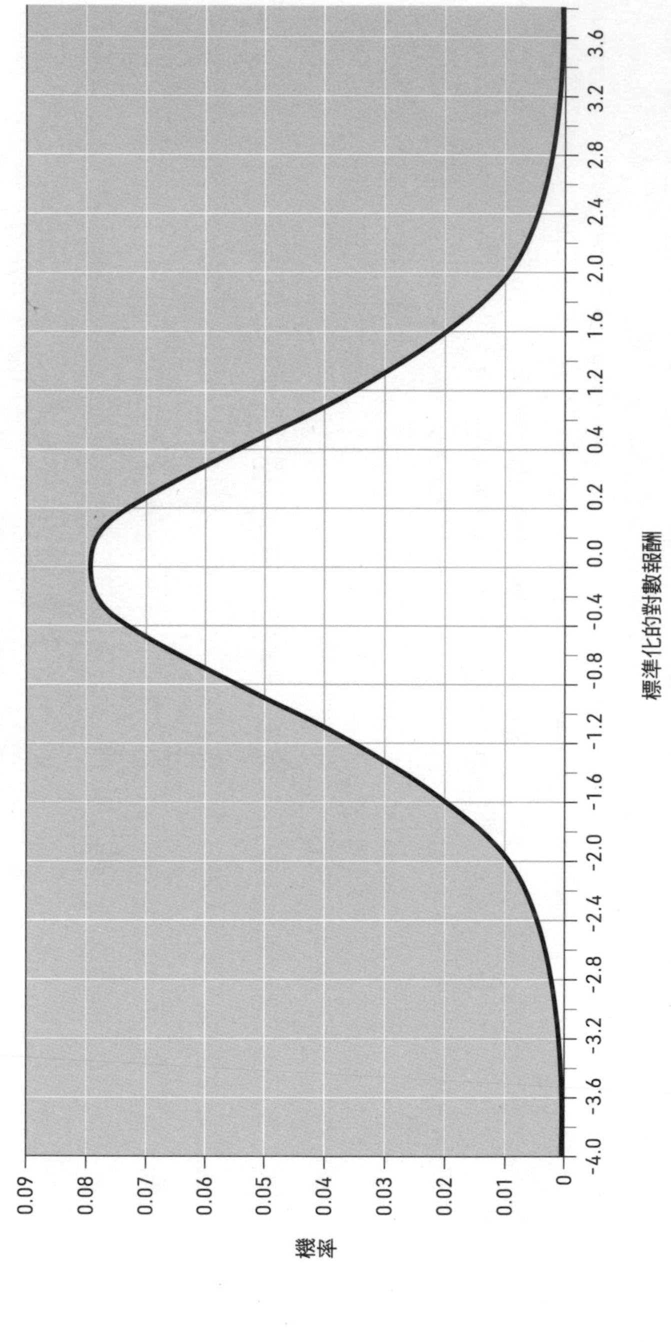
機率
0.09
0.08
0.07
0.06
0.05
0.04
0.03
0.02
0.01
0
-4.0
-3.6
-3.2
-2.8
-2.4
-2.0
-1.6
-1.2
-0.8
-0.4
0.0
0.2
0.4
1.2
1.6
2.0
2.4
2.8
3.2
3.6
標準化的對數報酬

此，教授們把一筆證券的波動性視為一種固有的、不變的特性。就像你是藍眼珠；IBM的波動性為X。我或你可能會假設，過去每一天、這麼多次的市場波動是這麼一團騷亂——隨機出現，不見得可能會再次發生，最好把它忘掉。但是對布萊克、舒爾茲和默頓——還有對長期資本而言，投資在這些波動性上是有預測上的深遠意義的。市場的每一次上漲或下跌，都隱藏著對未來風險的準確預測。這意味著市場在每個階段都是有效和理性的。

默頓更進一步拓展了這個假設。他假設波動恆定到價格會在「連續的時間」內交易——換句話說，就是價格沒有跳來跳去。默頓的市場就像煮得很好的爪哇咖啡一樣順口，價格確實就像奶油一樣在裡頭流動。例如，他假設一股IBM股票的價格永遠不會直接從八十元跌到六十元，而是逐漸跌到七九．七五元、七九．五元，再到七九．二五元等等。

在每一個無限微小的時段內，交易員都會重新調整IBM期權的價格，讓它和股價維持同步變動。持有這兩者的交易員可以藉著靈活地買進或賣出，把他們的投資組合維持在一種伊甸園式、無風險的平衡狀態。簡單的說，默頓假設了一種完美而無風險的套利交易。當現實的市場平靜時，這種假設就可能接近現實市場——但只有在那個當下。在一九八七年，保險公司向機構投資人推銷「投資組合保險」時，大言不慚地大肆宣傳說，這種保險是一種在市場下跌時藉由持續拋售來控制損失的技術。後來被稱為「黑色星期一」的股市大崩盤〔9〕，就是在這些投資組合保險公司的推波助瀾下造成的。黑色星期一那天，股市呈現出極度不連續性。仰賴靈活地控制損失的投資組合保險公司，根本跟不上華爾街爆發恐慌的速度，而且事實上，他們賠得精光。

默頓的完美套利假設，是長期資本（和許多其他公司）對沖策略的重要組成。當然，這群合夥人在所羅門兄弟公司，就已經用同樣的風險假設共事多年了，而且取得驚人的獲利——儘管偶爾會出現相當難看的虧損。這些經歷給他們極大的信心。過去他們的交易通常很理智，這意味著他們的賠率維持得很一致。儘管如此，以前他們的套利交易小組沒有翻船過，並不能保證是由於他們正確地計算出海嘯的機率——只不過是這類大浪相對罕見罷了。

默頓的理論之所以誘人，不是因為它們大多是錯誤的，而是因為它們幾乎是正確的，或者幾乎經常是正確的。就像英國散文家吉爾伯特．基思．卻斯特頓（G. K. Chesterton）所寫，人生是「邏輯學家的陷阱」，因為它幾乎是合理的，但又不完全是；它通常是理智的，但偶爾有例外狀況：

> 它看起來比實際上更具數學性而且有規律；可以明顯看出它的精確性，但它的不精確性卻是隱藏的；它的野性則埋伏著伺機而動。〔10〕

默頓就是這個陷阱的獵物。他的「連續時間金融」似乎要把整個金融世界打包在一個整齊的大球裡。就理論來看，它解決了金融領域裡實際出現的每種問題，不然就是指出了這些問題的解決方案：如何對垃圾債券進行估價，存款保險要支付多少費用等等，你能提出來的都有。他的理論似乎能看到他一直渴望的優雅和秩序。「並不是科學裡所有的美麗事物都一定要兼具實用性，但我們兩者都有。」他滿意地寫道。〔11〕

一九七〇年代在麻省理工學院就讀的艾瑞克・羅森菲爾德，把默頓看作「令人難以置信的數學家」地敬重。他表示，默頓有一篇未發表的論文，引發了一批受到啟發的追隨者發表大量論文。當然，默頓的整個作品，都是根據他對「隨機漫步模型」的假設，以及它們與物理世界的緊密聯繫而來。就像謙遜的羅森菲爾德所敘述的，他和自認是默頓門生的同伴們，那時經常跑到物理系圖書館尋找他們可以「躋身金融界」的解決公式。

和默頓一起在校學習期間，羅森菲爾德也稍微參與開發財務軟體，而這軟體是把數學帶進華爾街的橋梁。他和另一位朋友米奇・卡普爾（Mitchell Kapor）是Apple II電腦的早期擁護者，當時的Apple II還沒有什麼可以用的軟體。卡普爾覺得電腦很酷，而羅森菲爾德則使用量化系統進行投資和下注足球比賽。一九七八年，正在寫論文，而且有一大半時間耗在學校計算機中心的羅森菲爾德問卡普爾，他能否編寫一個可以在蘋果電腦上執行的程式。後來卡普爾真的寫出來——並且了解到他們做了件重要的事。兩人後來合夥開了一家名為「微型金融系統」（Micro Finance Systems）的

9 編註：指一九八七年十月十九日發生的全球股災。

10 Quoted in Bernstein, *Against the Gods*, 331.

11 Peter L. Bernstein, *Capital Ideas: The Improbable Origins of Modern Wall Street* (New York: Free Press, 1992),216.

小公司。他們發表了一款名為Tiny TROLL的桌上型電腦的圖形與統計程式，它的效能剛好足夠用來完成有用的工作。這個軟體賣出了好幾千套，卡普爾和羅森菲爾德靠它賺了幾十萬美元。

卡普爾當過DJ和超覺靜坐教師，他自認已經發現了下一波。他制定了第二次創業的計畫，並邀請羅森菲爾德加入。但卡普爾也發現了財務上的問題。他對這位朋友關於股票如何模仿分子的描述非常感興趣，於是自己就去麻省理工學院註冊入學。但是卡普爾選修了默頓的金融學課程後，他認為定量金融學與其說是一門科學，不如說是一種信仰——一種「被模型的影響力蒙蔽了雙眼」的理論家的學說。它吸引了渴望秩序感的知識分子，但如果市場超出模型範圍，它可能會讓這些知識分子嚴重偏離常軌，後果不堪設想。卡普爾繼續組建了Lotus開發公司，並成為軟體業的代表性人物。羅森菲爾德在哈佛找到教職工作，他把自己從Tiny TROLL得到的版權費押在另外兩項投資上——其中一項是一艘出租用的帆船，在處女航時還差點沉沒——而且損失了一大筆錢。〔12〕

至於默頓的模型對現實世界來說，是否太過於有條有理，卡普爾並不是唯一一個有疑問的人。默頓在麻省理工學院的導師保羅．薩繆爾森（Paul Samuelson）對長期資本的組織方式表示懷疑。薩繆爾森是第一位獲得諾貝爾獎的金融經濟學家，他坦承「連續時間」只是一種理想狀態；在實時中，交易者需要幾秒鐘、幾分鐘甚至幾小時來分析事件，好做出反應。當事件多到他們反應不及時，市場就會出現缺口。熱分子沒有跳出界線；IBM肯定是這樣子的。「對於撰寫長期資本管理公司的興衰史，這點非常重要，」薩繆爾森指出：「布萊克－舒爾茲公式的基本要點是，你很確定知道的，不是將會被分到什麼牌，而是要採樣哪一類的範圍，這讓你能得到對數常態變化過程的假設。我當時（長期資本開業那時候）很疑惑。」〔13〕

撲克牌的妙處就在於，它的變化範圍是已知的；一副牌裡有五十二張牌，而且就只有五十二張。人壽保險不太一樣：由於總是有新的人被加進採樣範圍裡，而保險精算師要依靠採樣。它們並不完美，但它們有用，因為人的樣本非常大，而死亡率變化極為緩慢。但在投資市場中，我們永遠不確定樣本是否很完全。在整個一九二〇年代和經濟大蕭條（Great Depression）後，所有行業的世界看起來都一個樣。在通貨膨脹的一九七〇年代，這種模式再次發生變化，在蓬勃發展的一九九〇年代又再次改變。在這幾個時期之後，都是所謂「正常」的局面，但我們怎麼知道下一個新時期不會再次生變？就單獨拿一家公司來看，ＩＢＭ處在一個充滿活力、不斷變化的世界，在這個世界裡，管理者永遠要面臨新的可能性、新問題和新奇的產品，每一種新東西的風險似乎都無法量化。如果這個藍色巨人（Big Blue）的經理提議依照過去的數據，當做未來風險的精確衡量標準，他可能會被炒魷魚。

邁倫・舒爾茲的論文導師尤金・法馬也想知道，他的這個老學生在做什麼。法馬因為把期權

12 Author interview with William Sahlman.
13 Author interview with Paul Samuelson.

公式做為模型而享譽世界、備受尊崇。但是把人們的金錢託付在這些模型上是兩回事。在一九六〇年代初，法馬把道瓊斯工業平均指數上三十支股票的價格變動，寫成了論文，並發現了一個了不起的模式：對於每支股票，出現極端價格變動的天數，要比股價落在常態分布裡的天數多得多。法馬論文裡的股票，就像是有一個世界，裡頭大多數人的身高都是平均身高，但每個第二十人不是巨人就是侏儒。有太多「極端讀數」或說「異常值」是隨機分布無法解釋的。正如法馬說的：

就任何一支股票平均來說，如果價格變化的總數完全是正常的……大約每七千年，才會觀察到一筆超過平均值五個標準差的結果。但事實上，這樣的結果，似乎每三到四年就會發生一次。〔14〕

描繪成圖形來看，法馬模型裡的股票圖呈現一條兩端膨脹的鐘形曲線，代表有太多極端事件（稱為「尾巴」）。法馬的論文，其內容毋庸置疑曾經與舒爾茲討論過，裡頭充滿許多影響了後來長期資本管理公司的論點。法馬警告說，有別於模型中的理想化市場，現實生活中的市場經歷了「不連續」的價格變化（那些令人討厭的高低起伏），而且出現巨額虧損的可能性更高；事實上，「這樣的市場本質上風險更高。」〔15〕

在長期資本成立之前，有據可查的事實是，幾乎所有金融資產的行為，都和法馬研究過的股票一樣。〔16〕「抵押證券的行為通常可能和模型預測的一樣，但總有一天它們會（連一點預警也不會有地）跳出圖表之外。正如法馬所說：「人生總會有一次肥尾。」〔17〕J. M.的信發出幾個月後，墨西哥披索大跌，造成投資人恐慌，引發了從德州到火地島的連鎖反應。阿根廷和委內瑞拉的市場也是相依相扶；它們也同時崩盤。直到財政部長、前高盛套利交易員羅伯特．魯賓（Robert Rubin）實施了一次紓困措施，人們對市場的信心才得以恢復。

如果你只是不經意地追蹤市場動向，你可能有一種直覺認為股票（或債券）經常莫名其妙地波動；它們往往會出現多次反彈。最明顯的例子是「黑色星期一」，在沒有明顯的消息下，市場暴跌二十三%。經濟學家後來也明白，根據歷史上出現過的市場波動率，如果從宇宙誕生以來市場每天都開盤，依照理論上的機率，還是不可能有哪一天跌幅像「黑色星期一」那麼大。事實上，就算宇宙的壽命再重複了十億倍，這樣的崩盤在理論上仍然「不太可能發生」〔18〕。不過事情還是

14 Eugene F. Fama, “The Behavior of Stock-Market Prices,” *Reprint Series*, No. 39, Center for Mathematical Studies in Business and Economics, Graduate School of Business, University of Chicago, reprinted from *The Journal of Business of the University of Chicago*, 38, no. 1 (January 1965).

15 同前註，94。

16 The first person to notice the phenomenon, Benoit Mandelbrot, documented fat tails in cotton prices. Mandelbrot, a Polish-born mathematician, worked at IBM and Yale and advised Fama on his thesis.

17 Author interview with Eugene F. Fama.

發生了。顯然，過去的股市波動並沒有讓投資人對埋伏著的衝擊做好準備——而且在這些衝擊可能選擇發生時，也不會提前發出信號。

金融市場出現極端狀況要比丟銅板更常發生——而且比長期資本合夥人們後來所引用，為他們引發的金融災難脫罪的罪魁禍首「百年一見的風暴」更頻繁——這是有原因的。隨機事件的一個關鍵條件，是每次丟銅板都和前一次不相干。銅板不會記得它曾連續三次丟出反面；丟第四次出現人頭的機率仍然是一半一半。

但是市場會有記憶。有時市場趨向之所以持續下去，就是因為交易員預期（或害怕）它會持續。投資人可能會盲目地遵循這種趨向，原因就在於他們認為有足夠多的其他人也會這樣做。這種動量交易（momentum trading）和合理地評估證券無關；它不適合有效市場裡的理性投資人的理想。但它很人性化。在市場裡，猜錯三次銅板面後，丟第四次銅板會出現哪一面，可能不再是完全隨機的。一些交易者可能已經蒙受虧損而被迫賣出了；還有一些投資人對未來感到茫然緊張時可能會恐慌，並決定比別人提早行動——就像長期資本第一個春季的公債那樣。人性精神不管是在哪裡出現，法馬注意到的小規模拋售，甚至像「黑色星期一」那種大規模拋售，都有可能出現。〔19〕、〔20〕

18 Jens Carsten Jackwerth and Mark Rubinstein, "Recovering Probability Distributions from Option Prices," *The Journal of Finance*, 51, no. 5 (December 1996),1612.

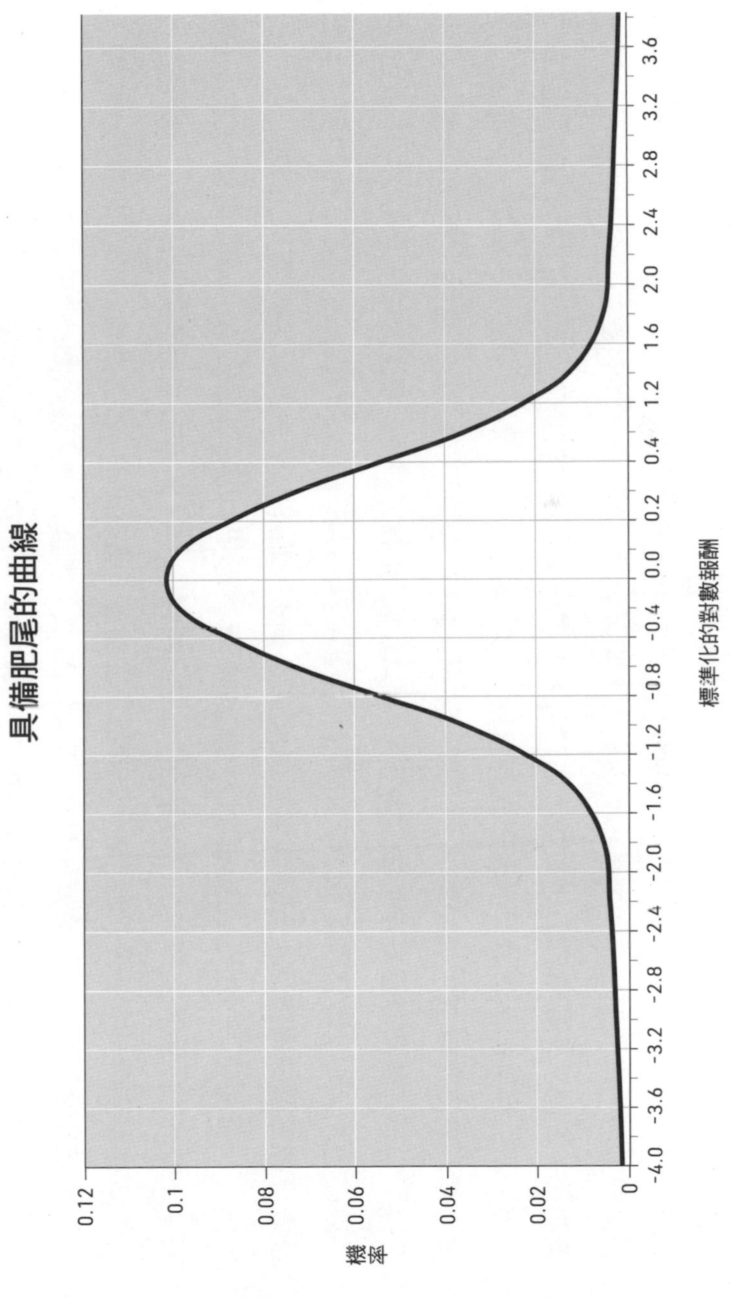
具備肥尾的曲線
機率
0.12
0.1
0.08
0.06
0.04
0.02
0
-4.0
-3.6
-3.2
-2.8
-2.4
-2.0
-1.6
-1.2
-0.8
-0.4
0.0
0.2
0.4
1.2
1.6
2.0
2.4
2.8
3.2
3.6
標準化的對數報酬

／機率／

默頓理論裡的市場完全沒有這種人性的精神。雖然他承認他的模型所表現的是一種理想狀態，但他的文章裡，處處充斥著這些完美價格和理性投資人的概念。就連他的散文也是枯燥乏味，好像試圖把人生裡的情感含量煮沸，把它濃縮成可以掌控的萃取物。默頓對其學科的熱情雖然感染了課堂上的學生，但是在私底下，這位捲髮、臉頰肉肉的教授其實一板一眼。除了他那台法拉利，對他來說，天堂是個深奧的學術話題。他不吝惜挪用自己的時間，尤其是花時間在學生身上，但他不喜歡妥協或改變主意。「這就像聽葛理翰牧師（Billy Graham）講道。」一名學生回憶道。

熱中傳播自己觀點的默頓，對於投資人不可能達到自動計算機器人的程度這點，覺得很鄙視，他還自顧自地忽略了他們情緒暴走的次數。因此，他認為自己的理論對於「一九八〇年代的投資組合保險產品」是有貢獻的——彷彿沒看到實際上人們嘗試這些投資組合保險後，是以悲慘失敗收場。〔21〕用到「投機」這個詞的時候，他甚至會加上引號，彷彿它用在現實的投資人身上會讓他不舒服，得拿鑷子挑出來。而且，默頓在提到「凱因斯那段著名且豐富多彩的話」時，連這位英國經濟學家兼作家書稿裡夾帶著一兩個生動、人性化的形容詞，他都拿出來挑毛病。他有事事追求完美的毛病，沒辦法和別人妥協。當美國經濟學家勞勃・席勒（Robert J. Shiller）大膽主張市場波動性太大，不適合套入完美市場模型時，你可以感覺到，對默頓來說，任何質疑都可能導致整座大樓倒塌：「這個結論多麼茲事體大毋庸置疑。如果席勒對市場效率的否定是成立的，那麼現代金融經濟理論的這個基石的有效性，就會受到嚴重懷疑。」〔22〕

當然，長期資本的交易員也知道這個模型並不完美。「我們知道這不是死記硬背就行得通的，」所羅門套利小組的前成員羅伯特・史塔維斯說。「但這是我們所擁有過最好的模型。你看看那些憑直覺做事的老前輩。你有這個模型，你有這些數字，最後你會認為，它們比一個人的直覺更有用得多。」

長期資本的交易員不是自動機器人。每個星期，他們都會就這些模型的含義以及是否要照模型的建議做交易，進行辯論，有時會激烈辯論好幾個小時。他們也意識到關於「肥尾」的意見（也就是應該要預料到會出現乎意料的大災難），並且試圖為此調整模型。但是，有可能為非預期事件安排好時間嗎？長期資本的大多數交易都是低風險的，但並非無風險。風險程度也無法精確量化。數學的問題在於，它是用確切事件來談本質上不確定的事件。「就用莫妮卡・李文斯基

19 奇怪的是，法馬把他職業生涯的其他時間，都用在證明有效市場假說的合理性。他認為「黑色星期一」是對於潛在企業價值（一日內的？）變化的理性調整。而另一方面，耶魯大學經濟學教授勞勃・席勒在股市大崩盤後告訴《華爾街日報》：「有效市場假說是經濟理論史上最明顯錯誤的。」

20 Lawrence Summers, quoted in Bruce I. Jacobs, *Capital Ideas and Market Realities: Option Replication, Investor Behavior, and Stock Market Crashes* (Malden, Mass.: Blackwell, 1999),88.

21 Robert C. Merton, unpublished autobiography, May 1998.

22 Terry A. Marsh and Robert C. Merton, "Dividend Variability and Variance Bounds Tests for the Rationality of Stock Market Prices," *American Economic Review*, 76, no. 3 (June 1986),483–4.

（Monica Lewinsky）來當例子吧，她帶著一塊披薩進了柯林頓的辦公室。你不知道那是要送到哪裡的。」曾經拒絕投資長期資本，康塞科的麥克斯威爾・巴布利茨指出，「然而，如果你把數學應用在這件事上，你就會想到她有三十八%的機率是要對他口交。這用法看起來很厲害，不過這完全是猜測。」

到了一九九〇年代中期，這種區別在華爾街徹底喪失了，和在格林威治一樣。從美林證券到摩根再到美國信孚銀行，銀行都在錙銖必較地計算著，他們的交易在某一天、某個月或某年裡，可能下跌多少金額。甚至美聯準也認可此類計畫，其通用名稱為「風險價值」（Value-at-Risk）。這些計畫的精巧表象底下，他們等於在問：「如果市場的行為像以前那樣，我們會虧損多少？」但是，如果市場採取了不同做法呢？馬克吐溫說過，歷史不會重演，不過類似的事會一再發生。〔23〕

這類計畫會一直運作，直到它們行不通為止——在一九九五年的墨西哥就真的發生了。而且恰好在無法預料的動盪時刻——也是最需要它們發揮的時候——這些計畫失靈了。在平靜無風無雨的日子裡，它們就像保險一樣；它們預測到人們在平常的日子裡會損失多少，但沒有預測到披索大貶時會賠到什麼程度。在耶魯大學任教的貨幣交易員大衛・德羅薩（David DeRosa）把「風險價值」謔稱為「即將發生船難的那些人的燈塔」。率先採用該方法論的摩根大通（品牌名稱為RiskMetrics）坦率地承認了它的缺陷。在一份日期為一九九四年十月，與梅里韋瑟的信件同月的文件裡，摩根大通承認，市場顯然不是像丟銅板那樣隨機和各自獨立的，而且波動性「本身就非常不穩定」。儘管如此，摩根大通以及整個華爾街中仿效它作法的眾多公司，都繼續使用著「風險價值」。據摩根大通解釋，這是因為他們找不到任何「具說服力的替代方案」〔24〕，彷彿這說詞就能彌補它的缺點似的。

在所有支持「風險價值」的公司裡，長期資本是其中的典型。〔25〕教授們的附錄讀起來就像默頓上課的筆記；它信心滿滿地告訴投資人，股票市場的收益確實是獨立（隨機）分布的。更重要的是，他們強調，長期資本預期其收益從某一期到下一期呈負相關，這意味著跌價的月份之後可能會出現賺錢的月份之類的，因而使得持續虧損的狀況更不可能發生。默頓和舒爾茲認為：「緊接在低收益季度之後的季度，更有可能獲得較高的收益。」長期而言，這說法是合乎邏輯的，因為市場確實會修正錯誤。否則，購買定價錯誤的證券就沒有意義了。但是，如果在價格修正前，情況變得更加極端，就像一九七〇年代的艾克斯登投資公司遇到的那種狀況呢？這是J.M.信裡沒有提到的可能性。

長期資本合夥人理念的一個核心原則是：市場正在穩定地變得更有效率、更具流動性、更

23 Quoted in Christopher May, *Nonlinear Pricing: Theory and Applications* (New York: John Wiley & Sons, 1999), 29. May's book, a witty and detailed treatise on market disorder, is the best account for anyone who wants to understand more about why markets are not like the cream in your coffee.

24 Till M. Guldimann, J.P. Morgan & Co, Global Research, "RiskMetricsTM—Technical Document," October 1994; see especially 1–28.

25 André F. Perold, "Long-Term Capital Management, L.P. (A)," *Harvard Business School*, case N9-200-007, October 27,1999,10.

「連續」——更像默頓所設想的那樣。〔26〕隨著愈來愈多投資人尋找定價錯誤的證券，還有市場消息傳播得更快，這似乎很合理。投資人會花更少的時間來修正錯誤的定價。而且在大多數日子裡，他們可能就是這樣做。一個有效的市場比較不會有大起大落的情形（它不會出現黑色星期一），而且風險會一天比一天小。因此價差應該會收縮。這也使得合夥人們更有把握價差將會縮小。事實上，他們有把握到多次利用這種賭注。

• • •

儘管全球投資人因墨西哥股市崩盤而心血付之一炬，但長期資本沒有被波及，其令人心動的成功仍在持續著。事實上在一九九五年，隨著初期的交易開始開花結果，公司的經營成效也改善了。義大利也不再是歐洲大陸的問題兒童，而是被譽為歐洲的設計之都，比德國更有創造力，比法國更不受傳統束縛。當其他交易員領悟到義大利的增長潛力，羅馬的債券市場開始擴散，長期資本的獲利便大幅增加了。〔27〕

多虧了義大利，尤其是IO（純利息）抵押貸款交易，長期資本在一九九五年的回報率令人咋舌，未扣除管理費時高達五十九%，扣除管理費後也有四十三%。在歐洲的收益就超過一半。長期資本在最初的兩年，就賺了驚人的十六億美元，其中義大利貢獻了大約六億。總而言之，這是有史以來的所有投資基金中，最快、最令人印象深刻的開業成績。對於打從第一天就加入的投資人來說，即使合夥人集團拿走了不少利潤，他們原本投資的錢也已經漲了七十一%。沒了J. M.的所羅門兄弟正在辛苦掙扎，而這並沒有影響到J. M.的好心情。所羅門兄弟在一九九四年遭受慘痛的虧損，而且盛傳將會賣掉。

會讓梅里韋瑟碎碎念的唯一擔憂，是長期資本的波動不夠大。該基金曾告訴投資者要預期會有「彈性增貸」（accordion loan），在增貸期間會夾帶著巨額的財務虧損，但在最初的兩年，長期資本只有一個月是損失超過一%的。「哪有彈性增貸？」一名投資人就很疑惑。獲得諾貝爾獎的經濟學家威廉・F・夏普（William F. Sharpe）是長期資本某個投資人的顧問，他認為該公司的收益似乎異常平穩。夏普回憶道：「我們明確地問：『有什麼風險？』邁倫（舒爾茲）說，『嗯，我們的目標是達到標準普爾五〇〇指數的風險水準（波動性）。要把波動性弄到那麼大，對我們來說有點難。』」

憑著這麼出色的開業成績，長期資本再次和美林證券合作，毫不費力地又籌募到十億美元資

26 Author interview with Eric Rosenfeld.

27 The numbers in this section are from two sources: Long-Term Capital Portfolio's financial statement, which is on file with the Commodity Futures Trading Commission, and Long-Term Capital Management's internal memorandum of January 13, 1999, explaining its losses in 1998.

金，梅里韋瑟都要對自己感到自豪了。在寫給投資人的信裡，他提到長期資本已經擴大到有十六名合夥人和九十六名員工，其中大約有一半的人會參與交易和投資策略[28]，他強調了該公司的精英特質——公司有雙語員工、有很多博士、還有複雜精細的「金融技術」。J.M.一輩子都在分析投資賠率：長期資本將成為他事業的頂峰——一首宏偉、精心編排的冒險交響曲。

加上了來自新投資人的資金，在短短不到兩年，長期資本的股本就幾乎翻了三倍，達到三十六億美元。公司的資產也有所增長，達到一〇二〇億美元。因此，在一九九五年底，它的槓桿率達到二十八比一。當然，它的總資產（包括它持有的和借來的）回報率，遠遠低於上面提到的華麗收益。總資本回報率大約為二・四五％。[29]這麼微不足道的數字，長期資本如果只拿自己的錢投資就能賺到。但即使這個數字都太高了，因為它沒有反映出長期資本的衍生性金融商品的交易，就像前面說的，這些交易沒有記錄在它的資產負債表上。但衍生性金融商品無疑增加了長期資本的暴險程度。（無論你是購入債券，還是只是投資在其價格變動，都要面臨相同的潛在獲利或虧損。）而這些資產負債表外的交易，無疑增加了長期資本的風險。

考慮到它的衍生性金融商品交易，它的現金對現金回報率很可能不到一％。[30]確切數字不重要。關鍵是那筆令人興奮的五十九％回報率，幾乎全部都得歸功於它那驚人的槓桿倍率。從這個角度來看，夏普的問題「風險是什麼？」——會很難回答。現金投資人冒著自掏腰包幫忙墊錢投資的風險，但長期資本並沒有預先付過這種款項。尤其是它的衍生性金融商品交易，不需要預先資本。該投資基金只需要每天和銀行結算，根據交易進行的方式支付或接收現金。長期資本指定了一部份假定的股權，做為每筆交易背後的保證，用它取代周轉資金。這種「風險資本」(risk capital)代表了長期資本認為必須在金庫裡保留這麼多資本，以防萬一。羅森菲爾德回憶說：

> 即使我們沒有被收取估值折扣，我們也有一個風險管理程序，來計算我們假設的運作資本。我們完成每一筆交易後，會想說：「假設我們處於真的很有壓力的時期，估值折扣會是多少？」

隨著長期資本的投資策略變得更多元，該基金更加樂於持有更大的部位。它專注在整個投資組合，也因此願意把更大筆的交易，累積在回收到金庫的每筆「風險」資金上。當然，它的理論是多筆槓桿交易同時崩盤的可能性很小，就像保險公司不會預期所有客戶同時要求理賠一樣。的確，長期資本的確是這樣看待自己的：承作金融風險保單的保險公司。實際上，該基金把持有流動性較差以及通常風險較高的債券的風險溢價占為己有——這些溢價是它在非首次發行國

28 LTCM, letter to investors, July 15,1995.
29 Figure computed by author, based on monthly asset total disclosed in LTCM internal memorandum, January 13,1999.
30 Author interview with Eric Rosenfeld.

債、抵押貸款IO、義大利債券這些交易上賺到的利差。當然，保險的問題在於，需要一段時間才能判斷保費是否足夠。在沒有嚴重風暴的年度，產物險和意外傷害險保險公司通常都能賺到錢。但經過這麼一年甚至好幾年的好光景，人們不禁要問，保險公司真有那麼好賺？還是只因運氣好？保費是不是足夠，或者是不是幫海邊木頭地基的房子簽了太多便宜保單——幾乎沒有考慮保戶可能索賠嗎？如果長期資本的每一種債券實際上都是一種「保單」，那麼它所投保的保單數量——以及它有朝一日可能面臨的虧損程度，會隨著每一筆增加的槓桿金額而增加。合夥人可以問問自己，他們賺到的這五十九％收益，付出了多大的努力？而在風暴過後，他們可能會面臨什麼樣的索賠呢？

5 拔河比賽 Tug-of-War

這個小團體……試圖把最佳的金融理論和最佳的金融實務結合在一起。

——羅伯特・默頓[1]

隨機出現的虧損月份、遭逢風暴的季度，似乎永遠不會到來。長期資本不僅獲利豐厚得驚人，而且是很詭異地持續獲利，彷彿和自然法則背道而馳。這個基金就像個打擊手，用全力打擊卻從未被三振。合夥人們大步走向本壘板，接連敲出一支一支安打。他們比以前的任何時候都更有自信，拉長了揮棒範圍，也就是說，他們把槓桿比率更加擴大了。到了一九九六年春天，長期資本已經擁有驚人的一千四百億美元資產，是其原始資本的三十倍。然而仍有九十九%的美國人不知道，長期資本的規模，是最大的共同基金富達麥哲倫基金（Fidelity Magellan Fund）的兩倍半，是第

1 引言：Robert C. Merton, unpublished autobiography, May 1998.

二大對沖基金的四倍。〔2〕梅里韋瑟、希利伯蘭、哈罕尼和同伴們此時握有的資產，比雷曼兄弟和摩根史坦利還多，而且遠遠甩開所羅門兄弟。儘管他們只有幾十名交易員，但他們這個僅僅成立不到兩年的基金，卻比華爾街一些歷史悠久的公司還要大。委託給所謂的「專家」管理的匿蹤飛彈，對街上的人來說有種難以想像的威嚇效力。

然而，對華爾街的銀行來說，長期資本並不是什麼祕密。在事件發生後，普遍流傳的報導認為，華爾街不知怎麼的，對於長期資本暴增的資產總額和槓桿比率一無所知。美林證券甚至在一份新聞稿裡表示：「在（一九九八年）九月二十一日，我們才第一次知道這個投資部位的總體規模和等級，以及槓桿的幅度。」〔3〕美林董事長戴維・科曼斯基宣稱，長期資本缺乏「透明度」讓他被蒙在鼓裡；其他許多華爾街銀行的執行長表示，他們都被長期資本的槓桿比率嚇到了。〔4〕

嚴格來說，這情況可能是真的。科曼斯基和高盛執行長強恩・科津有可能不知道。但是，他們底下的人會知道。長期資本每個季度和每個月，會分別對銀行與它的投資人披露其總資產和負債。長期資本還向商品期貨交易委員會報告了這些數字。它一年只回報一次它的衍生性金融商品總額——以這樣一家快速發展的公司來說，回報次數少到無法看出它確切的樣貌。儘管如此，（對任何想要看的人來說）這些數字就顯示有重大的事正在醞釀。長期資本公開截至一九九五年底的衍生性金融商品的投資，總計達六千五百億美元的證券——這可完全不是一筆小數目。〔5〕正如商品期貨交易委員會（CFTC）主席布魯克斯利・伯恩（Brooksley Born）開誠布公承認的那樣：「我們沒有發現任何重大的警訊，我們知道可以從很多地方取得（這些資訊）。」長期資本的外聘法律顧問托馬斯・貝爾的評述要比大多數人正確多了，他說：「大家都聽到了各種說法，但是都沒有辦法連接出全貌。」〔6〕

不過這也不是全貌。長期資本本身披露消息時，措辭就曖昧不清，以致訊息幾乎毫無意義。除了類似「利率交換交易」或「政府證券」之類明顯的概括性說法，根本無法判斷其資產是什麼。公開出來的衍生性金融商品訊息尤其不透明。想像一下，要依據你的「房地產資產」向在地的銀行申請個人貸款，卻不用費心說明該筆房產是在阿帕拉契還是在比佛利山。

關於特定資產——比如說抵押貸款證券或義大利債券——每家銀行只知道自己對長期資本的暴險金額。高盛不知道所羅門兄弟可能為類似的交易提供融資。摩根大通不會知道美林證券正在和摩根做同樣的放款。因此，理論上，每家銀行都不知道長期資本在任何特定交易裡的投資規模有多大。但實際上，銀行是處在可以進行評估的好位置。債券套利的世界相對較小。當然，銀行

2 "Hedge Funds, Leverage, and the Lessons of Long-Term Capital Management," Report of the President's Working Group on Financial Markets, April 1999,14.
3 Merrill Lynch, "Q&A on Financial Times Story," October 29, 1998.
4 Tracy Corrigan, "Komansky Condemns Lack of Transparency," *Financial Times*, October 14,1998.
5 Long-Term Capital Portfolio financial statements filed with CFTC.
6 Nikki Tait, "Leverage of LTCM Was Well Known," *Financial Times*, November 19,1998.

知道的內情多到足以要求貸方公開更多特定資訊，而且如果得不到滿意的答覆，他們可以拒絕和長期資本做生意，這是理所當然的。

但各家銀行正在爭取做更多對沖基金業務，而不是減少。市場進入牛市已經五年，銀行的流動性氾濫，由於對沖基金交易有利可圖，華爾街便用部分盈餘資本來做這種交易。銀行藉由一種稱為「出租資產負債表」的做法，實現了這一點——字面意思是，把它們龐大的借貸能力轉移給信用評等較低的對沖基金；每一百美元的信貸金額，它們僅收取幾分錢的費用。長期資本很輕鬆地成了華爾街最大的對沖基金客戶，據說該基金每年付給華爾街銀行的費用就多達一到兩億美元，每家銀行自然都希望盡可能從中分到愈多愈好。[7]時任雷曼兄弟交易經理人的約翰・蘇科（John Succo）指出：「銀行為了賺取那二十個基點（一%的百分之二十）而爭先恐後！」——和背後隱含的風險相比，這二十個基點不過是微不足道的小錢。

提供長期資本融資的銀行多達五十五家。[8]這些銀行被該基金合夥人一副無懈可擊的神態給迷惑了，爭先恐後地提出比其他銀行更好的條件。總部位於巴塞爾的瑞士銀行，其債券部門經理安德魯・西西利亞諾表示：「人們會以ＬＩＢＯＲ[9]加上五十個基點的利率把錢借給他們，而本來應該是以ＬＩＢＯＲ加上兩百個基點的利率。」瑞士銀行專門從事衍生性金融商品交易，西西利亞諾擔心格林威治基金會比瑞士銀行占上風。那家公司會極盡全力地壓迫每個交易對手。

長期資本巧妙地利用了銀行渴望賺取規費的心理，促使它們用最有利於長期資本的條件來進行業務。該基金用微薄的利潤率和銀行交易，大幅削減了銀行提供這麼大的投資基金服務時，可望獲得的正常利潤。但是，銀行並沒有停止幻想長期資本會在交易結束後，為它們帶來豐厚利潤。它們就像沮喪卻滿懷希望的父母一樣，不斷用零食寵溺他們不可救藥的孩子。美林證券和所羅門兄弟是長期資本最大的幕後金主，至少在融資方面是這樣。所羅門把ＬＴＣＭ當作它最大的客戶，尤其是在歐洲的交換交易中〔10〕，但兩家公司糾纏的歷史讓它們維持著警戒的距離。

另一方面，美林證券卻是愈來愈極力討好長期資本。而這家對沖基金也很樂意給出回報——以該基金自己的方式。J. M.很快就和美林證券董事長丹尼爾·塔利成了朋友，而塔利一家人和梅里韋瑟也成了四人幫。J. M.甚至讓塔利成為他在愛爾蘭凱里郡的「瓦特維爾」高爾夫球場的合夥人。對祖籍家鄉相當忠誠的塔利，就在果嶺上簽下自己的姓名，讓這個已經牢固的商業聯盟變得更加穩定。美林證券的下層職員很快就明白，董事長把長期資本視為特殊客戶。「不僅是業務員，整個公司都有職責支持這種關係。」塔利強調說。〔10〕

J. M.也頻頻向戴維·科曼斯基和其副手赫伯特·艾里森示好，他們正在旁邊等著從塔利手

7 Robert Clow and Riva Atlas, "Wall Street and the Hedge Funds: What Went Wrong," *Institutional Investor*, December 1998.
8 André F. Perold, "Long-Term Capital Management, L.P. (A)," *Harvard Business School*, case N9-200-007, October 27,1999,18.
9 編註：ＬＩＢＯＲ意指「倫敦銀行同業拆放利率」。
10 Author interview with Simon Bowden.

上接手公司的掌控權。J. M.在博彩兄弟會上往往如魚得水，他把美林證券的大頭們帶去貝爾蒙特，他騎馬的馬場。通常，J. M.會問很多問題，讓他的客人聊天，而艾里森也注意到他會記住那些回話——即使是小事，比如艾里森妻子的名字——就像他記住各項交易那樣。J. M.一直是個很好的傾聽者。在這樣一個需要高明手腕的行業裡，他本質上的正直顯得很突出。艾里森覺得：「你很難不喜歡他。」〔11〕

長期資本對美林證券最具誘惑的地方，是每年在瓦特維爾球場舉行、為期三天的高爾夫比賽，瓦特維爾是國際知名的高爾夫球場，曾接待過老虎伍茲等名將。每家公司大約會有十幾人參加，雖然每家公司都是自付費用，不過美林證券的高層會用私人飛機護送一些長期資本合夥人前去。瓦特維爾是個迷人的地方，由鬱鬱蔥蔥的天然草地打造而成，毗鄰一個靠海的愛爾蘭古樸村莊。每年九月舉行的這個上流人士聚會的邀請函，是美林證券的熱門商品，該公司還會製作印有愛爾蘭代表色綠色、白色、橙色的「瓦特維爾國際盃」格子衫。比賽結束後，高爾夫選手們可以釣魚並享用豐盛的晚餐；然後他們就回去休息，入住貼心提供早餐的飯店。早起的人可以在黎明時分，享受直通大海的車道上離群獨立的瑰麗景色。

對於梅里韋瑟來說，瓦特維爾象徵著他從在弗羅斯穆爾當桿弟到現在的歷程。他是個充滿活力的主人，會在競賽中進步而且關注每一次擊球，但他放鬆的時候也不會忽略掉給艾里森建議。在J. M.這位差點值為四的球員帶領下，長期資本一年又一年地贏下瓦特維爾杯，這使得這些銀行家對長期資本的好勝心報以噓聲。美林證券球隊對這群套利者印象深刻，他們打高爾夫球時投注的熱忱，和他們做交易時不相上下。美林證券的風險經理丹尼爾・納波利（Daniel Napoli）打趣說：「如果他們有機會在高爾夫運動上贏得博士學位，他們必定拿得到。」在某個球聚期間的週末，美林證券主管外匯交易的史蒂芬・貝洛提（Stephen Bellotti）轉頭朝著邁倫・舒爾茲開玩笑地問道：「邁倫，你擁有比較多的錢，還是聰明才智？」舒爾茲回嘴說：「聰明才智啊，不過兩者快要接近了！」

隨著業務關係日益密切，長期資本開始催促美林證券尋求更多融資。職掌長期資本關係的理查・黎伊會這麼說：「如果你想讓我們做交易，就必須給我們更多資產負債表。」漸漸地，美林證券打開了水龍頭。到了一九九六年，它提供了六十五億美元的回購融資（大致相當於美林證券的總資產淨值），而且在衍生性金融商品方面的比例更高。但除了在愛爾蘭度過愉快的週末之外，還沒看到美林證券得到了什麼回報。長期資本完全只是把買入價和賣出價削減得太過頭，使得它的經紀商賺不到正常的利潤。經紀人可能會怨聲載道，但長期資本並不會讓步。

有一次，美林證券回購部門的一位職員，以美林證券對這家高風險對沖基金的暴險愈來愈大為由，拒絕批准更多信貸。但在公司下一次週末高爾夫球聚之前沒多久，回購部職員聽聞一名焦

11 Author interview with Daniel Tully.

12 Author interview with Herbert Alison.

慮的業務員表示：「我打算去見迪克．黎伊（Dick Leahy）！[13]我們不想往後相見太難堪。再融資五億美元怎麼樣？」回購部職員拒絕時，業務員說道：「你得完成這些交易，否則我們會丟掉這筆生意。」

美林證券業務員急於推銷他們的獎金帳戶，他們認為融資給長期資本是能夠和該公司做生意的關鍵，而這種生意往來讓美林證券能夠看到長期資本的訂單流。當然，由於美林證券只能看到每筆交易的一面，因此這些資訊的價值還是令人存疑。融資和業務部門之間常見的合理的緊張關係，對長期資本有利，因為美林證券的職員知道這個帳戶是「特殊的」。長期資本可以隨意聯繫到美林各個層級的朋友，而且也這樣做了。這都是從董事長塔利開始的，他以前是證券經紀人，對於美林證券能取得長期資本這麼多業務，他感到「非常自豪」。即使是被某些人嘲笑為個性鮮明、精打細算的艾里森，也被長期資本的魅力所吸引，會催促下屬去拓展關係。「每個人都迷戀著他們的聰明才智。」業務員凱文．鄧利維回憶說：「這就像甘迺迪的核心圈——卡美洛！他們擁有最優秀和最聰明的人。」

然而，美林證券的高階主管最後也愈來愈不安——不是因為長期資本的槓桿比率，而是因為把該帳戶結清，美林一年也只賺到兩千五百萬美元，考慮到兩家公司業務往來的規模，這樣的金額只能算零頭。融資部門開始反擊：既然美林證券的資產負債表是寶貴的資源，為什麼要把它浪費在一個吝嗇的客戶身上呢？

負責美林證券與大型機構像長期資本這類公司業務的艾里森，最後把J. M.拉到一旁，語帶諷刺地提議，讓美林證券在它的交易裡也能賺到一些錢，或許會比較好。和其他與長期資本往來過的人一樣，艾里森覺得該公司合夥人是根據各自獨立的交易的損益，而不是用整體的關係來分析每筆交易的。他對梅里韋瑟說了同樣的話。

J. M.滿懷同情地回應，但長期資本仍然持續壓榨美林證券。該公司似乎刻意裝聾作啞，即使這樣會有破壞重要聯盟的風險。有一次，它利用貸款文件中的法律漏洞來占便宜，從美林證券的支出費用裡賺了七百萬美元。美林證券的一名高階主管提出抗議時，J. M.皺起眉頭說：「我不知道這件事。」但他也沒有退讓。

「他是真誠的，」美林該名高階主管說：「這就是他看待世界的方式：有的人贏，有的人輸。」更侮辱人的是，長期資本的合夥人不信任美林證券而拒絕交付公司的營業機密，卻希望取得美林債券承保的大量資金，這是投資銀行保留給最優良客戶的福利。更氣人的是，長期資本試圖將邁倫・舒爾茲提出的非尋常認股權證賣給美林證券。對於長期資本的合夥人來說，認股權證是一種比較省錢的方式，可以把更多資金押在自己的基金上——儘管會讓美林證券面臨嚴重的風險。美林證券很快就拒絕了。此刻，這次著名的牛市已經愈來愈不安定了。美林證券開始收回部

13 編註：Dick是Richard的小名。理查・黎伊此時為長期資本的合夥人。

分資產負債表，但它仍然是長期資本最重要的融資銀行之一。

美林證券亟欲接手長期資本交易結算業務，但長期資本卻拒絕了，因為它從貝爾斯登取得了這項服務；J. M.在貝爾斯登有一個朋友，文森．麥湯尼（Vincent Mattone），他以前在所羅門兄弟工作過。結算經紀商要執行很多重要的功能，例如保管交易紀錄和結算交易。儘管結算通常是很好賺的業務，但貝爾斯登答應給予長期資本有吸引力的條件，因為它也希望接到更多該公司的交易業務。貝爾斯登還借錢給六、七個合夥人，這樣一來他們就有錢在基金內進行個人投資。然而，長期資本很快發現，貝爾斯登沒那麼好欺負。

一方面，基於長期資本平常原則上不支付估值折扣，貝爾斯登拒絕提供該公司太多融資。貝爾斯登很懂江湖生存之道，他曾經拒絕列支敦士登親王的一個類似要求，當時親王亟欲進行外匯交易，而貝爾斯登並不打算放寬對於對沖基金的規則。「我們的決定非常明確，」一名高階主管回憶道：「我們不會在沒有初始保證金的情況下和對方做交易。」更重要的是，貝爾斯登對於在長期資本投資的資本承擔了過多風險，抱持著謹慎的態度。最重要的清算功能，是提供當日拆款額度（intraday credit）。對於一天之內可能得做數百次交易的長期資本而言，貝爾斯登實際上擔任了銀行的角色，持有長期資本的許多資產，並且代表該公司向世界各地的交易對象支付與收取資金。

如果沒有結算經紀商，長期資本會無法運作——最起碼不能像平常那樣靈活或快速地運作。

此外，最高等級的經紀商通常有權利不通知對方就停止結算，而且在倉促之下很難找到新的結算經紀商。因此，與其他任何公司相比，長期資本對貝爾斯登的依賴程度更高。對於華爾街的證券商來說，貝爾斯登是一個非傳統的地方。近七十歲的董事長艾倫·格林伯格（Alan Greenberg）很看不起摩根集團和美林證券的官僚作風。他仍然會坐在交易大廳裡，用粗聲粗氣的招呼語回電話。他以警告員工不要浪費迴紋針而出名。格林伯格的合夥人、執行長詹姆斯·凱恩，因為在不景氣的一九七〇年代敢於在紐約市債券市場上造市，而聲名鵲起，當時年輕的J. M.一直在尋找類似的投資策略。在格林伯格和凱恩堅持原則的管理下，貝爾斯登成了非正規、務實，且持續不懈地專注在自身利益的公司。這讓長期資本管理公司很煩惱。

一九九四年，正當長期資本的業務開始成功進行，在抵押貸款市場裡慘賠的對沖基金亞斯金資本管理公司，在貝爾斯登發出追加保證金通知後倒閉。從那時起，長期資本了解到整個局面是由貝爾斯登掌控著之後，就一直很傷腦筋。到了一九九六年，長期資本合夥人開始疾呼要求變革。

長期資本想要的，是得到貝爾斯登的契約承諾，也就是即使該基金遇到嚴重問題，它也會繼續結算長期資本的交易。但經紀商會擔心自己公司的證券，如果貝爾斯登繼續幫該基金結算到「零元」的話，萬一該基金最後倒閉了，它有可能被迫履行該基金到最後一刻孤注一擲的交易。簡單說，就是長期資本和貝爾斯登都擔心對方是否有能力對其造成傷害。

經過了多次會商，雙方大致上達成了共識。基本上，只要對沖基金保留十五億美元在貝爾斯登待命應急，貝爾斯登就願意答應繼續為長期資本結算業務。雖然長期資本可以接受這條件，但合夥人們希望在簽署前先解決另一些問題；主要是，而且也是靠著離奇的先見之明，他們很焦急地要在經濟危機期間保護公司的靈活性。希利伯蘭在看了關於亞斯金資本破產的報導後意識到，如果長期資本真的倒了，貝爾斯登勢必會強制結算，或許還會跳樓大拍賣。這時貝爾斯登也就有資格透露長期資本的交易部位，這很可能會引發另一波拋售潮。因此，希利伯蘭希望確保長期資本的權利，可以對貝爾斯登的任何濫權行為（像是違反長期資本的機密）追究責任。

希利伯蘭毫不留情地猛烈抨擊貝爾斯登——這是他典型的行事風格。貝爾斯登的信貸部門高級主管麥克．亞利克斯（Michael Alix）覺得希利伯蘭非常難對付，而且對什麼小事都很偏執，儘管他的一些顧慮最後證實是值得的。迷人的艾瑞克．羅森菲爾德也參與了幾次會談，他似乎能夠理解貝爾斯登的觀點；希利伯蘭做不到這點。那些討論會就像一樁訴訟案，希利伯蘭從沒停止過爭論。雙方在愈來愈挫折的情況下談判，卻沒有簽下任何協議。希利伯蘭把供不應求的結算協議弄到消失無蹤。

未能和貝爾斯登達成協議，是一個永遠的隱憂，而J. M.也就定期重溫這件事。就像長期資本用週末的高爾夫球聚來和美林證券打好關係一樣，J. M.和幾個「男子幫」成員定期和凱恩和他的同事麥湯尼，會在長期資本的格林威治辦事處或凱恩的公園大道公寓裡打牌。機智、詼諧的羅森菲爾德會把凱恩逗得大笑，但是當J. M.插嘴說：「吉米，你得在結算協議上盡點力啊。」凱恩會毫不畏懼地回答：「不——你才要。」

• • •

長期資本也對大通曼哈頓銀行施壓。該基金似乎想把整個華爾街都納入它的勢力範圍裡，基金合夥人很精明，意識到現在是組建銀行大軍的時候了，因為此時的投資成果算是很好。在一九九四年時，大通曼哈頓認為長期資本還太嫩，拒絕成為它的往來對象；不過在一九九六年J. M.回來的時候，接受度就比較熱烈了。J. M.在大通曼哈頓也有一個熟人，大衛・福勒格（David Pflug），一個胖胖的全球信貸部門主管，負責處理華爾街客戶的貸款業務。喜歡穿著吊帶、直言不諱的福勒格，在莫澤事件危機期間曾給J. M.一些建議，當時他說服陷入困境的所羅門兄弟安排申請緊急信貸。此時，一九九六年，福勒格同意為長期資本以利率交換交易為條件進行融資——在這種交易模式裡，通常一方會同意向另一方支付固定利率，以換取接受隨市場浮動的利率。大通曼哈頓還支持長期資本的殖利率曲線交易——同樣的，這也是固定收益交易員常見的交易手法。長期資本利用出售該基金的兩千萬美元投資給大通曼哈頓，加深了和這個新盟友的關係。

但長期資本真正想要的，是一個合作夥伴——一家在出現特殊需求（甚至是緊急需求）時，按照需求提供現金支援的銀行。在公司合夥人與美林證券、貝爾斯登和現在的大通曼哈頓沒完沒了的談判中，他們似乎在尋找一家能夠像所羅門兄弟那樣，堅定支持他們的銀行。福勒格對此也有同感，並安排了從一個大型銀行財團出借五億美元的循環信用貸款——換句話說，這是一筆長期資本可以根據需求取用的備用貸款。該銀行財團答應長期資本不需要提供任何抵押品，就願意為該循環信用貸款提供資金，由此證明他對這家對沖基金有著非同尋常的信任。

口袋裡有了這筆循環信用貸款，接下來，長期資本開始對大通曼哈頓增加施壓力道。各個合夥人開始施壓銀行，賣給他們一種特別的認股權證。當然，這和他們沒能成功從美林證券那裡取得的權證是一樣的。認股權證是一種期權；基金合夥人想要取得一份自己基金的認股權證，好在投資組合裡已有的龐大資金槓桿上，再加上一層個人的資金槓桿。即使他們幾乎所有個人資產都已投入該基金，但這些合夥人，尤其是希利伯蘭，仍然熱衷於獲得更多的暴險。他們陷入一個奇怪的盲點；儘管他們會為了能夠保護基金度過財務危機的結算契約拚命奮戰，但面臨到投資自己的資本時，卻似乎沒有考慮到投資有可能賠錢。

認股權證會讓大通曼哈頓銀行面臨無法承受的風險，根據舒爾茲的計畫，合夥人每年要付給銀行大約一千五百萬美元，差不多就這個數字，端看利率是多少。反過來看，這些投資人在基金裡的兩億美元股份，不管賺了多少錢，大通曼哈頓就要付多少錢給他們。為了那筆相較之下的蠅頭小利，如果該基金繼續暴漲，大通曼哈頓勢必要承擔巨大的潛在債務。理論上，大通曼哈頓可以藉由自己購買一些基金，來對沖它的風險。那麼，如果該基金的市值上漲，大通曼哈頓也就能從它的投資中大賺一筆。

但要是基金市值下跌呢？想當然爾默頓和舒爾茲已經設計好了，根據期權理論，當基金市值下跌時，大通曼哈頓不需要對沖。換句話說，如果長期資本市值下跌，大通曼哈頓會希望仿照基金內的模式，逐步出售資產。

但事情沒那麼簡單，因為長期資本的資產總額是機密。而且這些合夥人擺明了拒絕透露。福勒格被長期資本管理公司的傲慢嚇到了——這些基金合夥人希望大通曼哈頓承擔這筆可疑交易裡的一切風險，卻不願透露風險是什麼。「我們到底應該怎麼對沖？」福勒格很懷疑。大通曼哈頓的對沖基金業務負責人也持懷疑態度。

但長期資本不認為認股權證會失敗。它飽含著節稅的誘因（這點總是很能誘惑到希利伯蘭），因為合夥人可以把認股權證取得的所有獲利當作資本利得，並將其展延到認股權證到期再領取。這種特地打造的產品是舒爾茲的大好機會——一種由山姆大叔出錢，大幅增加基金合夥人利益的期權。

長期資本在整個大通曼哈頓銀行大力推銷這個權證計畫；J. M.甚至把它推銷給該銀行的執行長華特・施普萊（Walter Shipley）。希利伯蘭最後提議，派舒爾茲到銀行上一堂關於期權定價的課，不過福勒格太聰明了，他沒有和發明該公式的人正面交鋒。「你可能把這些希臘字母看得太過理性了，」福勒格這麼回答，他指的是期權交易員時常掛在嘴上的暗語α、β、γ這些字母。「那裡頭最應該出現的希臘字是狂妄自大（hubris）。」

福勒格覺得他們有多狂妄自大呢？這些合夥人的舉止甚至言談都不至於傲慢無禮；那是更根深蒂固的心理層面問題。是那些上過哈佛大學和麻省理工學院的人的傲慢——他們是真心認為自己比其他人更聰明。「你知道為什麼我們會賺這麼多錢嗎？」格雷戈里．霍金斯曾經這樣問在所羅門兄弟的一位老朋友，「那是因為我們比較聰明。」有一次，霍金斯甚至試圖向一名同事的妻子講授分子生物學——而這可是她長年專精的學科。她最後還是回嘴了：「你真是滿嘴胡說八道！」

• • •

到了一九九六年，長期資本已經成長到員工超過百人，基金合夥人也賺得盆滿缽盈。他們向外部投資人收取獲利的二十五%做為資金管理費，而一直以來他們都延後扣款，藉此把資金留在基金裡。在基金內部，稅務人員就無從著手，這筆錢就可以更快地滾進更多錢。在第三年快到年底時，合夥人總共持有該基金十四億美元的股份，是他們一開始投資金額一．五億美元的近九倍。這些都在這麼短的時間內賺到，真的是一筆不可思議的財富——而且全是靠債券價差交易！合夥人緊張不安地決定繼續加倍賭注，使他們一夜之間躋身超級富豪行列。和利用不斷減持股份來對沖風險投資的企業巨頭不同，J. M.、希利伯蘭、羅森菲爾德和其他人是把每一分錢都留在交易桌上。當他們需要用到錢，他們只會贖回一小部分基金；他們把投資基金當作個人的活期存款帳戶。

按照華爾街大亨的標準，長期資本的大多數合夥人都不是揮霍無度的人，他們並不喜歡炫富。霍金斯曾因送裝修技工飛到他位於薩拉托加、飼養純種馬的馬場附近的鄉村別墅，而被他們取笑花錢如流水。霍金斯還曾建議他們購買一架公司用的噴射客機，其他人也沒有答應。但是他們每個人也都有成功的地方。J. M.除了擁有瓦特維爾球場，還有自己的馬和三張要價不斐的高爾夫球會員資格證——紐約州的Winged Foot和辛尼科克（Shinnecock）以及加州的Cypress Point。〔14〕他還喜歡高價的汽車，包括一輛法拉利Testa Rossa。住在威徹斯特一棟寬敞海濱住宅的羅森菲爾德，則相當熱愛葡萄酒，對優質葡萄酒有著過目不忘的記性，他有一個能貯藏萬瓶紅酒的地窖，裡頭存放了從法國直送的好酒。當過教授的羅森菲爾德出門訪友時，幾乎都會帶上他珍愛的梧玖莊園（Clos de Vougeot）好酒，或其他精挑細選的勃艮第葡萄酒，彷彿要為他溫和的言談舉止增添光芒。對希利伯蘭來說，這筆金錢代表著附加的隱居生活。他在格林威治一個樹木繁茂的私人社區，購

14 Leah Nathans Spiro, "Dream Team," *Business Week*, August 29, 1994.

下一塊十五英畝、價值兩百一十萬美元的土地，而且花了四百萬興建一座占地三萬平方英尺的豪宅。[15]但即使這樣揮霍，這些錢在這些合夥人的銀行帳戶裡也只是九牛一毛。追求金錢或許是他們生活的核心，不過賺的錢遠遠超出任何想像得到的生活所需，也是常有的事。賺到的錢是一張記分卡，證明了他們擁有最高段的交易技巧。對默頓和舒爾茲來說，這為他們的學術成就增加了世俗的驗證。

股權爭奪戰很常見；在所羅門兄弟，補償金是用來宣洩內部壓力的天然地盤。在汽艇路（Steamboat Road）的輕鬆氣氛則是假象，它掩蓋了每次控制權、股份或大型投資組合變動問題浮上檯面時，出現的潛在緊張局面。脾氣暴躁的舒爾茲，渴望拚出一條血路好更上層樓，他很愛挑穆林斯的毛病；這兩位老師都覺得自己比對方聰明。霍金斯這個隨和好相處的南方人，非常不滿行事遮遮掩掩、專橫的希利伯蘭。就連負責營運細項的羅森菲爾德，也會感受到梅里韋瑟的細微壓力，梅里韋瑟每隔一段時間就會抱怨：「艾瑞克得找到賺錢的方法才行。」好像光是經營公司，事情還不夠多似的。

這些套利者對於對獲利沒有直接貢獻者的價值，都不看在眼裡；只有財務上的分數才算數。也許這就是他們在有任何需求後，會這麼專注追求個人資產淨值最大化的一個原因。舒爾茲提出的認股權證，其主要目的是增加他們個人的財富，因此他們根本不會放棄這個想法。認股權證成了他們的最愛。

就像這群合夥人威嚇美林證券、貝爾斯登和大通曼哈頓那樣，他們開始遊說瑞銀集團，好取得認股權證。這是一個奇怪的選擇，因為瑞銀集團已經讓長期資本吃過兩次閉門羹了。一九九四年，當該基金開始成功時，瑞銀集團拒絕投資這家對沖基金。過了一陣子，J. M.和哈罕尼又打電話過去，希望讓瑞銀集團參與債券和交換交易。但瑞銀集團擔心這類交易的資金槓桿問題，而再次回絕。

然而，長期資本繼續向這家位在蘇黎世的銀行施壓。更重要的是，這家對沖基金在瑞銀集團內部有一個重要的盟友，他是布魯克林人、前所羅門兄弟業務員，名叫朗恩・坦南鮑姆（Ron Tannenbaum）。和藹可親、外表粗獷的坦南鮑姆，比希利伯蘭晚一年進入紐約的所羅門兄弟。後來他調到東京，擔任套利小組的當地經銷專員。之後他又轉調到倫敦，在倫敦見過梅里韋瑟很多次。一開始，坦南鮑姆被J. M.嚇到了，也可能是被J. M.的交易員嚇到。但經過多年，坦南鮑姆成了他們那群人的朋友和堅定的仰慕者。

在瑞銀集團，坦南鮑姆負責對沖基金業務。他一直遊說他的老闆，給格林威治這群小夥子一個機會。在此時，該集團正經歷著令人不安的變革。瑞銀集團長久以來都是瑞士最重要的銀行，相當於該國傳統銀行機構的縮影。它深受瑞士文化浸淫，從全國的軍隊裡招聘了矮小的銀行員，

15 Douglas Frantz and Peter Truell, "Long-Term Capital: A Case of Markets over Minds," *The New York Times*, October 11, 1998.

而不是從麻省理工學院找人才，而且給每一位副總裁挑選三種拋光過的木料——桃花心木、胡桃木或松木，來裝修他們的辦公室。〔16〕這家自滿的銀行此時驚訝地發現，國際金融界已經不再是以阿爾卑斯山這種緩慢悠閒的步調在前進。當瑞士銀行這個現代化速度更快、尤其是願意接受衍生性金融商品的競爭對手超越自己時，瑞銀集團更加震驚了。到了一九九〇年代中期，瑞銀集團開始反擊，它聘雇了一批來勢洶洶的交易員。溫文爾雅的瑞士銀行業巨擘馬西斯．卡比亞拉維塔（Mathis Cabiallavetta），此時已經升任瑞銀集團執行長，他讓他的神槍手交易員們自由發揮，竭盡全力想要奪回瑞銀集團的霸主地位。由於瑞銀集團急於拓展業績，一九九五年九月，坦南鮑姆說服董事會，批准長期資本成為交易對象。瑞銀集團還從美林證券挖角了馬來西亞裔的交易員T. J. 林（T.J. Lim），並且給了他行軍令，要他創辦該銀行的衍生性金融商品業務。因此，到了一九九六年，讓長期資本終於能在阿爾卑斯山站穩腳跟的舞台，已經搭建好了。

一夜之間，這家對沖基金成了瑞銀集團最大的帳戶，第一年就為該銀行帶來了一千五百萬美元的收入。〔17〕但是一如長期資本與其他銀行做的交易，這項業務的獲利率很低，通常只有〇．五%。在一筆和日本股票有關的交易裡，長期資本甚至把獲利率削減到二十二．五個基點，還不到一%的四分之一。瑞銀集團的股票衍生性金融商品業務負責人，是擁有耶魯大學博士學位的拉米．戈德斯坦（Ramy Goldstein），向來隨心所欲的他，對這種低獲利率的交易提出異議。「朗尼，他們不是客戶，他們是競爭對手！」這位銀髮的以色列退役傘兵對著坦南鮑姆大喊。「把我的電話號碼去掉，」他再加了一句：「我不想再和長期資本做生意！」

但瑞銀集團和長期資本管理公司的交易才剛剛開始。隨著瑞銀集團的控制愈來愈鬆，該銀行開始想要放手一搏。事實上，魅力十足的拉米．戈德斯坦，擁有牛仔般的強烈探險慾，他帶頭開疆闢土，找了很多風險性的股票－期權交易。同時，朗恩．坦南鮑姆開始考慮提升長期資本和高利潤產品的關係。瑞銀集團開始在稅務相關的提案上協助長期資本，這促成了坦南鮑姆和他在所羅門時代的一位好友重聚：邁倫．舒爾茲。

由於長期資本展示出這麼誘人的獲利，瑞銀集團對於沒有早點投資感到後悔。「天啊，這是我們有史以來最嚴重的失策！」固定收益、貨幣和衍生性金融商品主管漢斯－彼得．鮑爾（Hans-Peter Bauer）這麼抱怨著；之前他就回絕過長期資本。長期資本已經停止接受新資金，因此對投資人的窗口顯然已經關了。事實上，有錢的瑞士人支付了十％的保證金買斷以前的投資人。但是在一九九六年七月，鮑爾得知坦南鮑姆和格林威治男子幫關係密切，就請求坦南鮑姆去了解看看，他那群朋友能否接受瑞銀集團投資。

長期資本此時對瑞銀集團非常感興趣，也開始對它的業務員拋媚眼。該基金打破了不再接

16 Christopher Rhoads, "A Prince Undone: UBS CEO's Fall from Grace Tells a Tale of Euroland," *The Wall Street Journal Europe*, January 25,1999.

17 Clay Harris and William Hall, "UBS Suffers Share Fall over LTCM Inquiry," *Financial Times*, October 1,1998.

受新資金的立場，並且親自給坦南鮑姆本人提供了一份基金，只不過瑞銀集團不讓他接受這份大禮。當時，長期資本正在考慮成立一個分支基金（被大家稱為LTCM－X），用來投資特別高風險的交易，也專注在拉丁美洲市場。不得志的舒爾茲把LTCM－X視為擺脫希利伯蘭控制的一種方式，他對希利伯蘭的掌控已經愈來愈反感了。有了LTCM－X這個想法，該公司就向羅貝托．門多薩（Roberto Mendoza）提出了合作夥伴關係。羅貝托．門多薩出身哈佛大學，也是前古巴駐英國大使的兒子，時任摩根大通副董事長。隨著這些計畫逐步推進，舒爾茲在坦南鮑姆面前提到可以讓他為LTCM－X工作——這大概是長期資本要討好坦南鮑姆的老闆，所做出的努力的其中一個環節。到了十月，舒爾茲丟出了最後的胡蘿蔔，他告訴坦南鮑姆，如果瑞銀集團也同意為長期資本合夥人簽發對該基金的認股權證，該基金也會同意讓瑞銀集團在該基金進行大型投資。

在那年秋季，瑞銀集團董事長卡比亞拉維塔偕同拉米．戈德斯坦，拜訪了格林威治的基金合夥人。到此刻為止，這位瑞銀集團的高層雖然急於鞏固和長期資本的關係，但已經開始擔心坦南鮑姆可能對他這個客戶太過友好。其間就有人說了：「我們不確定朗尼是我們的人還是你們的人。」J.M.回應：「朗恩是個好人。」消除了他們的顧慮。

這些合夥人把卡比亞拉維塔當作失聯多年的堂兄看待。幾乎所有合夥人都參加了會晤，除了人在哈佛的默頓，以及從倫敦過來的哈罕尼；哈罕尼在J.M.的辦公室裡忙進忙出，處理一些緊急狀況。當卡比亞拉維塔問到歐洲採用統一貨幣的前景時，J.M.讓穆林斯出面稍事解說，這讓這位瑞士客人留下深刻的印象。只有長期資本有一位常駐的前央行官員。在那場會議上很少提到認股權證，但坦南鮑姆用整個十一月寫了一份提案，向他的上司展示。其基本調性完全出自「布萊克－舒爾茲模型」。期權定價公式中的關鍵決定因素是波動性。而長期資本一直異常穩定。事實上，一九九六年是迄今為止最穩定的一年。因此，奉行布萊克－舒爾茲公式的交易員，會願意以相對較小的溢價，為該基金簽署一個認購期權。很慷慨地，舒爾茲提出的溢價要來得高一些。換句話說，假設長期資本的業績保持穩定，瑞銀集團可以立即獲得兩千五百萬美元的利潤。戈德斯坦嚇壞了。「朗尼，我們可能會賠上那筆錢的好幾倍！」他抗議道。這種交易的關鍵，在於布萊克－舒爾茲公式的致命要害：它假設波動性是一個常數。如果長期資本在認股權證的七年期限內，遇到一段不穩定的困難期，瑞銀集團可能會面臨巨額虧損。

坦南鮑姆寫了一份出色的銷售報告。他主要從相關的方面描述了認股權證的優點，引述了瑞銀集團成為長期資本合作夥伴的好處，諸如此類。「長期資本的資本將有助於加速瑞銀集團在投資組合管理、風險管理和動態資本配置方面的學習過程。」這位業務員寫道。假設坦南鮑姆真的相信這些東西，那他會是華爾街裡唯一相信的人。但是在當時，他希望成為長期資本一份子的願望已經醞釀了十年之久。他仍然喜歡回憶起他是怎麼和「業內最重要的智囊」希利伯蘭一起開始工作的。當然，坦南鮑姆只是個業務員，幾乎沒有批准重大交易的權力。但是到了年底，雖然長期資本還沒有與瑞銀集團簽署任何協議，但舒爾茲的認股權證得到了瑞銀集團資深交易員和經理人聽證會的機會。

憑著利用在日本的可轉換債券、垃圾債券、利率交換交易和義大利債券的價差交易，該基金在一九九六年的獲利率為五十七%(扣除合夥人拿的費用之後為四十一%)。此外，當法國債券的交易價格開始比德國債券高(奇怪的是，這代表法國承擔的通膨風險比德國小)，合夥人們很巧妙、而且成功地押注德國，而相對成功地捲土重來。他們在一九九六年的總獲利是驚人的二十一億美元。[18]從這個數字來看，這些一般大眾不認識、受雇於最神祕、最深奧的企業的一群交易員、分析師和研究人員，在那一年所賺的錢，要比麥當勞在全球賣漢堡賺的還多，比美林證券、迪士尼、全錄公司、美國運通卡、西爾斯百貨、耐吉、朗訊或吉列這些美國商界經營最好的公司和最知名的品牌還會賺錢。

而且他們以極低的波動性做到了這一點。在一九九六年，長期資本沒有哪個月份虧損達一%的。[19]對希利伯蘭、哈罕尼和霍金斯來說，這樣的結果充分證明了多樣化交易是有用的。該基金的多樣化交易猶如交響樂般彼此完美融合，就像默頓模型裡各自獨立的骰子或隨機出現的撲克牌。[20]「我們無法取得夠高的風險(意指波動性)，我們正在見識多樣化交易的影響力。」長期資本的交易員這樣告訴一位朋友，彷彿不敢違背他們的信條似的。

梅里韋瑟比他的合夥人經歷過更多起起落落，只有他是謹慎的。在倫敦的年終午餐會上，一位J. M.以前在所羅門兄弟的交易員科斯塔斯・卡普蘭尼斯（Costas Kaplanis），對長期資本前三年的輝煌成績表示敬佩，但J. M.不願接受他的道賀。他謙虛地回答說，至少需要六年的結果，人們才能確定長期資本的經營公式有效。也許他察覺到合夥人是靠著些許的好運——在美好氛圍下的一段不尋常過程。彷彿要準備面對難關似的，長期資本要求它的投資人（此時大約有一百人），同意把他們將來可以領出資金的日期錯開。不同意的人可以把錢領出來帶回家（沒有人這樣做）。如果投資人想要集體退出，這個做法為長期資本提供了額外的保護。

事實上，經由對手的銀行和競爭的基金投注的大批資金，正湧入套利業務——這是J. M.情緒低落的另一個原因。他知道，這筆新進的資金正在迫使價差收緊——這確實是長期資本最近盈利的原因之一。但是這樣會變得更難找到新的投資機會。

在年底即將到來之前寫給投資人的信裡，J. M.的表現是慎重行事的榜樣。他寫道，長期資本的成果，代表著「很多重要經營策略的趨同程度高於預期」。因此，「截至目前為止，一九九六年的淨收益，實際上大大超出了公司今年年初預期的成績。」

這並不是好兆頭。由於長期資本現有交易的利差已經縮小，此類交易在將來的獲利潛力比

18 LTCP financial statements filed with CFTC.
19 LTCM, internal memorandum, January 13, 1999, 242
20 Peter Truell, "Losses Are Said to Continue at Troubled Hedge Fund," *The New York Times*, October 10, 1998.

較小。此外，該基金找到新交易標的的速度不夠快，無法跟上其資本的成長。J. M.有點謙虛地預測說，絢爛終將歸於平淡：「雖說不見得準確，但我們目前的判斷是，一九九七年的淨收益可能會遠低於一九九六年的獲利，儘管實際結果可能大大高於或低於我們的預期，也包括可能會虧損。」〔21〕

21 LTCM, letter to investors, November 1,1996.

6 諾貝爾獎 A Nobel Prize

儘管經濟學自我標榜著一些科學理論，不過它仍然比較像一門技藝而不是科學。

——美國進步派記者羅伯特・科特納（Robert Kuttner）〔1〕

不管長期資本願不願意承認，用債券做套利交易的祕密已經洩漏了。到了一九九〇年代後期，幾乎華爾街的每一家投資銀行，都或多或少參與了這場競賽。大多數銀行都有單獨的套利交易部門，銀行會特別指定交易員，要在這項業務的每個角落和縫隙中找出機會。格林威治賺到巨額利潤的甜頭吸引了其他銀行，它們也開始插手要賺和長期資本同樣的錢。不可避免地，它們瓜分掉了原本吸引它們進場的價差；如此一來，成功模式只會被自由市場懲罰。長期資本一直被模仿者所困擾，但現在模仿者增加的速度比以往任何時候還要快。價差一打開，競爭對手的交易員

1 Robert Kuttner, "What Do You Call an Economist with a Prediction? Wrong," *Business Week*, September 6,1999.

就把消息傳開了。「其他所有人都快要趕上我們了，」羅森菲爾德抱怨道，「每當我們開始表現出興趣，打算做一筆交易時，機會就消失了。」〔2〕

就像梅里韋瑟慣常的風格，他鼓勵公司探索新的領域。即使在所羅門時，他的子弟兵也一直試圖擴大自己的地盤。他們不就是從交換交易價差轉向不動產抵押貸款證券的嗎？他們不是已經開始從事垃圾債券和歐洲債務交易了嗎？回想起來，這樣的舉動只能算小小的嬰兒學步，還不算大膽的創新作法。但是這群合夥人的經驗——至少對他們來說——和「試圖把成功模式移植到不熟悉的領域是危險的」這句格言似乎是相悖的。他們信任他們的模型，在處女地發展時就只要重新啟動電腦就行了。

到了一九九七年，成立高風險分拆公司LTCM－X的計畫已經泡湯。（摩根的主管門多薩已經決定不接受長期資本的合夥關係提議。）相反的，長期資本的合夥人正在思考有什麼方法能擴大母基金，甚至脫離公開市場。在長期資本看來，證券業務的問題在於它原本就容易觸及。任何人都可以購買債券或模仿購買證券的人。該公司合夥人不喜歡拋頭露面的作風，和股市那種粗野的民主格格不入。對於在金融業務中進行流動性更低、更持久的投資，他們愈來愈感興趣，因為這種投資就不是那些惱人的模仿者做得到的了。

默頓正和擁有大型資金管理業務的「義大利國家勞工銀行」（Banca Nazionale del Lavoro，簡稱BNL）一起探索一種合資事業，向散戶投資者兜售共同基金。其想法是要把BNL那種公家機關的影響力，與長期資本的學院門系結合起來，為普通的仕紳提供一種產品。對於完美市場有一種天真的信任感的默頓，正在推動為小人物打造的「最佳投資組合」的概念。長期駐地的義大利人阿爾貝托．喬瓦尼尼被委派協調這項工作，而吉諾提則被派往羅馬，他在當地住進了臨時住所和BNL商討細節。同時，摩根大通敦促長期資本進一步多元化投資。摩根的高層認為，長期資本合夥人應該「利用」他們的智力——確切的說，就是把他們的聰明和方法，應用在對沖基金正常範圍之外的業務上。這些合夥人悄悄地開始研究要建立保險業務。

雖然這樣大的投資活動進展緩慢，但長期資本迫切需要把資金停泊在某個地方。到了一九九七年，它擁有超過五十億美元的股權。如果該基金要維持其出色的回報率，就必須把這筆資本拿出來投資，但是長期資本的電腦找不到可以投資的機會。在一次新的嘗試中，長期資本大膽闖入了商業型不動產抵押貸款為主的證券市場——和IO與PO的市場完全不同，不動產抵押貸款證券靠的，當然是熟悉的房屋抵押貸款。長期資本的胃口大得驚人，從而改變了商業市場，該市場的新發行量幾乎是一夜之間，從每年三百億美元飆升到六百億美元。希利伯蘭並沒有假裝具備商業房地產專業知識；不出所料，他覺得公司可以在融資方面找到優勢。一名抵押貸款銀行家回憶說：「他們可以在很小的風險下賺到利差。這樣的利差很微薄，但長期資本擁有強大的槓桿能力。」

2 Michael Lewis, "How the Eggheads Cracked," *The New York Times Magazine*, January 24, 1999.

這是該公司的標準公式；其合夥人打定主意，把他們那同一套做法用在任何可能的地方。

但商業型不動產抵押貸款是相對較小的餅。股票——也就是交易的股份——倒似乎是個更大、更誘人的新領域。這是一個開放的領域，因為大多數具有長期資本那種數學偏向的交易員，會很自然地避開股票。雖然債券定價大致上都可以簡化成數學，但是對股票的評估要更主觀得多。華爾街（和學術界）設計過很多預測市場的公式，但無論多麼深奧或嚴謹，都沒有一個有用。在短期內，股票容易受到情緒化的交易員一時興起的作法影響。從長遠來看，它們隨商業表現而變化，這就可能有很大的不確定性，而且眾所周知很難預測。它不能只靠數學，還需要判斷力——而且是任何電腦都無法掌握的那種判斷力。就像經濟學家波頓・麥基爾（Burton Malkiel）以前的評論說的：「上帝不會知道一支普通股票正確的本益比是幾倍。」[3]但長期資本確實知道——或說至少它大膽地認為，可以把它的模型轉換用到股票上。

哈罕尼一直在研究股票，尤其是歐洲的股票，而且他認為，該領域對於擁有必要量化技術的公司來說已經成熟了，不過重要的是，它不需要陷入分析特定股票的雜亂細節。羅森菲爾德打從在所羅門兄弟時，也一直在考慮股權套利交易。其中一個吸引他的點，是（他認為）股票套利與債券套利無關。曾經師從默頓的羅森菲爾德要的是隨機的投資機會，而且也很難想像股票之間的利差，會和抵押貸款之間的利差、或是歐洲債券之間的利差，同時擴大。[4]股票好像是一個不同的世界。就定義而言，這不是公司業務的一個小擴張，而是一個激進、冒險的實驗。

哈罕尼的研究重點是「配對股份」（paired shares）。許多支歐洲股票都雙重掛牌。例如，福斯汽車推出優先股和普通股掛牌，後者具有更好的投票權。ＢＭＷ是另一個雙重掛牌的公司。哈罕尼還研究了具有相關（但不是完全相同）資產的配對股票，例如電話公司義大利電信集團（Telecom Italia），以及其子公司義大利行動通訊公司（Telecom Italia Mobile），或路易威登（Louis Vuitton）和迪奧（Dior）。在種種的原因下，特定配對股票的某一方，通常會以某個折扣價和其合夥人交易。哈罕尼也因此發現有可能藉此套利。另一位出身麻省理工學院的經濟學家大衛・莫德斯特（David Modest），對股票交易進行了模擬。但是維克多・哈罕尼主持了這個計畫。「莫德斯特就照著維克多的吩咐去做，」一位內部人士指出，「維克多說做空這支股票，莫德斯特就會想出做空的方法。」

配對股票交易並非完美的套利，因為每筆交易的兩方向來不是完全等價的。福斯汽車的普通股比優先股更有價值，尤其是因為在德國和歐洲其他地方的管理階層，不像美國那樣覺得有義務一視同仁地對待所有股東。沒有人能夠精確說出「正確」的溢價是什麼，以福斯汽車的案子為例，四十％的溢價似乎太高了。但這種價差可能會維持下去，甚至擴大——這些模式真的太離譜了。有鑑於這種不確定性，大多數加入者會把配對股票交易限制在適度的規模。但是隨著它的資金愈

3 Burton Malkiel, *A Random Walk down Wall Street*, 5th ed. (New York: W. W. Norton, 1990; first published 1973), 98.

4 Author interview with Eric Rosenfeld.

來愈雄厚，長期資本逐漸發展出自己的一套對於比例的感覺，就好像一個慣用百元鈔付晚餐錢卻從不找零的人，它已經喪失了節制的習慣。

哈罕尼和莫德斯特找出了大約十五筆配對股票交易，而且哈罕尼押注在這些交易上的規模相當驚人。他最喜歡的是荷蘭皇家殼牌公司（Royal Dutch/Shell），這是一家英荷跨國的石油業大財團。荷蘭皇家殼牌由兩家上市公司所有，也就是荷蘭的荷蘭皇家石油公司和英國殼牌運輸公司。儘管荷蘭皇家和殼牌的收入來源相同——也就是荷蘭皇家殼牌公司的股息——而英國殼牌公司歷來的交易價格，大約比其荷蘭兄弟公司低八％左右。這些股票由不同的投資人持有，而荷蘭皇家的股票通常更具流動性。但價格差異並沒有充分的理由。至於歐洲成為單一經濟體，哈罕尼認為國家的差異造成的影響會愈來愈小，荷蘭皇家和殼牌之間的差距將會縮小。這是一個很普遍的觀點。

但是哈罕尼交易的部位規模相當驚人。長期資本押注了二十三億美元——其中一半做多殼牌，另一半做空荷蘭皇家——當然，價差不保證會縮小。實際上，部位這麼大完全沒有流動性。和平常的假設相反，流動性不足並沒有什麼錯——除非你很容易被迫急售脫手。但就像我們看過的，操作槓桿的投資人，其虧損累積的速度可能會相當驚人，而槓桿極大的長期資本正是如此。無視於經常有活生生的例子證實這一點，哈罕尼用借來的錢進行了一筆龐大的交易。那一年，他因為父親健康狀況不佳後來又去世而備感壓力，而債券套利領域前景惡化加重了他的壓力。儘管如此，除了接受哈罕尼開始相信自己能所向披靡，找不到理由能解釋他為何這樣大手筆押注荷蘭皇家殼牌公司。「這筆交易的規模大得離譜。」華爾街的一名銀行高層說。高盛也進行了同樣的交易；他們認為這是不錯的交易。但是長期資本的交易規模是高盛的十倍。

在大西洋另一側的美國，希利伯蘭也在忙著投入股票交易。早在一九九五年，長期資本就開始著手併購套利（也稱為「風險套利」），或押注已經宣告的收購案真的會成交。例如在一九九五年，西屋公司同意收購CBS時，CBS的價格上漲了二十%，來到每股七十八美元。但是該價格仍然低於每股交易價格八十二美元。因此，如果交易完成，任何在公告後購買CBS的人，都能獲得五%的利潤。當然，如果購併失敗，股票全部二十%的漲幅可能都會回吐。而且有許多併購案確實告吹了。

由於不管發生多少事件都有可能破壞交易，因此併購仲裁者必須是精明的通才——對交易的公司、它們的行業、融資、反托拉斯和其他監管問題以及市場狀況，都瞭如指掌。一般來說，由於這需要具備多個領域的經驗，有一小群專家就只做合併交易。他們當中最優秀的人可說是萬中選一，他們的技能在於能夠挑出極少數最有可能成交的交易。長期資本的方法完全不同。由於它的教授們聲稱對個股不夠專精——實際上，他們假設股票的未來走勢是隨機的——該基金沒有試圖挑選交易的贏家。它只是從股市買了一籃子的股票，或者買下幾乎所有它認為安全的交易股票。

合夥人討論過要不要聘請風險套利專家，但最終沒有聘雇。與此同時，希利伯蘭又一次一次地購買了交易股票。儘管另外六個合夥人愈來愈不滿，他還是信心滿滿地大量買進這些股票。舒爾茲和默頓主張併購套利風險過高，其明顯的理由，就是長期資本是在自己完全沒有專業知識的領域裡發展業務——何況交易規模還這麼大。梅里韋瑟和他的交易員對債券的世界瞭如指掌。但是在併購套利方面，J.M.沒有優勢；事實上，在這領域占優勢的，正是長期資本的競爭對手。

在長期資本內部，關於併購套利的爭論非常激烈。梅里韋瑟像開研討會一樣讓大家辯論，容忍所有觀點。從某方面來看，這是一個錯誤：J.M.從來沒有出手制止。經過這麼長久而且成果豐碩的合夥關係，他不願意干預他那兩個幼稚、討人厭的交易員——希利伯蘭和哈罕尼。J.M.自己對朋友的忠誠，影響了對投資組合的考量，這是風險管理人員的一個嚴重缺陷。

「到目前為止，這筆交易是我們合夥關係裡最具爭議的，」羅森菲爾德承認。「很多人認為我們不應該進行風險套利業務，因為這種交易對資訊非常敏感，而我們並沒有嘗試用對資訊更敏感的方式進行交易。」〔5〕

如果連普遍有人望的羅森菲爾德都反對這項交易，那麼該公司就極有可能避開風險套利（尤其，梅里韋瑟很少未諮詢過他信任的門徒就做出決定）。然而，羅森菲爾德也偏向站在希利伯蘭與哈罕尼同一邊，最後其他人也就同意了。

從事套利交易的老鳥們，很快就察覺到有個新手加入了戰局。而且這個新手非常強大，也不會瞻前顧後——或者，像羅森菲爾德說的，沒有「資訊敏感度」。利用這樣大量買入股票，長期資本全面抬高了交易股票的價格，把價差壓縮到沒有賺頭的程度。像往常一樣，長期資本滿足於賺到相對微薄的利差，因為它打算用槓桿來讓營收加倍。儘管如此，人們還是會讚嘆長期資本真是大膽，竟跑進華爾街的某個角落蹓躂——一個有很多精明的老鳥已經打滾多年的地方——並在一夜之間改寫了這個領域的經濟學。長期資本不管到哪裡，都是主導規則的巨獸。

有一天晚上，希利伯蘭、J. M.和穆林斯與著名的風險套利者丹尼爾・提許（Daniel Tisch）共進晚餐。丹尼爾・提許是投資家賴瑞・提許（Larry Tisch）的兒子，他對長期資本的印象，是它只會從數學的角度來考慮生意。確實，希利伯蘭會用價差來敘述每一道金融難題。在風險套利中，價差大約是四%到十%，遠高於債券價差。「我們的業務在他們的業務旁看起來非常有吸引力，他們在自己的業務中賺取幾個基點的利差，」提許強調。「唯一的麻煩是，如果你在一筆政府債券上弄錯了，利差可能會改變個〇・五個基點。如果你在風險套利上弄錯了，你可能會賠掉一半的部位。」簡言之，交易利差要比債券利差大得多的原因，是你可能會在併購套利中損失更多資金。提許離開時覺得，長期資本根本不知道它自己在做什麼。它不只缺乏經驗，還開了極大的槓桿——料不定它什麼時候就會大爆炸。來自謝克海茲的長期資本投資者特倫斯・蘇利文，從小道

5 Lewis, "How the Eggheads Cracked."

消息聽說了它涉入風險套利的程度，對於該基金背離它專精的本業如此遙遠，感到十分震驚。

除了CBS，長期資本最大的部位是MCI通訊（MCI Communications），該公司於一九九六年同意被英國電信收購。CBS和MCI都必須弄清楚錯綜複雜的監管事務，而且兩個交易都拖得比預期的時間還要久。在CBS這個例子中，即使CBS的股價已經和交易價格相差在六十二美分以內，長期資本仍然繼續搶購股票。長期資本對此交易開的槓桿為二十比一——而且它不具備任何併購方面的專業知識。「你這是在推土機前面撿拾五分錢。」一位友好的資金經理人警告羅森菲爾德，暗示他這一筆或另一筆交易可能有失敗的風險。最後，CBS的併購案完成了，而這結果只會讓長期資本更有膽量做更多這樣的交易。它的投資組合將增加到三十筆交易。

• • •

讀者可能會想知道，長期資本怎麼會借到這麼多錢來購買股票。聯邦準備委員會根據一項稱為「T法規」（Regulation）的法定條款，對股票經紀人貸款設定了限制，也稱為「保證金」。在過去的二十五年裡，美聯準把最高保證金貸款設定在總投資金額的五十%。

長期資本購買股票時，當然會受到「T法規」的約束。但是一般來說，長期資本沒有購買實際的證券就建立起股票部位。相反的，該基金簽訂了模仿股票行為的衍生性金融商品合約。比如說，如果長期資本想要在三年內從一億元的CBS股票賺回收益，它就會和瑞士銀行這樣的銀行簽訂「交換交易」合約。長期資本會同意每年支付固定費用，按照一億美元的利率計算這筆費用。而且瑞士銀行會同意，向長期資本支付該公司若是實際購買該股票會獲得的任何利潤。（如果股價下跌，長期資本就要付錢給瑞士銀行。）最有可能的是，瑞士銀行會藉由購買實質的股票來對沖風險。不過這不是長期資本關心的問題。

對J.M.和該公司來說，重要的是他們可以在不花錢也不必付錢的情況下，對CBS進行巨額投資，而且不用進行通常必須做的公開訊息。儘管有T法規規範，這種做法完全合法。畢竟，美聯準只是限制購買股票的貸款。長期資本沒有購買任何東西；它只是對股票的走向做賭注——這樣的做法會得到相同的結果。

有將近十年，華爾街一直是利用股權交換交易來迴避T法規，但最近幾年，這種交易的規模驟增。此外，銀行在幫助企業規避保證金法規這方面，也愈來愈明目張膽。衍生性金融商品並不是這樣開始的。事實上，它們背後的前提是無害的。一九七〇年代末和一九八〇年代初的投資銀行家認為，簡單的協議——合約、衍生性金融商品，隨便你要用什麼名稱——是一種比實際買賣資產更有效的風險轉移方式。例如，在衍生性金融商品出現前的時代，大多數家庭都被固定利率抵押貸款綁死。即使是願意賭一把的屋主（也就是對未來的利率承擔一點風險），也沒有確實可行的方式能按照自己的想法行動。銀行向他和其他所有人提供的，都是慣例上的固定利率貸款。

這是可以理解的，因為不動產抵押貸款銀行也要為它的款項支付固定利率。但是藉由運用衍生性金融工具（默頓最喜歡的例子），銀行可以把固定利率貸款轉換成浮動利率貸款。這個想法背後最天才的地方在於：相對於每一個客戶，總會有另一族群有相反的需求。也許一家公司會打算每年借款借個幾年，也比較喜歡固定利率的可預測性。要是有個家庭有固定利率抵押貸款，還有面臨著不同借貸成本的公司，就可以互換貸款！多虧了衍生性金融商品，他們兩方可以互換。（並不是他們了解這種做法；理所當然的，是銀行擔任了中介者。）

最早的現代版交換交易是在一九八一年設計出來的。ＩＢＭ持有用瑞士法郎和德國馬克計價的債券，也希望將這些債券轉換成美元。剛到所羅門任職的耶魯大學博士大衛．史文森（David Swensen）提議，也許可以說服其他一些借款人發行和ＩＢＭ相同的債券，只不過要用美元做為主要計價單位。其中一個明顯的對象是世界銀行（World Bank），該銀行對於持有多種貨幣的債券頗有興趣。所羅門兄弟給了世界銀行比市場利率略低的利率，做為借款的誘因。然後兩方借款人交換了債券——ＩＢＭ收下美元債券完成任務，世界銀行拿到外幣的債券——好啦！交換交易的世界誕生了。

最開始，這項業務成長得很緩慢，後來才呈現指數級成長。很快，銀行就能夠使用任何可以互相交易的貨幣、利率支付、股票以及未來現金流，來互換債務。在一九九〇年，就有市值兩兆美元的利率交換交易未支付（這還只是衍生性金融商品的一種）。到了一九九七年，總額已經飆升到二十二兆美元。[6]這種大幅成長衍生出一個結果——大致上是非刻意的——就是銀行的財務報表變得愈來愈複雜難解。衍生性金融商品並未用任何對外界有意義的方式披露。隨著交易量激增，銀行的資產負債表呈現的總債務會愈來愈少。到了一九九〇年代中期，甚至有許多中型銀行的財務報表都像包覆著難以看透的濃霧。

銀行家們忙著賺錢，無暇顧及這個快速成長的業務裡的風險，或是粗製濫造的公開資訊。少數提出警告的人，像是一九八〇年代在所羅門工作的知名經濟學家亨利・考夫曼（Henry Kaufman），都被視而不見。考夫曼回憶起當時：

> 我還記得梅里韋瑟的團隊出現時，我們正開始做利率交換交易。我們總會遇上一個問題，就是「要設定怎樣的限制」。結果只是不斷地往上增加再增加。我們有十億之後，上限變成了二十億。後來上限又來到五十億。從來就沒有一個分析體系來說明我們應該走到多遠。

到了一九九五年，當梅里韋瑟的交易員快快樂樂地在長期資本安頓好時，這群人的衍生性金融商品資產總值已經達到六千五百億美元。不到兩年，這個總值又翻了一倍，達到驚人的一・

6 International Swaps and Derivatives Association, New York.

二五兆美元。有鑑於長期資本（以及其他每家公司）的公開資訊都相當晦澀難解，要依據特定交易來確定該基金的衍生性金融商品風險，是不可能的。而且由於長期資本的許多合約是偏向相互抵銷的對沖，因此無法計算該基金的真正經濟暴險。只能說它的暴險似乎增加得非常快——時好時壞的華爾街的暴險也是如此。幾乎在不知不覺中，華爾街已經完全相信一場大規模的信心比賽，在這場比賽裡，每家銀行都透過一個幾乎很少或根本不需要首付的合約義務網絡，和鄰里緊密相連。

監管機構開始愈來愈擔心。在一九九〇年代中期之前，華爾街已經習慣每年會發生一、兩次衍生性金融商品的「劇烈震盪」。由於衍生性金融商品暴險被掩蓋著，前一天還被認為體質健康的銀行或公司行號，可能隔天就會灰飛煙滅了。橘郡、美國信孚銀行、霸菱銀行（Barings Bank）、德國金屬公司（Metallgesellschaft）、住友商事等等，一家又一家揭露了突如期來的巨額虧損。隨著受創單位的名單愈來愈長，監管機構開始擔心整個體系有可能應付不了：他們害怕剛好拉到的「那條線」，會讓整個毛線團散掉。但是，是否真有這樣的一條線，一家和華爾街如此緊密交織的公司，一旦它垮台可能會毀掉這整個體系？這樣的疑懼有可能是杞人憂天，但並非毫無道理。借用前財政部長尼古拉斯・布雷迪的話來說：「每次失火時，這些傢伙（衍生性金融商品交易員）都曾在場。」〔7〕

早在一九九四年春天，長期資本剛開始交易時，紐約聯邦準備銀行就對對沖基金容易獲得信貸（包括衍生性金融商品信貸）感到不安。該年四月，紐約聯邦準備銀行執行副總裁切斯特・費爾德伯格（Chester Feldberg）在發給紐約地區每家銀行執行長的一封信裡，告誡這些銀行家不要逃避他們的歷史責任，行事要深謀遠慮。「客戶信用額度是信用風險管理的重要工具。」費爾德伯格警告說。〔8〕除了這些擔憂，一九九七年時，美聯準監管機構和紐約幾家大型銀行的管理層會面，討論銀行與對沖基金的關係。〔9〕美聯準審查員催促銀行加強監控對沖基金帳戶，但出人意料的是，回覆報告稱銀行已經在加強它們的監督程度了。〔10〕

關於衍生性金融商品，美聯準決策部門的處理方式是置之不理——這是從葛林斯潘開始的，他很迷戀新型金融工具的順暢操作技巧。在公開辯論中，葛林斯潘多次與以花旗銀行的約翰·里德為首的民營銀行家們聯手，而這些銀行家正在竭盡全力，阻止更嚴格要求公開資訊的提案。即使對沖基金愈來愈頻繁使用交換交易來規避美聯準本身的保證金規定，葛林斯潘也投以讚許的眼神。令人難以置信的是，葛林斯潘不僅沒有試圖用某種形式的保證金規定，來涵蓋到衍生性金融商品領域，反倒提議完全取消保證金規定。他一九九五年在國會的聽證會證詞，聽起來就像銀行

7 Author interview with Nicholas Brady.

8 Chester B. Feldberg, executive vice president, Federal Reserve Bank of New York, letter to chief executive officers of all member banks, branches and agencies of foreign banks, and bank holding companies in the Second Federal Reserve District, April 28, 1994. (Italics added.)

9 Alan Greenspan, "Private-sector refinancing of the large hedge fund, Long-Term Capital Management," testimony before Committee on Banking and Financial Services, U.S. House of Representatives, October 1, 1998.

10 Alan Greenspan, letter to Senator Alfonse M. D'Amato, October 20, 1998.

家的簡報。這個證詞的核心是個非常簡單的想法：有更多交易（因此會有更多的借款）總是好事，而且本質上也是好的，因為這增強了「流動性」。

移除這些融資限制，將可藉由允許更多融資替代方案，以及因此更有效率的流動性管理，來促進證券商交易商的安全性和健全發展……就經紀交易商而言，聯邦準備委員會認為，參與監督他們的證券信用沒有任何公共政策目的。〔11〕

一點點流動性可以潤滑市場的輪子；葛林斯潘忽略掉的，是流動性過度的市場很容易脫軌。〔12〕過多交易會鼓勵投機行為，而且無論流動性如何，當清算的那一天到來，任何市場都無法容納所有潛在賣家。不過葛林斯潘並不是第一個被以下觀念誘惑的人——若是我們有更多一點的「流動性」，就可以永遠防止市場崩潰。

除了美聯準，唯一能夠限制衍生性金融商品借貸的，是銀行。但在經濟繁榮時期，華爾街從來不會自我監管。銀行本身的資產負債表正穩定地擴大；到了一九九〇年代後期，華爾街的槓桿比率已經達到二十五比一。〔13〕若要在充斥著流動性的市場裡不被完全淹沒，那麼銀行就得為它們的資本找到出路，而最誘人的目標就是對沖基金了。「人們會看著世界美好的一面，」美國信孚銀行交易員兼對沖基金經理史蒂夫．佛瑞德漢姆（Steve Freidheim）提到，「我可以借到我想要借的金額，而且利率持續下降。我可能會接到銀行打電話來說，嗨，我們可以再借給你五千萬元——我們有一億元！」在銀行持續不斷地追逐基金業務的同時，它們默默地放寬了標準，降低可能的負面新聞所造成的風險。到一九九六年之前，華爾街的回購交易額為五千億美元，貨幣和利率交換交易的交易額為兩千億美元。〔14〕

任何借款人都不必考慮其總暴險；沒有貸方會要求。每家銀行都知道自己對單一客戶的暴險程度，尤其是對長期資本。沒有銀行會自找麻煩去想到，該對沖基金對於其他十幾家銀行可能也有類似的暴險程度。「你會和它們做大筆的生意，」瑞士銀行經理西西利亞諾回憶道，「你可能認為自己是它們的第一大資金提供者，但實際上你只排到第十名。你無法相信它們居然做這麼大量的交易。」

瑞士銀行對長期資本造成了微妙卻強大的影響。衍生性金融商品太過複雜，無法讓這些格林

11 Alan Greenspan, testimony before Subcommittee on Telecommunications and Finance, Committee on Commerce, U.S. House of Representatives, November 30,1995.

12 The phraseology is so close to that of an earlier writer that I must add an (end)note of gratitude to Louis Lowenstein, my father, for *What's Wrong with Wall Street: Short-Term Gain and the Absentee Shareholder* (New York: Addison-Wesley, 1988), 67.

13 Patrick McGeehan and Gregory Zuckerman, "High Leverage Isn't Unusual on Wall Street," *The Wall Street Journal*, October 13,1998. The figure is as of June 30,1998.

14 Robert Clow and Riva Atlas, "Wall Street and the Hedge Funds: What Went Wrong," *Institutional Investor*, December 1998.

威治的超級巨星輕易留下印象，它的歷史與長期資本相似。在一九九七年，商品交易員開始應用默頓和舒爾茲發明的期權公式時，做大豆買賣的兄弟檔愛德華和威廉．奧康納（Edward and William O'Connor）成立了一家公司來投資期權。「奧康納與夥伴」（O'Connor & Associates）成了新成立的衍生性金融商品公司裡頭，數一數二會精打細算的公司。一九八六年，該公司聘請了來自麻省理工學院，口齒伶俐、說話簡練的電氣工程師戴維．索洛（David Solo），他同時也是個出色的量化交易員。一九八七年股市崩盤後，期權交易者遭遇巨大損失時，奧康納了解到，操作這種交易需要有更深的口袋。花旗銀行、美國信孚銀行和瑞銀集團都有機會收購奧康納，但是都放掉了。最後，在一九九一年，瑞士銀行買下了它。這是大膽的舉動。瑞士銀行是個與世隔絕的官僚機構，只有瑞士國民才有希望任職和晉升。在瑞士三大銀行裡，瑞士銀行是最傳統的。瑞士銀行國際部負責人馬塞爾．奧斯佩爾（Marcel Ospel）打算改變這種狀況。儘管奧斯佩爾從十六歲當學徒開始，在銀行和學校之間半工半讀，但他曾經在美林證券工作過，因而理解到瑞士的銀行必須現代化，不然就會像布穀鳥鐘那樣過時沒落。他利用奧康納，撼動了這種巴塞爾的地區性文化，注入北美洲的思想，例如訂立制度獎勵長期工作表現傑出的交易員。在一九九五年，奧斯佩爾策畫收購了英國最大的投資銀行華寶（S. G. Warburg），瑞士銀行自此不再與世隔絕。

奧斯佩爾的競爭對手——瑞銀集團執行長馬西斯．卡比亞拉維塔——意識到瑞士銀行正在打造一個強大的衍生性金融商品公司，而且它的實力已遠勝他自己的公司時，為時已晚。有別於奧斯佩爾安靜而內向，招搖和充滿個人魅力的卡比亞拉維塔開始驚慌失措，竭盡一切地想要超越新出現的競爭者。他特別熱衷於和長期資本打好關係，把長期資本理想化成衍生性金融商品的完美合作夥伴。他認定，最好的辦法就是批准邁倫・舒爾茲的認股權證。在瑞士銀行，已經斷然拒絕這項認股權證，但是在瑞銀集團，這件事已經傳到銀行的最高階層。交易員林（Lim）和衍生性金融商品部門主管漢斯－彼得・鮑爾，仍然後悔沒有投資長期資本，他們都是支持認股權證的。瑞銀的風險經理史蒂文・舒爾曼（Steven Schulman）也對此表示贊同。負責交易的瓦納・波納道爾（Werner Bonadurer）也一樣。而這件事就交給了卡比亞拉維塔。一九九七年六月，渴望合作的瑞銀集團同意把長期資本期待已久的認股權證賣給它。在協議的配套部分裡，瑞銀集團承擔了巨大的風險，成為該基金的最大單一投資者。

該條款要求一組合夥人付給瑞銀集團二・八九億美元的溢價。反過來，瑞銀集團承諾付給合夥人，以持有價值八億美元長期資本股份的投資者來計算的，在未來七年能賺到的任何獲利（不論是多或少）。瑞銀集團購買了該基金八億美元的股權，做為對沖的義務。最後，瑞銀集團允許在長期資本額外投資二・六六億美元，做為吸引合作的甜頭。根據業務員坦南鮑姆的說法，這是一種「基本概念」：「如果我們決定要投資他們自己的股票，他們會讓我們再投資三分之一的基金股票。」

坦南鮑姆的上司把認股權證視為意料之外的成功交易。瑞銀集團的經理們欣喜若狂，也為了該把這筆交易登記在哪個部門而爭論不休。波納道爾表示它該歸在固定收益部門——除了波納道爾和卡比亞拉維塔是摯友這個理由，這是個很奇怪的選擇。後來，部分交易轉移到了銀行的財務部門，該部門支付了五％的溢價。[15]瑞銀集團的經理們認為，他們到最後可以重新包裝在長期資本的投資，然後賣給有錢的客戶；同時，他們也對自己與梅里韋瑟建立新的策略關係感到得意洋洋。卡比亞拉維塔在香港和J. M.舉杯慶賀雙方聯手，他們在香港參加世界銀行的年會，而世界銀行一直是國際金融家的熱門勝地。

在長期資本裡，希利伯蘭和舒爾茲激烈爭論著，把認股權證分配給每個人，那每一份到底有多大。舒爾茲為認股權證費盡心思，但希利伯蘭持有的錢最多，而且明擺著就是想要最大的股份。藉由把合夥人的預期收入轉換成資本收益，認股權證將會降低他們的稅率，但更重要的動機，似乎是期待有更多收益。假設基金上漲，認股權證就會像火箭燃料一樣，帶著他們的財產一飛衝天。當然，如果基金衰退，合夥人將損失二．八九億美元。但是，沒有什麼事比成功更能讓人盲目，看不到失敗的可能性。就在他們黔驢技窮的那個當下，這些合夥人就像丟掉舊西裝那樣，拋開了他們與生俱來、一直很有助益的警覺心。

很多人把他們全部的淨資產投入該基金。前美聯準官員穆林斯是個例外；他堅持著他那典型銀行家的審慎態度，選擇不參與認股權證。[16]除此之外，安德魯．西西利亞諾還指出：「這些人打從骨子裡堅信他們所做的事情。」合夥人還打造了一份類似，但規模較小的認股權證，和另一家瑞士投資銀行瑞士信貸（Crédit Suisse）達成交易。

但他們還嫌不夠。為了進一步發揮槓桿作用，合夥人的管理公司LTCM從大通銀行、富利銀行（Fleet Bank）和法國的里昂信貸銀行（Crédit Lyonnais）總共借了一億美元——這些合夥人立刻把這筆錢投入該基金裡。〔17〕他們想把數百萬元變成數十億元的渴望是無止境的，也不覺得會有什麼風險。對於這些認為自己是理性的信徒而自豪的人，似乎無法解釋他們出於什麼動機要鋌而走險過日子。除非他們堅信，成為最有錢的人，就會證明他們也是最聰明的人。

彷彿要冒險賭運氣似的，希利伯蘭以自己名義，向里昂信貸銀行另外借了兩千四百萬美元，該銀行制定了一項計畫，讓該基金合夥人可以用他們在該基金裡的股權做擔保借款。專門從事貨幣交易的漢斯・赫夫施密德（Hans Hufschmid）借了一千五百萬美元，另外兩個合夥人借了較少的錢。〔18〕此外，有些合夥人也已經私下向他們的證券商貝爾斯登進行了融資槓桿。考慮到該基金本身的槓桿比率就相當高，基金合夥人，尤其是希利伯蘭，正在涉險地增加槓桿，就像用煤油塗在易燃的火絨箱上一樣。和一個把賭注押在一匹馬上的窮人相反，已經很有錢的希利伯蘭就算贏

15 "Another Fine Mess at UBS," Euromoney, November 1998; Michael Siconolfi, Anita Raghavan, and Mitchell Pacelle, "All Bets Are Off: How the Salesmanship and Brainpower Failed at Long-Term Capital," *The Wall Street Journal*, November 16,1998.

16 Author interview with Nicholas Brady.

17 Author interview with Eric Rosenfeld; investor notes from February 1999 meeting with LTCM; Anita Raghavan and Michael R. Sesit, "Fund Partners Got Outside Financing—Move to Boost Investments in Long-Term Capital Adds to Financial Woes," *The Wall Street Journal*, September 28,1998.

了，也贏不到多少東西，但是一旦輸了，他會賠掉一切。

在最不景氣的時候，瑞銀集團的認股權證幫長期資本募到了十億美元的股權——當時該基金正在努力尋找能將現有資金拿去投資的地方，而且當時它在套利交易方面也要和愈來愈多競爭對手交手。在一九九七年上半年，它在扣除費用前的收益只有十三%——儘管遠低於之前的平均獲利水準，仍然表現得很出色。它的槓桿比率（同樣，不包括衍生性金融商品）從三十比一降到二十比一，這代表幾乎沒有什麼投資機會。包括舒爾茲在內的一群有疑慮的合夥人，對基金的投資組合愈來愈不滿意了。

有一個亮點是日本，長期資本在日本的獲利表現非常好，這點有一部分要歸功於大衛·莫德斯特，當時他四十三歲，以前是學者。莫德斯特、羅森菲爾德和年輕交易員卡爾·赫頓洛徹（Carl Huttenlocher），利用日本市場對於期權的不熟悉和錯誤定價，設計了一系列股票套利。長期資本的模型讓這種股票套利成為「明顯」而且確實利潤豐厚的交易。莫德斯特，這位來自柏克萊大學的奇怪理論家，和另一些人輪值大夜班，一直待到凌晨一點，也就是隔天東京股市收盤的時間。不久之後，到了格林威治這邊的睡覺時間，一批營運所需最基本的人員會在倫敦開盤前及時到達，在倫敦交易日本股票權證。「我們有幾個像大衛（莫德斯特）這樣的交易員盡了他們最大的努力，」羅森菲爾德回憶道。一九九七年六月，長期資本在東京成立辦事處後，交易員終於能夠恢復正常作息時間。營運管理長期資本東京辦事處的，是從高盛挖過來的麻省理工學院著名數學家和電腦模擬專家黃奇輔（Chi-fu Huang），以及所羅門兄弟的前交換交易交易員克里希那馬哈（Arjun Krishnamachar）。

J. M.多年來經常去日本旅遊，對於在東京設立公司辦事處樂見其成。以一家位在東京的西方對沖基金來說，長期資本有著很了不起的聲譽。穆林斯在美聯準任職時，曾經在非正式場合為日本政府官員提供建議，在長期資本管理公司也繼續這麼做。無論該基金在哪裡運作，它的觸角都會伸向最高層。合夥人的人脈，也是一項重要資產。

即使在日本，基金合夥人也進行了一次有爭議的交易。一九九七年，日本長期債券的殖利率只有二％，似乎已經跌到谷底。長期資本直接押注利率會上升，沒有對沖押注——也就是所謂的「定向交易」（directional trade），因為它押注單一利率，而不是價差。許多合夥人對這次交易存有疑慮，對長期資本來說，這次做法是很不尋常的投機行為。但希利伯蘭和哈罕尼經營公司的方式，卻愈來愈不尊重較弱勢合夥人的意願。由於成果算是很不錯，所以就輕易地把反對的人當成杞人憂天，不予理會。

• • •

18 Anita Raghavan, "Long-Term Capital's Partners Got Big Loans to Invest in Fund," *The Wall Street Journal*, October 6,1998.

在一九九七年七月的公司年會上，合夥人坦承他們擔心債券套利的利差會縮小。會議必須在美國境外舉行，以免危及長期資本做為境外資金的合法地位。年會在多倫多機場的一家飯店舉辦，以方便合夥人搭乘飛機在一天之內出入境。只有其中四名合夥人（黎伊、穆林斯、羅森菲爾德和舒爾茲）和大約二十五名投資人參加了會議。會場氣氛低落：利差縮小的速度比合夥人預期的還要快，壓縮了可能的獲利。然而向來沉默寡言的羅森菲爾德，也確實透露了公司正參與股票交易。這一小群投資人突然活躍起來。其中一人問道：「我們聽說您是風險套利的最大參與者。是嗎？」羅森菲爾德對這問題選擇避而不答。投資者感覺到長期資本好像快要收場了。「你有沒有打算返還資金呢？」一名投資人問道。羅森菲爾德再一次含糊帶過。「好吧，無論你做什麼，都不用返還我的資金。」這位投資者人只能這麼說。

• • •

在套利交易前景黯淡的同時，有兩位著名的金融學教授發表了一篇論文，認為套利交易的風險，遠比其擁護者宣稱的要高得多——這是學界內部對長期資本的模型開的第一槍。哈佛大學的安德烈·施萊費爾（Andrei Shleifer）和芝加哥大學的羅伯特·韋時尼（Robert W. Vishny）在著名的《金融雜誌》（*Journal of Finance*）上未卜先知地警告說，如果「雜訊交易者」（noise trader，指不了解內情的投機者）把證券價格強推到偏離實際價值，那麼像長期資本這類套利公司可能會被擊潰。他們憑著難以解釋的遠見預測，套利者在這樣的情況下，會「經歷不利的價格衝擊」，並且被迫在市場低點清盤。〔19〕默頓在該文章發表前就讀過初期的版本，但他並不相信這論點；在劍橋大學的一次學術會議上，他對於市場有可能被壓垮的概念表現得很不屑。〔20〕

後來在七月，就在認股權證交易的幾個星期之後，國際市場受到了嚴重的動搖。泰國由於受到金融違約困擾，開始允許其貨幣費率浮動；泰銖很快就跌了二十%。貨幣的這種弱勢表現，蔓延到了菲律賓、馬來西亞和韓國的貨幣。對於這樣急劇的衰退，摩根大通的新興市場大師卡里姆·阿布德爾－莫塔爾（Karim Abdel-Motaal）公開表示：「我們認為拋售的狀況被誇大了。」做為回應。〔21〕不管怎麼樣，這些貨幣還是繼續貶值。新加坡元突然被大量拋售。只有此時的亞洲「四虎」之首印尼，似乎還能稍微抗衡。接下來，印尼盾在一天之內下跌了五%。短短不到一個月，財經專家已經不再討論亞洲經濟奇蹟；此時此刻是亞洲的「金融危機」。在經濟繁榮時期蓋起來的玻璃帷幕摩天大樓突然人去樓空，工廠無工可做。馬來西亞總理馬哈地·穆罕默德（Mahathir Mohamad）譴責外國來的「流氓投機者」賣掉了亞洲四虎，尤其是喬治·索羅斯。

19 Andrei Shleifer and Robert W. Vishny, "The Limits of Arbitrage," *Journal of Finance*, 52, no. 1 (March 1997), 35–54, especially 45.
20 Author interview with John Campbell.
21 Gregory Zuckerman, "Credit Markets: Foreign Bonds Hit by Turmoil in Asia Markets," *The Wall Street Journal*, July 16, 1997.

馬哈地確實找對了部分的罪魁禍首，但是他搞錯了問題出在哪。你幾乎不能怪罪外人要拋棄一艘傾斜的船。他們的罪孽是提供太容易到手的短期信貸，讓船用最大的航速下水。由於美國財政部長羅伯特．魯賓對墨西哥進行紓困，西方國家的銀行和投資人已經在亞洲大賺一票，這讓大家猶如吃了定心丸，助長了投機性投資，並幫該地區的腐敗行為做了背書。藉由敦促亞洲各國政府撤銷對資本的管制，藉此讓資金得以流入，魯賓幫大家鋪好了路——儘管該地區缺乏企業公開資訊以及監管單位的監督。世界銀行行長詹姆士．伍芬桑（James Wolfensohn）指出：「簡單的事實就是，非常見多識廣的銀行向印尼的公司提供貸款，卻對它們的財務狀況一無所知。」〔22〕

然而西方國家的投資人會一再犯同樣的錯——今天把開發中國家浪漫化，明天就會後悔自己太過天真——銀行家們從沒學會教訓。一九九六年，九百三十億美元的外國資本湧入印尼、馬來西亞、菲律賓、韓國和泰國，即使它們的經濟成長正在放緩。如今同樣的資金正在流失，這讓世界各地的市場惶惶不安。就長期資本看來，不管亞洲在走上坡或是走下坡，都具有教育意義（instructive）。對沖基金也享有的寬鬆信貸，導致了不明智和過度的投資。接著，當局勢翻轉，葛林斯潘大肆吹噓的流動性就再也找不到了，而且幾乎是隨機到處造成損害。一旦市場颳起颱風，就不知道它會往哪裡掃去。

•

•

•

在夏末的時候，該基金收到一些壞消息：MCI合併案以較低的價格重啟談判。MCI的股價暴跌，長期資本一夜之間損失了一．五億美元——這是象徵它正在涉險捕魚的第一個跡象。在亞洲，長期資本正要度過難關，它在亞洲的投資，主要集中在日本。事實上，長期資本九月的績效相當好：這個月賺了三億美元。

但是該公司的前景正逐漸黯淡。合夥人和美林證券在沃特維爾的年度高爾夫球聚結束後，他們宣布了一項令人震驚的命令：長期資本的外部投資人必須收回大約一半的資金，正如在年會上的投資人所擔心的那樣。「基金裡的資本太多了。」梅里韋瑟解釋說。資本帳戶有接近七十億美元，幾乎和強大的美林證券一樣多。為了強調較樂觀的部分，J. M.補充說道：「會發生這樣的事，主要是因為過去實現的獲利率高於預期，以及基金投資人選擇的高再投資率，以致資本基礎大幅增加。」〔23〕

儘管如此，利差縮小和機會減少這個更嚴酷的事實，仍然無法避開。由於歐洲的共同貨幣如今已成既定事實，靠著歐洲貨幣統合早已賺得一大筆橫財了。由於邊界消失了，義大利和德國債券之間的利差，在短短六個月內從二個百分點縮小到〇．七五個百分點。

22 The quotation is from, and this section leans heavily on, Nicholas D. Kristof with David E. Sanger, "How U.S. Wooed Asia to Let Cash Flow In," *The New York Times*, February 16,1999.

23 Laura Jereski, "Hedge Fund to Shrink Capital of $6 Billion by Nearly Half," *The Wall Street Journal*, September 22,1997.

長期資本原本計畫，在一九九七年底返還公司第一年（一九九四年）投資的所有獲利，並返還該日期之後投資的所有資金（本金和利潤）。這個計畫排除了基金合夥人和員工，部分排除了一些大型策略投資者，像是台灣銀行。長期資本的清算證券商貝爾斯登的執行長凱恩也是例外。其他人要求留下來，但是長期資本拒絕了。而他們自然遷怒到梅里韋瑟和他的子弟兵身上，照理說他們應該要負責注意投資人的利益，結果卻是給自己優惠待遇。「這太離譜了！」一名投資人對美林證券大發雷霆，「當他們需要的時候，我們還隨傳隨到呢！」

這個計畫在長期資本管理公司內部也有爭議。J.M.的朋友詹姆斯．麥肯泰認為，單純的保守主義會傾向於不收回資本。總是同進退的舒爾茲和默頓，同樣強烈反對返還資金。他們認為公司正在搞砸其資金管理人的特許經營權。更重要的是，由於學者派在LTCM這家管理公司裡，比他們在投資組合裡擁有較大的股份，因此他們個人比較有興趣看到管理的基金總額增加。另一方面，持有大量基金的希利伯蘭和哈罕尼，並不希望納入外部基金持有人，稀釋掉他們的股份。像往常一樣，最後兩人獲勝。舒爾茲對希利伯蘭很惱火，希利伯蘭是個控制狂，幾乎不會考慮到他的合夥人。

事後回想起來，外部投資人請求把資金留在基金裡似乎有些諷刺，而被迫贖回他們的資金到最後似乎是老天爺眷顧。受害最慘的是公司合夥人。不過也不需要事後諸葛，這群合夥人對於追逐財富的執著，帶來的不只是那一點點貪婪。此時他們已經具備在全球營運的規模，也就沒有興趣為別人管理資金，而且大多還很排斥這些資金。他們首次增加了一種不尋常的自肥方式，在某些自家員工投資的獎金裡附加收費！

合夥人把強制贖回視為對不明的前景所採取的明智措施。邁倫．舒爾茲說，在新人湧入這個領域的同時，長期資本卻是在返還資金，這實在很諷刺。〔24〕其含義就是，在面臨正在縮水的利差時，長期資本正在謹慎地縮小規模。但是該基金一點也不會縮水。返還資本只是減少了支撐其資產的股權，實際上它的資產根本沒有縮水。事實上，在機會愈來愈少、投資組合膨脹到有七千六百種交易部位時，該基金反倒進一步提高自己的槓桿比率，就像追逐太陽的伊卡洛斯一樣，非常不明智。〔25〕

此外，利用強迫外部投資人售出股權，這些合夥人再次增加了他們在基金裡的個人影響力。個人債務，加上在管理公司的槓桿和基金本身的債務，導致三個等級的債務岌岌可危地債上加債。

• • •

在梅里韋瑟通知投資人，他們必須收回資金的六天後，該公司的搖籃所羅門兄弟公司，丟出

24 Author interview with William F. Sharpe.

25 André F. Perold, "Long-Term Capital Management, L.P. (A)," *Harvard Business School*, case N9-200-007, October 27,1999,16.

了它自己的震撼彈。在莫澤醜聞、梅里韋瑟離職，以及羅森菲爾德、哈罕尼、霍金斯和希利伯蘭跳槽後，所羅門兄弟一直沒有重新站穩腳跟。它曾經試圖建立自己的投資銀行，但銀行一直沒有獲利。如今，它的套利部門面臨著和長期資本相同的壓力。在這一年稍早，其高層也認同所羅門需要大量資本注入，否則將面臨成為二流公司的風險。

透過波克夏．海瑟威公司（Berkshire Hathaway）的持股，華倫．巴菲特算是所羅門兄弟最大的股東，本性上，他反對投入更多資金在失敗的企業上，他認這根本是一次又一次地花冤枉錢。所羅門兄弟的執行長德里克．莫恩明確表示，除此之外的唯一選擇，就是賣掉公司。所羅門的一名董事表示：「華倫非常想賣掉所羅門兄弟。」

但是要賣給誰？莫恩試探了大通銀行的意願，但是被拒絕了。接著他又和旅行者集團的董事長桑佛．魏爾共進午餐，旅行者集團是一家保險公司，也是證券公司美邦的母公司。魏爾是美國商界非常了不起的重操舊業的代表人物。他父親是布魯克林成衣製造商，魏爾創立了一家不起眼的四人證券公司，經過併購，組成了業界巨擘希爾盛雷曼公司（Shearson Lehman）。最後，在權力鬥爭中落敗並辭職後，他把希爾盛雷曼賣給美國運通。後來在一九八〇年代末和一九九〇年代初，他又故技重施，持有一家小型信貸公司，並用它來接管美邦和旅行者集團。他不喜歡套利交易，認為套利太不穩定，但是他曾夢想建立一家一流的投資銀行，在華爾街的社會階層上比其他雜牌券商高一個等級。魏爾提議，也許美邦和所羅門可以把它們的兩家二流銀行合併。

和莫恩共進午餐後，魏爾回電，他堅持要是旅行者集團和所羅門合併，他一定要接掌公司。巴菲特不在乎新公司由誰經營，他只想賣掉舊公司——自然也要賣個好價錢。魏爾提出了值九十億美元的股票，幫這位奧馬哈聖人從令他深感困擾的這項投資脫身。一向善於交際的巴菲特，稱讚魏爾是創造股東價值的「天才」。[26]魏爾花了這麼大筆錢買下一家二級的公司，讓他的下屬相當驚訝，尤其這家公司主要的獲利來自套利交易，是這位董事長最討厭的。公司中就有人竊笑說道：「桑迪花了九十億美元，從華倫·巴菲特手上拿到一紙文件，讓華倫稱讚他是了不起的投資人。他像個糖果店裡的小孩一樣，跑來跑去向大家炫耀這件事。」

把長期資本拿來和孕育它的公司進行對比是很有意思的，因為每件事都跨過了門檻。梅里韋瑟在各個方面都成功超越他的老雇主。在資本方面，長期資本握有七十億美元，高於所羅門的五十億美元。在獲利方面，對沖基金在最後的完整年度賺了二十一億美元，也把所羅門的投資銀行賺的九億美元比了下去。所羅門仍然有一個很會獲利的套利部門，但它想建立一家普通銀行的嘗試失敗了。雖然長期資本不怎麼認真看待多樣化的構想，仍然很專注，這迄今都是一個聰明的決策。但就像兩家公司都很清楚的，套利交易正變得愈來愈難賺到錢。兩家公司的反應迥然不同。巴菲特利用把所羅門和更多元化的合作夥伴合併，把在所羅門套利部門以及所羅門其他事業裡股

26 Steven Lipin, "Travelers to Buy Salomon for $9 Billion: Deal to Create Securities Firm of Global Power," *The Wall Street Journal*, September 25,1997.

東的股權都稀釋掉了。如今他們會持有一家更大的旅行者的股份。長期資本的合夥人做出了完全相反的決定：在很大程度上，他們買下了他們的合夥人，因而他們投注在套利交易上的資金也加倍了。諷刺的地方在於：巴菲特把一個長期落敗的公司，換成了九十億美元入袋；而長期資本的合夥人則把一個屢屢獲勝的贏家，變成了一場對未來的——還未實現的——巨大賭注。

• • •

一九九七年十月，該基金得到了一個正面的驚喜：默頓和舒爾茲獲得了諾貝爾經濟學獎。默頓當時正在哈佛大學教課，他的學生為他鼓掌了三分鐘。然而，他謙虛地警告說：「只因為你能夠衡量風險，就認為你可以消除風險，這是錯誤的認知。」[27]舒爾茲家鄉的《渥太華公民報》（*Ottawa Citizen*）將他列入名人檔案的同時，無禮地提醒他，外界對衍生性金融商品有多麼深的疑慮。《公民報》很不給面子地問道：「你認為一九八七年的股市崩盤你要負多大的責任？」這位諾貝爾獎得主嚇呆了，嘟囔著說道：「完全沒有。真的一點也沒有。這就和你質問（阿佛烈）諾貝爾，是否會因為他發明了炸藥，而覺得對第一次世界大戰有責任，是一樣的意思。」在逼問之下，舒爾茲承認人們會根據他的理論，照本宣科地進行交易——也就是動態對沖，或在下跌過程中拋售——導致股市崩跌雪上加霜。然而他把原因歸咎在缺乏「流動性」，這個一再上場的替死鬼。舒爾茲一向很擅長把高深的金融知識簡化成日常用語，他用令人耳目一新的簡單說法，這樣描述長期資本：「我們所做的，是在世界各地尋找投資機會，就是那些照我們的模型看來，我們認為被低估或高估的投資案。然後我們對沖一些我們不知道的風險，像是市場因素。」〔28〕

默頓和舒爾茲的學界同事，給了他們極熱烈的讚譽：「對於每一個話題，六位經濟學家會有七種不同意見」這個規則，在布雷克－舒爾茲定理上並不適用；布雷克－舒爾茲定理被譽為在理論和實務方面都是一項卓越的貢獻。羅徹斯特大學的芝加哥學派經濟學家葛雷格·傑瑞爾（Gregg Jarrell）說它是「我們所有人所看過最優雅、最精確的模型之一」。〔29〕但實際情況有這麼精確嗎？不重要了。《經濟學人》調侃道：「早在一九七三年，默頓先生和舒爾茲先生所做的，就是為風險定價。」〔30〕《華爾街日報》的一位作者在該報的最珍貴理念獎找到了證據，簡潔地發表了意見：「瑞典皇家科學院已經做出明確聲明：市場是有效的！」〔31〕

27 "Black-Scholes Pair Win Nobel: Derivative Work Paid Off for Professors Who Made Fortune from Investment in Wall Street Hedge Fund," *Daily Telegraph*, October 15,1997.

28 Mike Shahin, "The Making of a Nobel Prize Winner: Myron Samuel Scholes Never Felt the Need to Be Conventional," *Ottawa Citizen*, October 25,1997.

29 Michael Phillips, "Two U.S. Economists Win Nobel Prize— Merton and Scholes Share Award for Breakthrough in Pricing Stock Options," *The Wall Street Journal*, October 15,1997.

30 "The Right Option: The Nobel Prize for Economics," *The Economist*, October 18,1997.

要人們在這時候表現出信心，是個奇怪的時間點。在整個亞洲，匯市和股市都在崩潰。某一天，震央是泰國，下一個是馬來西亞，然後是印尼。（一九九七年）單單在十月一日一天之內，印尼盾暴跌六．五%，馬來西亞令吉下跌四．五%，菲律賓披索下跌二．二%。兩天後，印尼盾又暴跌八．五%。儘管亞洲國家是自業自得，但是沒有人能夠對於市場的殘酷、或是傳染病的隨機傳播方式做足準備。甚至連拉丁美洲市場也受到重創。在網際網路的時代，被大洋隔開的各股票交易所的命運，似乎有一種無形的電漿連著，把各個股市連結在一起。到了十月下旬，亞洲各地的企業都出現了違約的情形，引發了市場對經濟衰退的恐懼。投機客隨後將目標轉向港幣。當時還在英國王室治理下的港府做了還擊，猝不及防地把利率提高到驚人的三〇〇%。香港股票市場在一周之內下跌了二十三%。

此時，美國的投資人害怕亞洲遭遇的痛苦，會引發全球性經濟放緩，已經全面退出亞股。在夏季曾經達到八三〇〇點高點的道瓊工業指數，在十月裡大多是下跌的。在萬聖節前的那個星期五，它下跌了一百多點，跌到七七一五點。接著在十月二十七日星期一——又是一個悲慘的星期一——亞洲流感終於踏進美國大門。當天從香港開始下跌，香港股市下跌了六%。等美國意識到的時候，紐約證券交易所遭遇巨大賣壓。紐約證交所休市了兩次，試圖防止投資人恐慌，但無濟於事。那些在股市下跌時賣出保險的期權作家，正在拚命拋售股票，很像十年前的黑色星期一。[32]默頓和舒爾茲的精靈再度從瓶子中逃脫。一如既往，這種連鎖反應拋售——默頓在他的模型裡設想出來的動態對沖——把這個糟糕的日子變得更悽慘。道瓊指數下跌了創紀錄的五五四點，跌幅達七％。市值估計損失了一・二兆美元，占總市值的六％。〔33〕兩天後，尼古拉斯・布雷迪〔34〕在布魯金斯學會（Brookings Institute）演講時，指責衍生性金融商品市場背後的財務槓桿，把傷害變得更嚴重：

> 我聽完了關於衍生性金融商品和動態對沖如何降低交易成本，和增加市場深度的所有論點。但這些爭論必定會兩極化，不值得為那些論點費唇舌……在上週的拋售中，過度槓桿的部分才值得多加考慮。〔35〕

長期資本再度逃過一劫。該基金在十月和十一月達成收支平衡，成績斐然。事實上，對於長期資本而言，亞洲是一個機會。隨著市場激化（交易員會說是更具「波動性」），長期資本開始把

31 David R. Henderson, "Message from Stockholm: Markets Work," *The Wall Street Journal*, October 15,1997.
32 Roger Lowenstein, "Intrinsic Value: Why Stock Options Are Really Dynamite," *The Wall Street Journal*, November 6,1997.
33 Sara Webb, Bill Spindle, Pui-Wing Tam, and Silvia Ascarelli, "Hong Kong Plunge Triggers Global Rout," *The Wall Street Journal*, October 28,1997.
34 編註：尼古拉斯・布雷迪曾是長期資本合夥人大衛・穆林斯在財政部的上司。
35 Nicholas Brady, unpublished "Talking Points," BrookingsWharton Papers on Financial Services, October 29,1997.

強健的衍生性金融商品押注在股票交易會穩定下來——或者說是股票的波動會下降。這是很冒險的事情。所羅門兄弟在十月之前已經做過這樣的賭注，賠了一．一億美元。但是做空股市波動是長期資本最家常便飯的賭法。〔36〕就某種意義來說，長期資本的每一次利差交易，都是在賭股市波動減少。當股市緊張不安，要安全脫身的溢價就愈高；市場穩定的時候，利差就會縮小。羅森菲爾德就說了：「我們有許多交易是屬於波動性的交易。」不管是以什麼樣的形式，該基金總會押注在比較平穩或比較收斂的市場。

長期資本新的大投資者瑞銀集團，也賭在股票的波動性，而這和其他奇奇怪怪的交易將來會變成該銀行的災難。有傳言說，由拉米．戈德斯坦掌管（完全獨立自主）的衍生性金融商品部門出現了巨額虧損，而他在一九九六年曾拿到一千一百五十萬美元的獎金。〔37〕把全部加起來，瑞銀集團在一九九七年的虧損將達到六．四四億美元。在其他糟糕的交易裡，瑞銀集團在日本的可轉換債券上也是損失慘重，長期資本倒是對日本的可轉換債券比較了解。長期以來，瑞銀集團的執行長卡比亞拉維塔一直坦護戈德斯坦，現在他終於了解到，這個他寵愛的交易員將要毀掉銀行了。到了十一月，卡比亞拉維塔就把戈德斯坦炒魷魚了。

接著在十二月，卡比亞拉維塔承認他的銀行已經拱手讓出領先地位，並低頭和主要競爭對手瑞士銀行合併。儘管卡比亞拉維塔繼續擔任董事長，銀行會保留瑞銀集團的名字，但很顯然瑞士銀行才是贏家。巴塞爾的人補上了大部分重要職位，並將其更保守的文化強加在蘇黎世的人員身上。諷刺的是，瑞士銀行合併了它那華麗的競爭對手後，就變成了持有它以前回絕的長期資本認股權證的一方。

• • •

在斯德哥爾摩，默頓和舒爾茲住進了「大酒店」（the Grand），這是一家有弧形階梯的豪華飯店，俯瞰著這座古老的城市。在諾貝爾獎晚宴上，一場人數達一千兩百人的半正式宴會，獲獎者和親朋好友、瑞典國王和王后、各地親王與太后共席同歡。在瑞典各地面試找來的男女服務員，用銀製餐盤送上煙燻魚肉。得獎人情緒高漲。默頓彷彿想再三確認自己真的得獎，不停地詢問他的賓客：「你們玩得開心嗎？」他簡短地舉杯致意，表達感激之情，同時對布雷克無法在生前和自己共享這份殊榮表示遺憾。

默頓對皇家科學院的演講，重點擺在從他的期權理論所產生的應用，從可調整利率的抵押貸款到學生貸款擔保，再談到有彈性的醫療保健規畫。雖然似乎沒有那麼直接的因果關係，默頓斷

36 Author interview with Eric Rosenfeld.
37 Dirk Schutz, "Excerpts from the Fall of UBS," Derivatives Strategy, October 1998, excerpt from Schutz's book *Der Fall der UBS* (Zurich: Bilanz, 1998), Sigrid Stangl, translator.

言：「大家很快就能明白『類期權』（option-like）的結構無處不在。」默頓說自己的主要貢獻——這是在道瓊指數一日大跌五五四點的兩個月後——是證明「布雷克和舒爾茲所規定的動態交易，會在連續交易的限制內提供完美的對沖。」〔38〕

• • •

儘管宴會上充滿過節的氣氛，兩位獲獎者都對長期資本的未來感到十分擔憂。然而舒爾茲很有自信地告訴他的老顧問尤金·法馬，長期資本安全地進行了一千筆小賭注，但舒爾茲並不打算把他的一百萬美元諾貝爾獎金拿出一半，投資在基金裡。〔39〕很諷刺的，象牙塔裡的學者都比經驗老道的交易員更敏銳地察覺到風險。舒爾茲和默頓都過得很好。舒爾茲開著一輛白色的BMW；汽車迷默頓開著一輛黑色的Jaguar。舒爾茲租了一間寬敞的房子，可以俯瞰格林威治的湖光水色。默頓把頭髮染成紅色，留下妻子，搬到波士頓一間時髦的公寓裡。但他們的財富相對較少，而且都不會像他們的千萬富豪合夥人那樣，覺得自己無懈可擊。做為局外人，而不是交易員，他們有一種和希利伯蘭不一樣的觀點。這兩位諾貝爾獎得主可以看到該基金正在遠離其專業領域，而且在最糟糕的時機增加風險。此外，默頓對該基金的薪酬結構的反應尤為激烈，希利伯蘭和哈罕尼兩人的薪酬特別優厚。身為期權專家，默頓知道高級合夥人會有額外的動機，去爭取最好的待遇

——這就是經濟學家所說的「道德風險」。早在任職所羅門兄弟的時期，這些交易員就表現出想盡可能賺更多錢的野心，至今他們仍有著這樣的野心，而它仍然在破壞他們和合作夥伴的關係。謹慎的電腦模擬設計師威廉・克拉斯克也很擔心。他在一九九七年底把資金從該基金抽回。曾經在所羅門和他們同部門的藍迪・席勒（Randy Hiller），曾經很烏鴉嘴地告訴朋友，他認為長期資本遲早會出事。

年底，長期資本把二十七億美元返還投資人時，其槓桿比率從十八比一飆升到二十八比一（一如既往，沒有把衍生性金融商品算進去）。因此，儘管公司的前景看起來比以往任何時候都更黯淡，但合夥人們已經把他們的槓桿比率，提高到公司草創時期的普遍水準。再加上衍生性金融商品，槓桿比率可能更高。

長期資本在一九九七年賺到了二十五%（扣除費用後為十七%）——這是迄今表現最差的一年，但有鑑於市場不斷惡化，這仍然是了不起的成就。最初的投資人每投資一美元，就可以拿回一・八二美元的收益，並且還留著原本的資金在該基金裡。由於他們收費高昂且延期繳稅，合夥人們賺得更多——多太多了。他們的資本飆升了三十六%，達到十九億美元，占該基金資本總額

38 Robert C. Merton, "Applications of Option-Pricing Theory: Twenty-five Years Later," speech at Nobel Prize ceremony, Stockholm, December 9,1997, reprinted in *American Economic Review*, June 1998.

39 Douglas Frantz and Peter Truell, "Long-Term Capital: A Case of Markets over Minds," *The New York Times*, October 11,1998.

四十七億美元的四十%。如今，合夥人們正處於累積王朝財富的邊緣上。

雖然這是很奇怪的擴張時機，長期資本還是在年底搬進了豪華的新總部。可以看到一座洗車場的總部位址，對格林威治市來說是個乏味的地方，不過這個辦公室定制了該公司誇大的自我意象，就像在華爾街銀行裡頭固定出現的場景。它有一座很大的交易大廳，裡面有三排對併的可調式人體工學辦公桌，以及可容納已規畫好的擴建設施的空間。它還有一座三千平方英尺的健身房，設置了男女分開的更衣室，還聘請了一名全職教練。後面的一個大房間裡，不可免俗地擺了兩張撞球桌。J. M.個人的大辦公室在另外一邊，會議室和圖書室則分散在外圍。就像它所打敗的所羅門兄弟的縮小版，長期資本有一個（相當大的）數據中心，還有在大樓底下的備用發電機，據說可以供應整個格林威治一整天的照明用電。不過，考慮到這一年表現相對不佳，合夥人縮減了辦公室聖誕派對的規模。整個氣氛明顯很低落。

穆林斯認為，公司在一九九七年對於避開麻煩這方面做得很好。他說：「我們期待在亞洲的發展——或者要有個用在亞洲的策略。」[40]但這些教授忽視了對於亞洲更重要的真理：在艱難的時代，市場會變得更緊密相連，看似不相關的資產會連帶著上漲和下跌。他們幾乎沒有注意到在聖誕節前夕傳來的一則看似事不關己的新聞：評級機構標準普爾調降了俄羅斯的債務評等。

40 Author interview with David Mullins.

PART 2

長期資本管理公司垮台過程

THE FALL OF LONG-TERM CAPITAL MANAGEMENT

7 波動性銀行 Bank of Volatility

市場能保持非理性的時間，比你能維持償付能力的時間還長。

——約翰・凱因斯[1]

在一九九八年初，長期資本開始大量做空股票波動性。這種簡單的交易，是羅森菲爾德和大衛・莫德斯特的第二天性，一千個美國人裡有九百九十九人無法理解。但最重要的是，「股票波動率」(equity vol）是長期資本的招牌交易，而這種交易讓該基金不可避免地走上了災難的道路。

「股票波動率」直接引用自布雷克－舒爾茲模型。它是根據「隨著時間過去，股票的波動性會變得一致」這樣的假設得來的。例如，股票市場通常每年的變化幅度大約十五％至二十％。有時候，市場可能會比較動盪，但它總會恢復原狀——或者說，格林威治的數學家們是這麼認為的。它受

1 Attributed to Keynes.

到無形的大數定律所引導，而大數定律確立了棕色乳牛和有色塊的乳牛，以及平靜的交易日與市場崩盤的正常分布。長期資本的教授們對於市場抱有無比的信心，這是很難撼動的。它源自他們的默頓派市場觀點，把市場當作高效能機器，以熱分子在雲中散布的所有隨機邏輯大聲說出新價格。當模型告訴他們市場對股票波動率定價錯誤，他們就願意把公司押注在上面。

• • •

沒有名為「股票波動率」的股票或證券，也沒有直接下注的方法。但是有一種間接的方式。請記住，根據布雷克－舒爾茲公式，期權定價的關鍵要素是標的資產的預期波動率。隨著資產變得更加急遽變化，期權的價格就會上漲。因此，一旦知道了期權的價格，你就可以推斷出市場預期的波動程度。

舉個類比的例子可能會有助於理解。沒有直接的方法可以賭佛羅里達的天氣變化——但是在某些季節，柳橙汁期貨的價格會根據霜凍的可能性而波動。事實上，如果果汁的價格異常高，有經驗的交易員可以藉此推斷，市場預期會有很冷的寒冬，柳橙也會因此歉收。而且如果交易員認為市場的天氣預報是錯誤的，他也可以試著靠做空柳橙汁來獲利。

長期資本用類似的方式，推斷出期權市場預期股票市場的波動率大約是二十%。該公司認為這數字不太正確，因為實際波動率只有十五％左右。因此，它認為期權價格遲早會下降。所以長期資本開始做空期權——特別是標準普爾五〇〇股票指數的期權，以及歐洲主要交易所的同等指數的期權。用他們自己的行話來說，這些教授是在「拋售波動率」。

在期權交易另一邊的人可能沒有了解到這一點，但他們反過來在買進波動率。讓我們再想像一下。通常，期權的購買者是希望為股市下跌買個保險的股票投資人。他們願意支付少量溢價以因應崩盤風險。另一方面，長期資本收取溢價，但承諾如果市場低迷會支付溢價。實際上，它是向兩邊賣保險（期權）——一邊是因應急跌，另一邊是因應急漲。

買家不像長期資本那樣老練，不知道期權價格是否正確，但是就像擁有美麗海濱住宅的屋主，會擔心天候惡劣的颶風季一樣，他們會想找任何現行費率的保險投保。亞洲股市仍處於動蕩，股票還只是流鼻血的程度，投資人的緊張程度還算合理。人們可能幾乎都沒有拿起報紙，但有些專家預測，這次崩盤會終結所有的市場崩盤。因此，人們支付更多保護費，以致推升期權的價格，也就不足為奇了。歐洲的金融機構趁著投資人陷入恐懼之際，藉由行銷具有下檔保護（downside protection）的證券產品（也就是「不能」下跌的股票）搜刮資金！為了萬一股票下跌時能保護自己，這些金融機構也買了保險，在長期資本看來，這是以人為方式抬高了期權價格。

如果長期資本是正確的（也就是說，如果期權的價格太高），那麼實際上這是為保險收取溢價，而且在其五年的期權合約效期內，它應該會有收益。其他許多對沖基金也在做同樣的交易。

這些金融公司為普通投資人提供市場保險。這不見得是做蠢事。這些對沖基金會說：「如果人們願意為了買保險支付愚蠢的價格，那為什麼我們不賣呢？」

儘管如此，這些交易仍然相當有風險。一方面，預測市場的波動性是出了名的冒險——除非你真的相信能夠鑑古知今。誰能預測到亞洲何時會發生金融危機——或者，如果真的發生金融危機，誰能預測出市場會變得多麼緊張？誰能斷言市場「應該」有多麼波動？這就像要預測佛羅里達什麼時候會出現霜凍一樣。

更重要的是，即使後來證明長期資本對波動性的判斷是正確的，它仍有可能在股票波動率交易中虧損。由於長天期期權並未在交易所交易，長期資本就必須量身打造私人的期權合約，然後把期權賣給摩根大通、所羅門兄弟、摩根史坦利和美國信孚銀行等大銀行。這種神祕合約的市場比例很低，只有少數期權玩家按照「預約」的方式交易。市場本來就是失衡的。摩根大通、所羅門這些銀行急著從長期資本「購入」波動性，因為這些銀行也是反過來向散戶賣出保險。簡言之，買方中有一群自然人和機構團體。這就是為什麼波動性的價格通常比數學家所認為的合理價格要高一點。但在銷售方面，參與者很少。如果沒有賣方，或是如果股票投資人突然變得更加渴望擁有保險，那麼波動率的價格就會更高了。

而長期資本則必須根據期權價格的變動情況，每天結算預付款或應收款。從長遠來看，長期資本對股票波動率的做法可能是對的，但前提是它要能承受短期的痛苦。而且在這五年裡，這麼大筆的交易要承受的痛苦，有可能非常可觀。也許在某一天，可能都沒有人願意出售，在這種情況下，摩根可以把它的資產加價到它認為合理的任何價格。因此，長期資本不僅是押注在最後實際的波動率，還押注在每一天推斷出來的波動率，這取決於其他投資者打算為期權支付多少費用。實際上，這是在賭其他這些可能不太理性的投資人不會進一步墊高價格。和合夥人的信條非常不同，這是排名推測。藉由任憑自己在短期波動裡隨波逐流，這些合夥人放棄了他們精確數學模型裡的任何優勢。

長期資本以市場一年的隱含波動率為十九％的價格，做空期權（交易員把這稱為「為以十九％賣出波動率」）。隨著期權價格上漲，長期資本繼續銷售期權。其他公司的銷售量很小。長期資本則不然。它持續銷售。羅森菲爾德、希利伯蘭和莫德斯特在格林威治操作交易；哈罕尼和赫夫施密德在倫敦把交易完成。到最後，在美國的股票波動率每改變一個百分點，他們就能賺到驚人的四千萬美元；在歐洲，他們也賺了差不多同樣的金額——可能占了整個市場的四分之一。摩根史坦利幫該基金取了一個綽號：波動性中央銀行。

確實，股票波動率是長期資本的代表性交易。在它的許多價差交易中，該公司間接表達了對波動性的看法。基金合夥人相信，隨著時間過去，投資者會變得更理性、更穩定、更有效率——更像他們——因此信用差距會縮小。「我們一直有這種理念，」羅森菲爾德指出。[2]股票波動率交易是這個學說的一種明確表述；它強調了波動性在長期資本默頓理論裡的關鍵角色。「麻省理工學院那類型的人總是想做空波動性，」一九八〇年代曾在所羅門工作的石油交易員安德魯・霍爾（Andrew Hall）指出。「學術界已經把主張常態分布的布雷克－舒爾茲模型刻在他們腦海裡了。他們把這些模型視為聖杯。」

・・・

在一九九八年最初幾個月，市場很平穩。國際貨幣基金組織制訂了對韓國的紓困計畫，使亞洲的情勢趨於穩定。再過不到一年就要推出歐元的歐洲，投資人還沉浸在樂觀的氣氛裡。在美國，道瓊指數創下歷史新高，隨著投資人重拾信心，債券利差縮小了。在一九九八年初，A級債券（由福特汽車等實力雄厚的公司發行的債券）比美國公債收益率高七十五個基點；到了二月，利差已縮小到七十點。

這種溫和的潮流雖然表面上毫無關聯，實際上反映了一種普遍的感覺，就是儘管某種急躁情緒揮之不去，但去年秋天那場危機已經過去了。一九九七年十月，亞洲股災之後，美林證券命令其債券交易商縮減交易部位。他們實際上已經退出了，但是到一九九八年年初，他們又恢復了往常的業務。世界已經度過這麼多次危機；它曾看著美國和國際貨幣基金組織紓困墨西哥、泰國、韓國。美林證券的風險經理丹・納波利：「沒有人相信亞洲的情況會擴散。」他指的是把公司資本置於危險之中的交易員。由於這種樂觀的態度從一家銀行的交易櫃檯滲透到另一家，信用利差不可避免地縮小了。

長期資本的氣氛也很輕鬆。雖然該基金的資金槓桿比率提高了，而且儘管這些合夥人取得了巨額的個人貸款，但他們的暴險似乎還在可承受範圍。根據一項估計，單單希利伯蘭一人的身價就值五億美元，而梅里韋瑟自己也有幾億美元。合夥人們似乎已經量身打造了基金的投資組合來控制風險。根據他們的模型，在任何一個交易日，他們可能損失的最大金額為四千五百萬美元——以一家資本百倍於此金額的公司來說，這當然在容忍範圍內。[3]根據同樣的這些模型，公司遭遇一連串厄運——例如在一個月內賠掉四十%的資本——的可能性微乎其微。（到目前為止，在他們表現最糟的一個月裡，只賠了二・九%。）事實上，這些數字意味著，這需要一個所謂的十個標準差事件——也就是統計學上每10^{24}次才出現一次的異常事件——才會讓公司在一年內賠掉全部資本。[4]

如果合夥人們會著急，絕不是和虧損有關；而是找不到夠多可以讓他們賺到錢的投資目標。

2 Author interview with Eric Rosenfeld.

3 André F. Perold, "Long-Term Capital Management, L.P. (A)," *Harvard Business School*, case N9-200-007, October 27,1999,12; Perold, "Long-Term Capital Management, L.P. (C)," case N9-200-0o9, October 27,1999; Joe Kolman, "LTCM Speaks," Derivatives Strategy, April 1999.

4 Kolman, "LTCM Speaks.

隨著尋找合適交易的壓力愈來愈大，他們愈來愈常誤入異國的不毛之地，像是巴西和俄羅斯的債券市場和丹麥的不動產抵押貸款。處理巴西和其他新興市場的馬丁・西格爾（Martin Siegel），在長期資本裡顯得格格不入。他是舊時代的交易員，對於理論模型一無所知。西格爾任職所羅門期間，憑著投資墨西哥電信公司幫梅里韋瑟賺到錢，而J. M.通常會出於對朋友的忠誠，在長期資本管理公司中安排一份工作。

長期資本也開始進行更多的定向押注，放棄（其投資組合中的一小部分）已經是該公司註冊商標的審慎對沖策略。舒爾茲對這類交易感到很不安，尤其是在挪威克朗的重要交易部位。他認為公司應該堅守其模型；它在挪威沒有任何「資訊優勢」。〔5〕大約在一年多之前，哈罕尼曾經對於要公司在希臘進行投資的建議大發雷霆。「你怎麼能相信這個經濟體？」他曾強烈要求說明理由。但是當質疑回到他身上，他卻把這類批評拋在腦後。哈罕尼認為自己永遠不會輸；他不斷催促合夥人，直到他如願為止。

該基金也更深入研究股票。了解到許多高科技公司低價發行賣出期權（put）來處理員工股票選擇權規畫，長期資本買進了大量的這些由微軟和戴爾電腦等公司發行的賣出期權，並藉由出售標準普爾五〇〇指數的賣出期權進行對沖。莫德斯特是這些交易的工程師，但哈罕尼才是設計師，一直如此。一位同事驚訝地發現，莫德斯特甚至做空了大公司的股票——據說其中包括了微軟、戴爾電腦和通用電氣——這似乎是哈罕尼心血來潮幹的好事。莫德斯特向同事們解釋說：「維克多（哈罕尼）總是突然出現在城裡，他喜歡這筆交易並交代我去完成。」他還很多餘地加了一句：「維克多就是那樣——我還能怎麼做？」

到目前為止，長期資本已經屈服於將資金投入某個地方的致命誘惑。在某次明顯出於投機，它藉由期權押注美國股市會下跌。[6]後來，長期資本的某個模型算出，有一些股票很可能被加到標準普爾指數裡（當一支股票被添加到指數中，許多投資組合都被迫購買這支股票），很懂統計學的年輕股票研究員亞倫・蘇尼爾（Alain Sunier）便提議購買這些股票。希利伯蘭對這類交易非常感興趣，但他無視蘇尼爾的模式，拋棄蘇尼爾挑選的公司，添加新的公司。希利伯蘭堅持要購買裡面每一家公司的大量股份。那筆交易中以長期資本名義做的投資，飆升到二十億美元的天文數字。一名同事詢問發生了什麼事。蘇尼爾雙手一攤回答：「他（希利伯蘭）否決了我挑選的每支股票。」

希利伯蘭還做空了巴菲特經營的控股公司波克夏・海瑟威，他認為波克夏・海瑟威相對於其個別部分，價格過高。但由於波克夏・海瑟威的許多資產是私有的，希利伯蘭無法購買這些部分，使得這次交易成為思慮欠周的套利。雖然平常冷漠且工於心計，但希利伯蘭有點聰明過頭了——

5 Michael Siconolfi, Anita Raghavan, and Mitchell Pacelle, "All Bets Are Off: How the Salesmanship and Brainpower Failed at Long-Term Capital," *The Wall Street Journal*, November 16,1998.

6 Author interview with Eric Rosenfeld.

試圖犧牲這位億萬富豪的利益來獲利——而且危險地把基金帶到偏離其專業的領域。這顯然不是明智之舉。即使在精心設計的交易裡，合夥人們也已經完全失去對尺度的拿捏。在某次可能讓他們賠錢的交易裡，長期資本購買了喜達屋酒店與度假村（Starwood Hotels & Resorts）價值四・八億美元的高額股份，而喜達屋本身就是一家有過度擴張趨勢的房地產經銷商。

雖然他們的交易比以往任何時候更需要審查，但合夥人們每週的風險會議反而變得愈來愈照本宣科。他們不再像對待義大利那樣，有耐心去研究和分析每筆交易。儘管他們辯論得很激烈，但結果似乎是預定好的。舒爾茲對公司各種投資部位的規模提出異議。畢竟，該公司在退出一些大型交易時遇到了麻煩——這明顯是危險訊號。[7]默頓、穆林斯和麥肯泰也提出抗議。但這些持不同意見的人並沒有威脅要退出，這麼做可能會促使J. M.和羅森菲爾德與他們的兩名頂級交易員對立。

希利伯蘭和哈罕尼並沒有真的聽進去。較年輕的同事個性比較衝動，因此哈罕尼會這樣比較沒那麼令人意外，但連希利伯蘭也這樣，就讓人摸不著頭緒了。求知欲強烈的莫德斯特，非常不滿自己非得成為「執行賴瑞命令的奴才」（一名同事對他的戲稱）。莫德斯特在波士頓長大，是公司中極罕見的對文藝復興時期感興趣的人；他熱愛藝術、文學和歌劇。他對金融業的興趣與其說是事業心，其實更偏向學術上的。他向來不喜歡高級合夥人的專橫統治，以及對他個人時間的控制，一直考慮著要跳槽，直到一九九八年他獲任命為初級合夥人。當他看到一些合夥人背離了代表公司的謹慎作風，這家公司對他來說已不具任何意義。如今長期資本已經完全由兩名資深交易員主導，成為偏向某一邊的公司，合夥只是名義上的而已。

華爾街並不知道長期資本內部的緊張關係；事實上，各銀行還是繼續被該基金予取予求。美林證券很高興地在巴西這個高風險市場，用最少的估值折扣提供該基金融資。在美林證券回購櫃台的人變得焦慮起來，對著負責對沖基的信貸主管羅伯特·麥克唐納（Robert McDonough）訴苦，談到長期資本在新興市場的暴險。麥克唐納只是笑了笑。「我們和這些傢伙在同一陣線上，」他說，「如果他們垮了，我們也會跟著垮掉！」

似乎沒有什麼事比這更不可能的了。的確，美林對格林威治實在太有信心了，以致在四月一日，一百二十三名過分樂觀的美林高階主管，（以個人名義、各自分開的股份）買下了美林在長期資本的大部分投資，做為其個人的遞延報酬計畫。接替塔利擔任美林董事長的科曼斯基投入了八十萬美元；高階主管們總共投資了兩千兩百萬美元。很諷刺的，美林證券身為長期資本的催生者，它和最高層的關係要比其他任何人都更密切，卻讓自己的高階主管走上每況愈下的道路。

美林證券願意融資給它的客戶，是金融界普遍存在的鬆懈氛圍的一環，這點從華爾街熱衷於為新興市場做擔保可以明顯看出。俄羅斯常常被吹捧為資本主義的下一個極樂境界。「人們會說

7 Perold, "LTCM (A)," 17.

亞洲是獨立的世界，大家前進吧。要進入這些地區所需的資金可是相當龐大。」時任美林證券歐洲與英國債務市場主管的理查・鄧恩（Richard Dunn）指出。在這種時候，拒絕貸款需要非凡的勇氣，因為這意味著要把這項業務平白讓給競爭者。「我們誤判了需要加以保護的估值折扣，」鄧恩承認，「這不是我們因為長期資本所犯的唯一錯誤。整個市場都在對我們施壓。忍受整個公司對你說你快要失去這筆生意了，站出來說我不打算做這項業務需要無比的勇氣。整個華爾街都犯了同樣的錯。」

四月，仍在努力為思慮欠周的所羅門收購案善後的桑佛・魏爾，宣布了歷史上最大的金融業合併案：旅行者集團和花旗集團（Citicorp）合併案。這筆交易是華爾街過分樂觀者的象徵。三十年期美國公債殖利率跌到六%以下，讓人想起梅里韋瑟年輕時期穩定且單純的債券市場。由於相信明日會更美好，加上普遍想要放貸，銀行為借款人甚至信用最差的人壓低了利率。利差達到數年來的最低水準。A級債券從年初的七十五點跌到六十點。縮小的利差就像長期資本損益表的補藥。在第一季度持平之後，該基金在四月份的收益接近三%。大致上，四月底正好是利差的低點、信心的高點，以及長期資本的資金高點，它擁有的資產來到一千三百四十億美元。在短短四年多的時間裡，在計入合夥人費用之前，對長期資本的投資已經達到四倍。扣除合夥人管理費後，一開始投資的一美元價值就升到二・八五美元——在短短的五十個月內，達成驚人的一八五%的利潤。

由黎伊帶頭的合夥人們並沒有固步自封，而是在百慕達設立了一家名為Osprey Re的再保險子公司。資本額兩億美元的Osprey反映了長期資本作為金融風險保險公司的自我意象。此時，合夥人正計畫對有形風險，例如嚴重風暴、地震、颶風等造成的損失進行再保險。他們和義大利國家勞工銀行合作的創投共同基金，已經被義大利方提交並終止了。但合夥人們正在探索另一個新領域：私募股權投資。〔8〕沒有什麼事嚇得了他們嗎？

就市場而言，最初的麻煩跡象是分散的、微小的、看似不相關的。雷曼兄弟的股票衍生性金融商品部門主管約翰・蘇科，是認為華爾街正在玩火的人之一，尤其是衍生性金融商品中看不見的槓桿。四月底，特立獨行的時事通訊出版商詹姆士・葛蘭特（James Grant）〔9〕，贊助了一場投資人會議，而蘇科也獲邀在會上發表談話。在回答某個問題時，蘇科宣稱，華爾街某些公司——也可能是所有公司——的高階主管根本不知道，其風險是由他們二十六歲的交易員們所操作執行產生的。他有點閃爍其辭，也補充說他的管理層比較了解內情。但異端邪說已經說出口。由於暗示華爾街高層不了解狀況，說出預言的蘇科被迫從雷曼兄弟辭職。

高盛的合夥人洛伊德・布蘭克費恩（Lloyd Blankfein）也擔心體制裡的槓桿操作。他向紐約聯準銀行負責交易活動的彼得・費雪（Peter Fisher）提到，人們正在浪費時間，試圖搞清楚是否還有我

8 Riva Atlas and Hal Lux, "Meriwether Falls to Earth," *Institutional Investor*, July 1998.

9 編註：詹姆士・葛蘭特創辦有《葛蘭特利率觀察家》，並擔任此刊物主編。

們不知道的，像墨西哥那樣會引發另一場金融危機的地方。布蘭克費恩認為，下一個嚴重的問題會是信用問題，而不是任何單一市場的特定問題。布蘭克費恩抱怨說，人們沒有把各個風險區分出來，他暗指著正在消失的信用利差。在那個當下，什麼事都算在國庫券頭上。

對於美國信孚銀行的史蒂夫．弗雷德海姆（Steve Freidheim）來說，警鐘是在春季前往新加坡和香港期間敲響的。認知到墨西哥正迅速復甦，他希望亞洲也能重回正軌。但弗雷德海姆在亞洲的所見所聞，讓他大為震驚：「很多重大參與者」都在拿錢。在香港一家私人俱樂部吃午餐時，一位大銀行家突然改變了交易條款，以減少該銀行家在亞洲的暴險。弗雷德海姆帶著悲觀的心情回到美國。「在那之後，我們開始做空市場，」他回憶道。國內的信用利差從未如此收緊。他認為，他們只有一條路可以走，尤其是一旦亞洲仍然脆弱的狀況變得明顯的話。

起初，其他華爾街交易員在不知不覺中，開始得到類似的結論。銀行和證券公司開始減持風險較高、流動性較差的債券——當然，這些債券正是長期資本投資組合裡的那些類型。〔10〕出售沒有經過協調，但結果卻也差不多，因為不同的交易櫃檯通常還是持有相同的證券。梅里韋瑟可能對這些懷疑感到有點不舒服，因為在拜訪瑞士銀行經理西西利亞諾時，J. M.表示他正在尋找方法要把合夥人的資金投資在該基金外部，或許是股票或房地產。J. M.補充說，這些資金太集中了，彷彿忘了他那些合夥人最近才放掉收回部分資本的機會。

到目前為止，最不安的公司是旅行者集團。該公司的老闆們震驚地得知，他們新收購的子公司所羅門兄弟的固定收益套利者，經常能領到一千萬美元以上的年終獎金。董事長桑佛・魏爾和他的高級副手傑米・戴蒙（Jamie Dimon），都對希利伯蘭開創的恆星系統充滿敵意，在這個系統下，所羅門（現在的所羅門美邦）的交易員可以拿走一定比例的利潤。由於交易員不會因為虧損而受到處罰，所以他們有一種反常的動機，會盡可能多用公司的資金押注。從本質上講，魏爾和戴蒙把套利看做一種經過精心裝扮的賭博行為。也毫不意外地，他們對所羅門的主要客戶長期資本持悲觀態度。合併之後不久，戴蒙向長期資本詢問了更多資訊。梅里韋瑟條件反射式地回答說這些資訊是私人的。絲毫不支持擁護格林威治的戴蒙，威脅要斷絕和長期資本長期資本的往來，J. M.聞言態度軟化，答應了戴蒙的要求。[11]開始吹起新氣象了。

所羅門兄弟的套利部門聯席主管羅伯特・史塔維斯正試圖插手股票交易業務，就像長期資本做的那樣。但史塔維斯的新上司們，尤其是所羅門美邦的全球股票業務主管史蒂芬・布萊克（Steven Black），阻止了他。史塔維斯渴望在股票波動率中有更大的成長，不過布萊克出面阻止了。所羅門的套利部門向來就像長期資本的分身，現在正轉變成更謹慎的公司，如果長期資本由J. M.以更穩定的手來領導，可能也會變成這樣的公司。

10 Franklin R. Edwards, "Hedge Funds and the Collapse of LongTerm Capital Management," *Journal of Economic Perspectives*, 13, no. 2 (Spring 1999),199.

11 Author interview with Steven Black.

到了四月，所羅門兄弟的團隊虧損了兩億美元，引發了對其前景的嚴肅討論。史塔維斯告訴魏爾，他應該要有心裡準備會賠更多錢。這不是魏爾想聽的話，他知道華爾街專注在賺取短期收益，他自己也對旅行者集團的股票價格很執著。旅行者的高階主管們警覺到價差已經縮小，便做了一個很合理的決策——縮減業務規模；不過梅里韋瑟設法躲避了這個決策。所羅門兄弟唯一的好消息，是旅行者即將和花旗集團合併，這似乎讓套利部門變得沒那麼重要了。在討論交易虧損的機率時，魏爾很喜歡說：「我比較喜歡規模夠大的，這樣當我們遇到這些突發的虧損時，會感覺只是被針扎了一下。」成為花旗集團的一分子後，他是會這樣。儘管如此，所羅門的一位職員還是打電話給長期資本，想了解對沖基金在其交易中使用了多少資本，做為核實資訊。對方回答：「幾乎沒有。」從來沒有這麼專心地分析其套利業務的所羅門，感到很不安。很明顯的，兩家公司都過分依賴資金槓桿，而所羅門美邦，最起碼要開始削減了。

五月，和長期資本模型的預測相反，套利價差開始擴大。債券套利者慘賠，引發了一次規模不大、卻難以切斷的拋售週期。像所羅門這樣由於虧損而資本變少的公司，如今違反了自家電腦確認的、對於適當資本資產比率的指導方針。因此，他們賣出得有點多。「當人們結算時，波動率就上升，」所羅門在倫敦的一名交易員回憶道：「這迫使更多人進行結算。」

這仍然只算是被針扎到而已，只不過魏爾沒想到居然有這麼多針。其中一根刺破了不動產抵押貸款市場，一九九四年的債券市場問題也是從抵押貸款開始的。不動產抵押貸款證券下跌，促使對沖基金削減其他地方（像是新興市場）的暴險。[12]突然間，亞洲變得沒那麼平靜了。在亞洲四小虎居首的印尼，國際貨幣基金組織的紓困計畫遇到了障礙。接下來，在五月，街頭暴亂迫使蘇哈托總統下台，結束他在位三十二年的政權。真正的革命者是貨幣交易員，他們迫使貨幣貶值，並揭露腐敗獨裁者的裙帶關係計畫，使其失敗收場。

大家都知道投機客的下一個目標；不幸的是，是俄羅斯。俄羅斯央行行長謝爾蓋・杜比寧（Sergei Dubinin）表示，盧布很安全。[13]外界希望他給個確定的說法時，他補充說道：「盧布不會貶值。」到了五月底，他把利率提高到三倍以阻止資金外流。俄羅斯的金融體系本就搖搖欲墜，如今又瀕臨崩潰。同時，美國的經濟趨緩——總是看漲債券價格。公債的殖利率下降，也因此公債和其他類型的債券（例如公司債券）之間的利差開始擴大。這趨勢和長期資本所押注的相反，該基金經歷了有史以來虧損最嚴重的一個月，賠了六・七%。

瑞士銀行在和瑞銀集團合併後，會成為長期資本最大的投資者，不過卻對長期資本的這些虧損一無所知；它開始緊張起來。瑞士銀行衍生性金融商品業務負責人提姆・弗雷德里克森（Tim Fredrickson）在審查了認股權證後，打電話給銀行的安德魯・西西利亞諾並警告他：「這可不怎麼好看。」其基本問題是這些投資無法對沖：瑞士銀行完全暴露出其不利的一面。「在那個時候，」

12 Kolman, "LTCM Speaks."

13 Betsy McKay and Robert Bonte-Friedheim, "Russian Markets Stabilize as Rates Ease After Rise," *The Wall Street Journal*, May 20, 1998.

西西利亞諾回憶道：「這件事就像一個良性腫瘤。如果狀況變糟，我們就有麻煩，不過它們從來沒有出問題。」

• • •

到了六月，曾經力挺認股權證的瑞銀集團業務員朗恩・坦南鮑姆離開了這家銀行——這是正在展開的大戲的一個註腳。進口方面，信用利差繼續擴大。更可怕的是，在長期資本活躍的每個市場，信用利差都擴大了。問題並非特定發生在任何證券。這是一種普遍的信用收縮，一種市場對於風險定價過低的普遍感覺。投資者想要安全；此時他們願意用任何金額來購買公債（這意味著，只要能擺脫掉風險較高的債券，他們會接受任何較低的殖利率）。

J. M.的朋友吉姆・麥肯泰，是個靠自己打探消息而不是靠電腦的合夥人，他感覺到信風的變化。他一再敦促他那些合夥人降低公司的風險，但對方將他當成不相信科學、落伍的賭徒，忽視了他的警告。自從搬到康乃狄克州後，這些合夥人不再需要每天和華爾街的人群擠來擠去，已經變得更加隔絕於那些交易員之間傳來傳去，但偶爾派得上用場的八卦軼事。他們發現要對麥肯泰的警告置之不理也很容易，尤其是因為公司頭兒自己的交易也一直在虧損。麥肯泰愈來愈沮喪，有一天他約了公司的法律總顧問詹姆斯・里卡茲（James Rickards），下班後在格林威治的馬頸酒館（Horseneck Tavern）碰面。里卡茲隔天早上將動身前往阿拉斯加的麥金利山登山。麥肯泰預測道：「等到你回來的時候，世界會完全變了樣。」

在整個華爾街，麥肯泰的交易員同事們現在都在談論著「逃往優值股」——也就是轉投美國公債。到了六月中旬，三十年期公債的殖利率已經降到五．五八％，這是自一九七七年美國政府開始發行三十年期公債以來的最低點。瑞士信貸第一波士頓的策略師馬修．阿列克西（Matthew Alexy）告訴《華爾街日報》：「在公債市場的每一個人，都很害怕要做空。」〔14〕。長期資本是例外，它每天都做空美國公債。公債是該基金用來賣空，以對沖其持有的高風險債券的基本債券。而且當美國公債上漲，它們與其他債券之間的利差就會擴大。不動產抵押貸款證券從高於美國公債九十六個基點，攀升到一百一十三個基本點。公司債券從九十九點上升到一百零五點，垃圾債券從兩百二十四點上升到兩百六十六點。就連那些看似安全的非首次發行債券公債，也從六點以上變成八點以上。〔15〕在每個市場，對風險較高債券的溢價需求都在增加。在每個市場，長期資本都在虧錢。

為什麼會這樣耗盡心神擔心風險呢？亞洲再一次成了導火線。在日本，日圓暴跌，加劇了該國原本就很嚴重的經濟衰退。日本債券殖利率暴跌——和長期資本的賭注完全相反。日本是東亞

14 Gregory Zuckerman, "As Yields Drop to Historic Levels, Future of Rates Depends on Asia," *The Wall Street Journal*, June 15, 1998.

15 Figures are from the end of April 1998 through the end of June, courtesy of Merrill Lynch.

經濟的基石。隨著日本進口商減少採購，就開始出現區域經濟衰退的聲音了。在印尼，印尼盾已經從經濟危機前的幣值下跌了八十五%。在韓國，股市單日暴跌八%。恐懼無處不在，每天都在不同的地方出現。

來自俄羅斯的鼓聲愈來愈響亮。在六月，高盛設法為俄羅斯政府以（對俄羅斯而言）適中的十二%利率，賣出了十二·五億美元的五年期歐洲債券票據。高盛的股票發行，確實是推銷技巧的勝利，它暫時說服了投資人，俄羅斯的問題正在消退。但高盛的動機可能有點不純粹。不用說，該銀行賺進了幾千萬美元的費用。此外，高盛還有二·五億美元的俄羅斯未償還貸款；新債券讓俄羅斯能夠在最方便的時候償還高盛。這家擁有百年歷史的投資銀行正準備向大眾出售股票，它更樂於看到俄羅斯的貸款趕快結清。而希望在秋季上市的高盛，不用等上太久就會知道，它是否會持續樂觀看待俄羅斯。它很快地出清俄羅斯的債券，以免被它向投資人推薦的票據困住。[16]到了六月底，拜高盛、摩根大通和德意志銀行發行的債券所賜，外國市場開始塞滿了俄羅斯票據。俄羅斯一年期票據的利率飆高到九十%。

甚至在美國，也能見到市場趨緩的跡象。股市突然開始波動，期權價格暴漲。對於長期資本的直接影響，意味著波動率升高到二十七%。在用低很多的程度做空股票波動率之後，長期資本出現大幅虧損。整體算下來，該基金在六月份虧損了十%，這是迄今賠最多的一個月。直到此時，長期資本在一九九八年上半年業績下跌了十四%——這是第一次連續大幅虧損。

所羅門美邦的套利部門也虧損了。魏爾曾經承諾，他將能夠忍受波動率的交易結束，但他還是辦不到。在六月結束之前，他決定關閉公司的美國債券套利活動，這項他從沒喜歡過的業務。大家很可能會問，既然套利交易是所羅門的主要賺錢工具，為什麼魏爾還要收購它。無論如何，所羅門開始認真清算資產了。當然，所羅門的交易部位和長期資本的交易之間大量重疊。因此，所羅門的拋售有助於把長期資本的投資組合推向負值區域；很可能，此舉會引發該基金的螺旋式下跌。梅里韋瑟活得比他的創造者還要久，但它會從墳墓裡爬出來糾纏他。

就和所羅門一樣，長期資本做空了一個簡單的交換交易價差，這個數字來自標準的、廣泛使用的交易的利率。交換交易利率是在任何時刻，銀行、保險公司和其他投資者要求支付的固定利率，用以交換同意支付「倫敦銀行同業拆放利率」（ＬＩＢＯＲ）這種短期銀行利率。最重要的是，ＬＩＢＯＲ是浮動的，沒有人知道它未來會怎麼波動。通常，每個國家的交換交易利率都略高於該國政府債務的利率。因此，這種交換交易價差是信用市場焦慮的基本晴雨計；這是投資者為承擔未來利率波動風險，而要求的風險溢價。

在一九九八年四月，美國交換交易價差為四十八個基點。從最近的歷史來看，這個數字很高（雖然在一九九〇年最近一次的經濟衰退期間，曾短暫飆升至八十四，不過在一九九〇年代的大

16 This paragraph draws heavily from the splendid account of Goldman's involvement in Russia by Joseph Kahn and Timothy L. O'Brien, "For Russia and Its U.S. Bankers, Match Wasn't Made in Heaven," *The New York Times*, October 18,1998.

部分時間裡，一直低於三十五點）。長期資本看到沒有衰退跡象，便押注這種利差會縮小。在歐洲，長期資本的立場更為微妙。在英格蘭的交換交易價差是四十五點，在德國只有二十點，差距非常大。這種差異有其經濟因素，但似乎只是暫時的、不自然的怪現象。[17]因此，長期資本在歐洲押注兩種利差之間的差距會縮小。

長期資本的兩個交換交易都是智慧融合（intelligent convergence）的玩法，然而就像以往歷史所證明的，這並不是穩賺不賠的生意。交換交易市場很深奧，而且有著非常適合建立模型的歷史。但就和許多其他交易的情況一樣，長期資本交換交易部位的規模大得離譜。隨著所羅門開始清算其非常相似的交換交易部位，長期資本也就開始兩頭賠錢了。美國的價差擴大到五十六點，英國和德國之間的差距也擴大了。

更糟糕的是，在七月，所羅門退出美國套利市場的消息公開了。有人洩漏一份高層的備忘錄給《華爾街日報》，備忘錄裡宣稱：「套利獲利的機會愈來愈少，但風險和波動性愈來愈高。」[18]很自然地，不同公司的交易員開始拋售利率的交換交易與其他套利交易，以免被所羅門的壓路機波及。

長期資本的合夥人們，嚴重低估了他們業界第二大公司宣告退出的嚴重性。他們期望有其他套利者來填補空位。當一名初級交易員向艾瑞克・羅森菲爾德表示擔心時，後者不理會他，堅稱合夥人們都已經掌握狀況。到了七月，瑞士銀行和瑞銀集團合併後，西西利亞諾拜訪了梅里韋瑟，他從梅里韋瑟口中聽到長期資本最近虧損的消息，嚇得說不出話。但J. M.似乎還很有信心——幾乎是老神在在。終於，他期待已久的這一、兩個糟透的月份到了。唯一令人不安、值得注意的事，是長期資本在它的所有交易都虧損，這是J. M.沒有預料到的。但他冷靜地補充說，現在該基金將利用較低的價格優勢，並增加一些大家最愛的交易。已經對長期資本感到很不安的西西利亞諾，立即告訴瑞銀首席風險管理執行官菲力克斯．費許（Felix Fischer），如果長期資本繼續虧損下去，該銀行將面臨嚴重的風險。但兩人都沒有警告該銀行的高層。

該基金的清算證券商貝爾斯登，也相當關切長期資本的虧損表現。但是在七月，該基金恢復常態了。「由於我們可以看到每日損益表，我們知道在七月初出現了明顯復甦，」貝爾斯登的麥克．亞利克斯指出。「過程就是，他們回去重新測試了他們的所有模型，並得出結論，六月是個預期中的異常現象。這就是他們的做法。」

J. M.謹慎地親自把這些虧損狀況通知美林證券的艾里森，以及該基金的其他重要合作夥伴。他通常給人一副很輕鬆自在的印象。J. M.在給投資人的信裡寫說：「未來的預期收益會很不錯。」〔19〕在高爾夫球場上，梅里韋瑟還是老樣子；虧損並沒有影響他的士氣。一位高爾夫球球友

17 在英格蘭，政府幾乎沒有舉債，導致政府利率比較低，利差擴大。相反的，在德國，政府大量借款，導致利差縮小。

18 Anita Raghavan, "Salomon Shuts Down a Bond Unit," *The Wall Street Journal*, July 7,1998.

19 Kolman, "LTCM Speaks."

說他似乎「很心安理得」。

長期資本對自己一直很有信心的最可靠跡象，就是該基金仍舊在招募新人。一向很迷戀新科技的合夥人們，在夏季聘請了八名軟體專家。公司員工人數創新高來到了一百九十人。

長期資本確實削減了其資產，意圖讓這些資產和此時已經快見底的備用資產保持一致。但總銷售量還是很少。雖然長期資本賣出了一些定向交易，但合夥人們仍然熱衷於持有他們的大型收斂部位，例如股票波動率、交換交易和荷蘭皇家殼牌公司；他們還增加了一些交易部位。〔20〕總體而言，他們的資產總值僅僅從一千三百四十億美元降到一千兩百八十億美元，而他們的財務槓桿實際上增加了三十一倍。根據該基金的模型，長期資本已經縮減了在一般交易日一天可能虧損的金額，從四千五百萬美元減少到三千四百萬美元。〔21〕但這是一種相當機械化的風險評估方式。它依賴過去的波動性做為衡量未來的指標；像往常一樣，負責駕駛長期資本這輛車前進的那些合夥人，眼睛只會盯著後視鏡。

七月，市場持續緊張不安。在俄羅斯，對盧布貶值的憂慮還未平息，短期債券的殖利率飆升到令人傻眼的一年一二〇%。然而，全球投資人——那些總是查看CNN或彭博社，而且似乎從不睡覺、不斷線的交易員——的態度，就是俄羅斯是個燙手山竽，只不過是個控制下的燙手山竽。就像一名俄羅斯人漫不經心脫口評論的那樣，其中央銀行可以任意關閉美元窗口，阻止資金外流。「一般人不會在乎，」他補充說道：「只有某些對沖基金會被騙！」〔22〕

如果人們不在乎，那是因為貨幣警察會快速掩蓋住任何問題的跡象。七月，在美國財政部長羅伯特・魯賓敦促下，國際貨幣基金組織和各國制定了兩百二十六億美元的俄羅斯紓困計畫，似乎要證明沒有他們解決不了的金融問題。（大部分紓困基金會被俄羅斯寡頭偷走，並且轉到國外。）然後高盛又誘導投資人，把他們的俄羅斯短期票據換成二十年期債券——彷彿俄羅斯接下來的二十週都會無風無雨似的，更別說往後的二十年了。但投資人已經不再把俄羅斯當做有信用的對象；他們又回到了以前老掉牙的說詞：「核武大國說話算話。」這似乎是在向花旗銀行董事長華特・瑞斯頓（Walter Wriston）喊話，他在一九七〇年代和一九八〇年代初期曾經向拉丁美洲提供貸款，他還宣稱「主權國家說話算話」。

值得讚許的是，旅行者的魏爾與戴蒙，從俄羅斯市場察覺到其他人沒有察覺的可疑之處。「桑迪（魏爾）討厭俄羅斯。」根據他在倫敦的一位交易員表示：「他說俄羅斯根本沒有法律可言。」一名國際貨幣基金組織的官員在六月拜會了所羅門，並力勸該銀行支持莫斯科，他還稱讚了莫斯科的領導階層。國際貨幣基金組織駐莫斯科代表團團長則嘗試了不同的策略，他向所羅門保證，

20 Perold, "LTCM (C)," 1.
21 Kolman, "LTCM Speaks."
22 Michael R. Sesit and Robert Bonte-Friedheim, "Investors' Confidence in Russia Fades Further—Bond Yields Jump to 120% and Stocks Fall Sharply amid Rush for IMF Aid," *The Wall Street Journal*, July 8, 1998.

美國絕對不會讓一個核武大國違背承諾。但是魏爾和戴蒙對於要面對這些意料之外的事覺得很不愉快，而且他們認為俄羅斯不會帶來任何好處。雖然魏爾對地緣政治和俄羅斯特別著迷，但他認為要投資銀行丟資金進去投資的話，這不是好地方。訂單不可能賣得掉。

又一次，長期資本和所羅門在交易上的立場相左。哈罕尼和霍金斯被「俄羅斯不能、也絕對不會讓其貨幣崩盤」的觀念給騙了。（經濟學家對一個接著一個的對沖基金——包括長期資本——推銷這個概念。）長期資本當然知道違約是可以想像得到的。但是教授們相信，他們有一個模型可以預測，如果莫斯科違約會發生什麼事。〔23〕對哈罕尼來說，這是完全合理的。「我們所做的，都是依靠經驗，」他後來對投資組合歸納指出：「如果你不願意根據經驗提出任何結論，你還不如袖手旁觀，什麼都不要做。」〔24〕但是一個「模型」真的能預測一個國家的行為嗎？——不是只有它的市場，還有它的政客、它的立法者、它的熱衷程度，也能預測嗎？對長期資本的交易類型來說，俄羅斯是個非常糟糕的實驗室。脫離共產主義，努力想要成為民主社會還不到十年，俄羅斯本質上幾乎是無法預測的。哈罕尼的歷史知識也應該讓他知道這點。（邱吉爾在一九三九年就公開說過：「我無法向大家預測俄羅斯的行動。這是個包裹在謎裡的神祕事件內的謎團。」）在一九九八年也是，俄羅斯超出了經濟學領域的理解，甚至出乎格林威治的電腦的預測。

美聯準非常清楚，銀行過度依賴過去經驗做預測相當危險。美聯準的銀行監管最高主管，曾經在一封寫給銀行的公開信裡警告說：「銀行應該抵抗任何假設過去幾年異常有利的經濟環境，會無限期持續下去的傾向。」雖然這封信是在說商業貸款而不是資本市場，但它強調必須考慮到「其他可能發生的狀況」，例如破產和違約，而不是假設未來會是現在的無縫延伸。[25]和這種有理有據的謹慎相反，美聯準主席葛林斯潘仍然在歌頌不受約束的衍生性金融商品市場。七月三十日，葛林斯潘在參議院農業、營養和林業委員會作證時宣稱，衍生性金融商品交易商「藉由仔細評估交易對象，非常有效地管理信用風險」。這些話只能代表著，在葛林斯潘眼裡，美林證券或摩根正在仔細審查客戶，像是長期資本管理公司——而這種看法很快就會被證明是錯的。[26]

在七月下半月，長期資本的業績下滑。到最後整個月持平。歐美股市暴跌。八月初，俄羅斯債券再次探底。傳聞就繞著華爾街銀行和對沖基金拋售的話題在打轉。拋售潮蔓延到了東歐、拉丁美洲和亞洲。此時，俄羅斯已經快壓制不住了。

在八月的第二週，俄羅斯市場暴跌。八月十三日，由於美元退出該國市場，其儲備金大幅縮水，其預算超支，其主要商品石油價格下跌三十三%，政府對盧布實施控管。銀行體系因為缺乏可靠和有償付能力的銀行而凍結。莫斯科股票市場短暫停止交易。當天收盤下跌六%——而那一

23 Author interview with Eric Rosenfeld.

24 Michael Lewis, "How the Eggheads Cracked," *The New York Times Magazine*, January 24,1999.

25 Richard Spillenkothen, "Lending Standards for Commercial Loans," June 23,1998.

26 Alan Greenspan, testimony before Committee on Agriculture, Nutrition, and Forestry, U.S. Senate, July 30,1998.

年全年跌幅達七十五%。短期利率飆升到接近二〇〇%。俄羅斯長期債券價格跌到兩個月前價格的一半，當時高盛高興地讓它流通。

當全世界在等著盧布貶值時，俄羅斯政府仍然堅信不會發生這樣的事，共產黨主導的議會下議院杜馬（Duma），拒絕了國際貨幣基金組織要求其採取的改革措施。然後議員全去度假了。當政府請求杜馬重新召開會議，這些議員拒絕了——但當時包括總統鮑利斯．葉爾辛（Boris Yeltsin）在內的許多政府領導人也都在海邊別墅，留下國人解決國家的苦難。這是很難模擬的事。

在美國和歐洲，市場對愈來愈多的負面影響感到害怕：俄羅斯金融危機、亞洲經濟疲軟、伊拉克拒絕允許全面武器檢查、中國可能讓人民幣貶值，以及柯林頓總統與白宮實習生莫妮卡．李文斯基關係的聽證會。全球投資人從俄羅斯和亞洲退出後，瘋狂地湧入美國公債市場，當沒有人想要冒險時，這是安全的堡壘。三十年期公債殖利率再創新低：五．五六%。

很自然的，信用利差不斷擴大。自從四月債券套利高點以來，A級債券已經從高於美國公債的六十點升高到九十點。美國的交換交易利差也在上升。華爾街的每家銀行，套利櫃檯都在減少；資本正像逃離亞洲一樣，正在逃離債券套利。起初，美聯準對這個趨勢樂觀其成。利差一直很緊縮，信貸太容易了。但現在，在俄羅斯經濟崩潰的背景下，美聯準的神經開始緊張了。

• • •

長期資本在八月份出現虧損——令人不安的是，這是四個月來的第三個月。合夥人們不能再對華爾街這麼冷淡了。哈罕尼了解到，一直在清算資產的所羅門是個令人頭疼的問題，就提議買下該銀行價值約二十億美元的全部交易部位——目的只是要凍結它。所羅門的人認為他在開玩笑，畢竟長期資本不再有本錢支持這種大膽的言論。但所羅門的交易員很喜歡雙方命運上的這種轉變——長期資本不再是最後做主的一方了。長期資本的財務長勞勃·薩斯塔克（Robert Shustak）每天都接到憂心忡忡的貝爾斯登的電話。摩根大通聽說長期資本正在清算交易部位——或者至少在試圖清算。雷曼兄弟也聽到了傳言。儘管長期資本曾經冷落這家規模較小的投資銀行，但現在它與雷曼兄弟關係融洽。「他們來找我們做更多的生意，」雷曼兄弟固定收益部門主管傑佛瑞·范德貝克（Jeffrey Vanderbeek）回憶道：「我記得當時認為他們的流動性可能會枯竭。他們想要獲得更多融資。」當回購貸款翻身了，華爾街的銀行，包括雷曼兄弟，終於可以向這些教授要求收取保證金了。

突然間，這些合夥人開始擔心自己的福利，於是趕緊打電話給他們的理財顧問和律師。漢斯·赫夫施密德是一名倫敦合夥人，曾大筆舉債投資長期資本，他娶了加州人，目前正準備競標馬里布的一棟房子。但是出於直覺，他決定不買房子了。邁倫·舒爾茲就真的在舊金山買了一棟四層樓的房子，他的未婚妻就住在那裡。這棟夢幻般的房子位在俄羅斯山的山丘上，有挑高的天花板和一個可以俯瞰漁人碼頭的露台；花了六百五十萬美元。〔27〕不過在當時，舒爾茲還有基金之外的收入。而且該基金在那時的虧損還不嚴重。

梅里韋瑟很有自信地在八月中旬前往中國。合夥人們認為他們有理由保持樂觀；他們覺得價差已經擴大了這麼多，現在肯定只會縮小。不過，他們的樂觀正處在絕望的邊緣。在八月中，長期資本陷入俄羅斯更深了，此時它已經持有對沖的俄羅斯債券和一些未對沖的債券。此時，全世界都在關注俄羅斯，它的財務狀況一團糟，政府又停擺。哈罕尼和一位名叫艾曼．辛迪（Ayman Hindy）的研究人員（他曾任史丹佛大學的教授），買進了更多俄羅斯債券，就好像他們已經掌握了那個神祕的東方謎語的內幕消息。諾貝爾獎和任何學位現在都無關緊要了；這些教授正在賭一把。根據長期資本的一名交易員說，該基金在俄羅斯「公開做多——就在最後關頭上」。另一個人痛苦地說：「這太違反我們的作風了。」

27 Gary Weiss with Barbara Silverbush and Karen Stevens, “Meriwether’s Curious Deed,” *Business Week*, October 19,1998.

8 垮台 The Fall

問題在於……LTCM闖下的大禍是否只是絕無僅有、獨立的事件，是對大自然的錯誤引申；或是布雷克—舒爾茲公式本身必然會產生這樣的災難，而它或許給人一種市場參與者都能夠同時對沖消除其風險的錯覺。

——默頓．H．米勒，諾貝爾獎得主〔1〕

過了八月中，長期資本已經歷經了慘澹的一年，但也只是任何基金、任何資本主義企業遲早會遭遇到的年頭。它的聲譽，像它的資本一樣，仍然完好無損。它的整體紀錄閃閃發光，在真的知道這家公司的金融專家之中，它的名字經常讓他們腦裡浮現「天才」一詞。一般大眾並不太知道長期資本，而這點正是梅里韋瑟和他的子弟兵想要的，當然，也是他們希望該基金繼續維持的

1 Merton H. Miller, "A Tribute to Myron Scholes," speech at Nobel Memorial Prize luncheon of the American Economic Association, New York, January 4, 1999.

樣子。他們幾乎看不到一絲跡象顯示，自己將成為什麼重大甚至歷史性事件的主角，也不知道自己的命運會產生多麼大的變化。他們更無法想像這些事件會以驚人的速度展開。到了夏末，當華爾街人士紛紛趕往漢普頓，這群合夥人已躋身美國最富裕、最成功和最備受推崇的投資人了。他們的基金有三十六億美元的資本，其中五分之二是他們個人的。而他們只花了五個星期就賠光一切。

• • •

八月十七日星期一，俄羅斯宣布延期償付債務。俄羅斯政府就只打算寧可用盧布支付俄羅斯勞工工資，而不付錢給西方債券持有人。它也不會試圖維持盧布在外國市場的幣值。簡單的說，這就是貶值的一種作法；而且至少對於該國已承諾過不會放任貨幣貶值、也不會延期償付的借款，這也是違約行為。讓人摸不著頭緒地搞到最後，俄羅斯表示，將暫停償付一百三十五億美元的**地方**債（盧布）——這就壞了規矩，即使在拉丁美洲債務危機最嚴重時也會遵守的規矩，也就是一國政府要兌現自己的貨幣。

市場的反應很平淡，至少一開始是這樣。墨西哥和巴西債券下跌，日本和各種新興市場的股票走弱。但道瓊工業指數上漲近一百五十點。美國銀行秉承著可回溯到一九二九年的傳統做法，快速地宣布他們預期能夠度過難關，幾乎不會產生不良影響。大通曼哈頓的股價在六週內跌掉一半，但其信貸總監羅伯特・史壯（Robert Strong）仍很自信地向華爾街證券分析師宣稱，對大通或其他美國銀行來說，「我認為俄羅斯不是什麼大問題」。〔2〕以債務總額來看，俄羅斯確實沒什麼大不了的，頂多是另一個委內瑞拉罷了。

除了俄羅斯不能和委內瑞拉相提並論。或許吧，核武大國會說話算話。而一旦俄羅斯違約，市場上就會有某些東西完蛋。而認為全球金融警察總是會出面把事情導入正軌，這種安撫人心的想法，如今也明顯可看出是胡說八道了。這一次，沒有國際貨幣基金組織（IMF）的救助，沒有羅伯特・魯賓或西方七大工業國緊急紓困。「國際貨幣基金組織和七大工業國組織最後還是拒絕了。」國際貨幣基金組織前高級官員莫里斯・戈德斯坦（Morris Goldstein）評論道。〔3〕這樣的事實所代表的含義，就像西伯利亞冷冽的狂風般，令全球市場感到寒意。投資人出於懶惰與便利，總假想投資市場會一直有一張安全網，如今這張網被俄羅斯的違約撕碎了。它「戳破了一個道德風險泡沫」〔4〕，自從魯賓出手拯救了墨西哥以來，這種泡沫一直把人們的期待愈吹愈大。投資人先是

2 Robert O'Brien, "Citicorp, J.P. Morgan and Chase Fall on Woes in Russia," *The Wall Street Journal*, August 21, 1998.

3 Mark Whitehouse, Betsy McKay, Bob Davis, and Steve Liesman, "Bear Tracks: In a Financial Gamble, Russia Lets Ruble Fall, Stalls Debt Repayment—Other Markets Face Pressure from Move, but So Far Their Reaction Is Modest—Blow to a Weary Citizenry," *The Wall Street Journal*, August 18, 1998.

一個接著一個，獨自歸納出沒有一個新興市場是安全的結論，後來則是集體得出這樣的結論。過去的七十年來，俄羅斯的共產黨還不曾像它那二流的資本主義者那樣，成功地對市場造成這麼明顯的打擊。

星期四，也就是暫停償付三天後，世界各地的市場都崩盤了。東歐和土耳其的股市疲軟。卡拉卡斯股市暴跌九．五％，委內瑞拉人驚慌失措，紛紛搶購美元。巴西更大的證券交易所下跌了六％。德國股市下跌了二％，彷彿俄羅斯的威脅真的可能橫掃東部戰線似的。

投資客現在不僅要逃離新興市場，還要逃離潛伏在任何地方的投資風險。這樣的恐慌證明了亞洲風暴從未真正被遺忘。交換交易利差——信貸市場的基本溫度計——像危險的高燒一樣升高。英國巴克萊銀行（Barclays）命令其交易員，清空英國交換交易中的空頭部位，儘管其交易員就像長期資本的交易員一樣，認為交換交易總額高得不合理。巴克萊銀行放棄交易的決定只會把交換交易愈推愈高。〔5〕巴克萊銀行的管理層並不在乎。該銀行只想退場。它是冒著風險完成這項命令的。

隔天，也就是八月二十一日，星期五，各地的交易員都想退場。亞洲和歐洲股市暴跌。道瓊工業指數在中午前就跌了二八〇點，隨後又回穩。這種明顯的波動性激增，使得長期資本損失了數千萬美元。

對信貸市場的破壞則嚴重得多。公債大幅上漲，但這是恐慌所推動的反彈，因為投資人購買公債是為了擺脫劣質信貸。幾個月前，他們還沒有把一種風險與下一種風險區分開來。如今他們只想這麼做。一個玫瑰色的世界突然變得黑暗，被俄羅斯、日本甚至柯林頓與李文斯基的醜聞所玷汙。在每個市場中，投資人只想找最安全的債券。在美國，勢必就是三十年期的國庫券；在德國，就是十年債券。在世界各地，人們會買進比較安全（獲利率較低）的債券，把風險較高（獲利率較高）的債券賣出，因而造成此類債券配對組合之間的利差愈來愈大。長期資本每分鐘每分鐘都要虧損數百萬美元。

• • •

在格林威治，在那個黃金八月下旬的星期五，長期資本的辦公室多半空無一人。大多數高級合夥人都在休假；這天早晨天氣悶熱，員工動作也是慢條斯理的。吉姆·麥肯泰，這位悲情警告遭人忽視的華麗「酋長」，正在公司裡頭坐鎮。威廉·克拉斯克是建構了該公司許多模型的合夥人之一，他正焦急地監看著市場，盯著螢光幕頁面一頁一頁點擊著。克拉斯克從政府公債點擊到

4 Franklin R. Edwards, "Hedge Funds and the Collapse of Long-Term Capital Management," *Journal of Economic Perspectives*, 13, no. 2 (Spring 1999),203.

5 要退出做空的部位，交易員就必須購回它的交易；因此，其結果是看漲的。

抵押貸款再到外債，看遍了整個信用貸款的範圍。當他看到美國交換交易利差的配額，難以置信地盯著眼前的螢幕。克拉斯克很清楚，在交易活躍的日子，美國的交換交易價差變化可能會達到一個基點。但是在這天早上，交換交易利差在二十點的範圍內劇烈波動。它們以驚人的高出九點收在七十六點，從四月份的四十八點上升到這個數字。在英國，情況也一樣：交換交易利差飆升到六十二點，比七月份拉大了十幾點。

克拉斯克簡直不敢相信。他找上交易員馬特・扎姆斯（Matt Zames）和該公司的回購交易員麥克・瑞斯曼（Mike Reisman），激動地宣布了這個消息。一名員工皺著眉頭罵了一句：「不會吧！」這些交易員從沒見過這樣的進展。事實上，這種情況在一九八七年已經發生過，在一九九二年也曾再度上演。不過長期資本的模型，並沒有追溯到那麼久以前。據長期資本此時所知，這是千載難逢的事件——現實上是不可能的事〔6〕——而該基金完全沒有準備好應對這種情況。一名分析師打電話給一名在家的交易員問道：「你想猜一下交換交易價差到多少嗎？」分析師說出答案時，交易員大吼：「操你媽的——我在家的時候別再打電話來了！」

那個星期五，不管怎麼看，長期資本都是損失慘重。信貸利差完全爆炸了。抵押貸款利差從幾週前的一〇七點飆升到一二一點。高殖利率債券從二六九點攀升到二七六點。非首次發行公債從八個基點飆升到十三點！儘管這些變化以絕對值來看似乎很小，但該基金龐大的槓桿程度和巨大的部位規模，放大了對長期資本的影響。

即使在看似無關的市場裡，長期資本也遭受重創。長期資本所持有風險較高的俄羅斯和巴西債券暴跌，遠遠超過它所賣空、原本要讓其押注資金比較保險，做為對沖的較安全的俄羅斯和巴西債券。事實上，那天任何市場都沒有平安度過。長期資本好像還投資了一家打算和網路技術提供商泰樂公司（Tellabs Inc.）合併、經營通訊設備的西耶納公司（Ciena Corporation），即使該公司股價已跌到收購價格的二十五美分以內，長期資本仍繼續持有它的股票。同一個星期五，八月二十一日，合併案延後了，西耶納的股價暴跌了二十五．五〇美元，到達每股三十一．二五美元。長期資本虧損了一．五億美元。多年前，曾有人警告羅森菲爾德說，風險套利就像在迎面而來的推土機前面撿硬幣。這輛推土機最後還是壓到他了。

從四面八方傳來了虧損的消息。這些虧損來得這麼快，範圍這麼全面，完全出乎意料，合夥人們覺得自己像是被拋棄了。他們突然失去控制，彷彿科學之神被驅逐，某種看不見的邪惡力量接管了他們的命運。在格林威治，核心幹部瘋狂地打電話到世界各地聯繫其他合夥人。維克多．哈罕尼人在義大利；他趕緊飛回倫敦。艾瑞克．羅森菲爾德才剛到達愛達荷州的太陽谷，要和家人共度兩週的假期。他搭乘夜間航班回到紐約。梅里韋瑟人在中國。他的合夥人追查到他人在北京的一場晚宴上，這位大老闆搭了下一班飛機回家。J.M.在離開前，打了電話給在家裡的強恩．

6 Myron S. Scholes, "Risk-Reduction Methodology: Balancing Risk and Rate of Return Targets," talk at the Economist investment conference, New York, September 22–23, 1999.

科津——其公司主要貿易夥伴高盛的執行長。「我們有嚴重的減價問題，」梅里韋瑟告知他，並緊接著說道，「但我們一切都還好。」〔7〕

但一切都很不好。長期資本已經用數學明確算出過，該公司任何一天的損失，都不太可能超過三千五百萬美元。但在八月的這個星期五，它的資產就跌了五．五三億美元，占其資本的十五%。它以四十六．七億美元資本開始了這一年，轉瞬之間，資本就跌到二十九億美元。從四月底以來，它已經損失了超過三分之一的股權。

負責監控信用風險的貝爾斯登高級主管麥克．亞利克斯，擔心這個大客戶損失如此慘重，趕緊打電話給長期資本的財務長勞勃．薩斯塔克。薩斯塔克很有耐性地仔細查看公司的流動性，亞利克斯很驚訝他居然這麼冷靜。在接下來的幾週，亞利克斯突然想起，幾週前他腦子經常浮現一個關於薩斯塔克和其他合夥人的看法。他們是真正的撲克牌玩家，亞利克斯心想。〔8〕

在大跌的兩天後，八月二十三日星期日，長期資本合夥人早上七點聚集在會議室裡。在玻璃帷幕和花崗岩興建的公司總部外面，噴水池噴出水柱，灑在銅製的魚鷹雕塑上。彷彿有什麼預感似的，梅里韋瑟召集了法律總顧問詹姆斯．里卡茲，為大家提供建議，也保留了一份會議過程紀錄。曾被莫澤醜聞蒙蔽的J.M.，從自己痛苦的經歷中知道，一旦這些事情公開，要尋求建議就為時已晚。從那個星期天開始，每當合夥人見面，擁有賓州大學、約翰霍普金斯大學和紐約大學學位的律師里卡茲，幾乎總會在場。

J. M.要求每個交易員都報告各自專精的領域：希利伯蘭負責風險套利，霍金斯負責巴西，莫德斯特負責證券，（從倫敦透過電話報告的）哈罕尼，負責英國的交換交易和荷蘭皇家／殼牌公司。令人不安的是，這些交易員表示，儘管公司的交易看似穩健，但沒有這些交易的需求。在東京的合夥人也回報了類似的狀況：根本沒有買家。[9]在這樣的環境下，如果不進一步推動市場，長期資本根本沒辦法把手上龐大的交易脫手。合夥人自認為其他套利者會認同他們所看到的價值；這些人未能挺身而出，讓他們感到大惑不解。[10]如今，就像那些對一場遠方戰爭開出太多空頭支票的將領，他們發現這條路已經走不通了。

梅里韋瑟和其他高級合夥人本能地傾向採用相同的策略：他們打算籌募新資金讓公司應急，然後等待交易狀況好轉。他們確信利差最後一定會收斂，就像年輕時期的J. M.勇敢地紓困艾克斯坦那時一樣。J. M.早期的英雄事蹟，幾乎已經是他職業生涯的完美指南：利差總會恢復的。

但由於公司資本虧損，讓長期資本的財務槓桿已經變得非常危險，因為隨著槓桿比率增加，

7 Author interview with Jon Corzine.

8 Author interview with Michael Alix.

9 Michael Siconolfi, Anita Raghavan, and Mitchell Pacelle, "All Bets Are Off: How the Salesmanship and Brainpower Failed at Long-Term Capital," *The Wall Street Journal*, November 16,1998.

10 André F. Perold, "Long-Term Capital Management, L.P. (C)," *Harvard Business School*, case N9-200-009, October 27,1999,3.

虧損會累積得更快。因此，為了降低風險，合夥人們必須賣出某些東西。但是要賣掉什麼？投資人只想買風險最低的債券，而長期資本並未持有任何債券。其中一個選項是併購套利。驚人的是，長期資本的交易投資組合規模，已經激增到擁有五十億美元的合併部位〔11〕，包括花旗／旅行者和MCI通訊／WorldCom（後者是接手MCI與英國電信未完成的合併案）。合夥人認為這些合併案大多數都會通過（確實，這些案子後來都通過了）。但它們幾乎都不是該基金投資組合的核心。長期資本計算出，如果它們都破局了，像西耶納合併案那樣，那麼它可能會損失超過五十億美元——長期資本此時可承受不起這樣的風險。〔12〕

同一個星期天晚上，羅森菲爾德打電話找巴菲特，在他奧馬哈的家裡聯繫上他。一九九一年的莫澤醜聞後，羅森菲爾德獲得巴菲特的讚賞，當時他認真工作，讓所羅門兄弟度過危機，還幫忙恢復了公司聲譽。此時羅森菲爾德認為，最適合提供長期資本合併投資組合的人，非巴菲特莫屬了。這位億萬富翁喜歡做大規模的交易。他做過風險套利。由於交易價差擴大，價格很吸引人。

巴菲特很仔細聆聽著。但他很快注意到，自己已經有一段時間沒有參與併購套利，並沒有跟上速度。沒有成功。他很客氣地問，是否還有什麼事是他可以做的。

羅森菲爾德什麼也想不出來。〔13〕

第二天，也就是八月二十四日，合夥人們開始打電話找金援。有著最上流社會的人脈、輝煌的紀錄、光彩奪目的聲譽，沒有什麼目標是現代克羅伊斯（Croesus）無法達到的。格雷戈里・霍金斯在喬治・索羅斯的基金中找到了一個朋友，並且幫梅里韋瑟、索羅斯和這名億萬富翁的頂級策士史坦利・德魯肯米勒（Stanley Druckenmiller）安排了一次早餐會。索羅斯，這位鬼主意很多的共產匈牙利難民，和梅里韋瑟是完全不同的類型。索羅斯的每一個毛細孔，都流露出他東歐血統的氣味。他顯得莊重又拘謹，有一種要開始做哲學研究的傾向。他看起來像一隻灰色貓頭鷹。梅里韋瑟則比較隨意、樸實，美國中西部人的調調；他可能會是街上的州立農業（State Farm）保險經紀人。他們也代表了不同的投資風格。長期資本所設想的市場是穩定的系統，這個系統裡的價格圍繞著理性均衡的中心點變動。「我的看法不同，」索羅斯這麼說。〔14〕這位投機客認為市場是活的、不可預測的。他覺得市場會和正在進行的事件互相影響，並把這些事件反映出來。它們幾乎不是了無新意或抽象的系統。他是這樣解釋的：「你會得到一個鐘形曲線這種想法是錯的。你會遇到一些無法根據經驗來預測的異常現象。」俄羅斯，就是落在那些教授的曲線外的一個「異常現象」，索羅斯旗下的基金才剛剛在俄羅斯賠了二十億。

11 André F. Perold, "Long-Term Capital Management, L.P. (A)," *Harvard Business School*, case N9-200-007, October 27,1999,12.
12 Author interview with Eric Rosenfeld.
13 同前註。
14 Author interview with George Soros.

• • •

梅里韋瑟平靜卻又有說服力地辯稱，長期資本的市場會反彈；對於那些口袋很深的人來說，是有很大的機會的。索羅斯淡然地聽著，不過德魯肯米勒向J. M.提出了一些問題。他嗅到了一個機會，可以很快收回索羅斯在俄羅斯的損失。後來，索羅斯大膽地表示，他願意在八月底——也就是一個星期後——投資五億美元，前提是長期資本能夠另外籌募五億美元來補回它的資本。

這時候羅森菲爾德打了通電話，給長期以來一直渴望和格林威治建立更密切關係的摩根大通。該銀行派出了兩組人馬——一組精通債券，另一組精通股票——來仔細查閱長期資本的帳簿。從那時開始，摩根大通的人和長期資本的人都在討論，要怎麼挽救長期資本的投資部位。〔15〕長期資本很自然地找了摩根大通副董事長羅貝托．門多薩求助，長期資本曾經邀他擔任合夥人。雖然門多薩和長期資本的合夥人關係很密切，尤其是默頓、穆林斯和羅森菲爾德，但他並不知道長期資本正陷入嚴重的困境。羅森菲爾德告訴他：「我們需要大量資金。」他的直球出擊讓門多薩感到震驚。可以理解的是，這位銀行家想要了解一下長期資本的投資組合。J. M.要求希利伯蘭向門多薩說明交換交易部位，但謹慎的希利伯蘭拒絕了。希利伯蘭幾乎聲淚俱下、哽咽地說，他對他寶貴的投資組合一句話也說不出口。他曾經這麼有把握——他曾經借錢借得這麼爽快。如今他嚴密有序的世界開始崩壞。連他自己都可能破產。他有可能犯下了大錯，並因此身敗名裂。

但這一次，J. M.堅持要希利伯蘭務必透露一些事情。這名套利交易員勉強答應了。合夥人的朋友門多薩也講義氣地承諾，摩根（或其客戶）能提供兩億美元的金援。此時的長期資本需要三億美元以上；這筆錢似乎沒有那麼多。公司的法律顧問里卡茲為迫在眉睫的成交契約草擬了文件。

八月二十五日星期二，梅里韋瑟又打了兩通電話。一通打給美林證券總裁赫伯特．艾里森。在平常的情況下，兩人必定會聊到即將到來的瓦特維爾之旅，但這年九月不會有高爾夫球聚了。J. M.透露，該基金的資本已經跌到剩二十七億。他強調長期資本有充足的流動性，真的，流動性不是問題——這樣斬釘截鐵的說法即使是真誠的，也和該基金槓桿不斷上升的現狀相矛盾。J. M.仍然相信模型，模型仍然閃爍著看漲信號。

J. M.指出，儘管如此，長期資本還得在月底向投資人報告虧損狀況；如果能夠向他們證明新資金正在流入，他覺得比較好。他輕描淡寫地轉移話題，強調現在投資的任何人都有絕佳的機會。他打出王牌，暗示有個重要投資人——艾里森猜他說的是索羅斯——已經進場。也許美林證券願意加入他的行列，在八月底之前提供，比如說，三億到五億美元？艾里森雖然喜歡梅里韋瑟，但還是認為這個邀約太奇怪了。要在一週內拿出這樣的金額可是一筆大數目呢。

15 Author interview with Clayton Rose; Tracy Corrigan and William Lewis, "Merrill Lynch Details Contacts with LTCM," *Financial Times*, October 31,1998.

那天J. M.還打了一通電話給所羅門美邦的母公司——旅行者的傑米．戴蒙。他建議，與其兩家公司經由清算套利交易來互相廝殺，不如整合長期資本的投資組合和所羅門套利部門的剩餘資產，加以共同管理？從某種意義上說，就是重回老東家。J. M.的幾個合夥人也打電話到所羅門，向他們的老朋友尋求資金。他們說，該基金需要十億美元的資金，不過正漸漸達到目標了。

但長期資本已經開始失寵，而不是獲得注目。市場逐漸開始抨擊該基金。抵押貸款利差在週一又上漲了四點，週二又上漲了六點，在八月二十六日星期三，又上漲了三點。高殖利率利差又上漲了二十五點。隨著每一秒流逝，長期資本以前充裕的資本也流逝得更多——公司虧損的速度，超過了募集資金的速度。交易員們被停不下來的虧損嚇傻了眼、束手無策，他們變得茫然，就像任人宰割的步兵團。「這很奇怪，」其中一人說，「我們日復一日地遭受巨額虧損，而且這些虧損還停不下來。」該公司正在大失血。

長期資本知道必須減少投資部位，但它脫不了手——此時市場處於壓力下，欠缺買盤。儘管衍生性金融商品大幅成長，但信貸市場卻沒有流動性。以前從沒有過同時間每個人都想出場的時候。這正是該公司模型遺漏的地方。當虧損愈積愈多，像長期資本這類靠財務槓桿來投資的基金就被迫拋售，以免被虧損壓垮。而當一家公司不得不在沒有買家的市場上拋售，價格就會跑到鐘形曲線之外的極端。舉前不久交易價格比美國公債高一一〇點的「新聞公司」（News Corporation）為例，儘管該公司的前景並沒有一丁點改變，但是其債券的殖利率卻很離奇地飆升到一八〇點以上。從長遠來看，這種價差似乎很荒謬。但是對於高槓桿的公司來說，並不見得有機會做長遠的打算；他們可能活不了那麼久。

八月底一向是市場交易放緩的時期，但這一年的八月，債券市場的交易是幾乎消失了。新債券發行的市場完全停擺。預定的新產品突然撤回，這也還好，因為反正沒人購買。規模較小的投資者、模仿者、流行的對沖基金、套利交易新手，以及規模較小的歐洲交易員，正在退出價差交易業務，不然就是群起撤出他們的資本。〔16〕

由於擔心客戶不斷虧損，銀行終於收緊對沖基金的信貸額度。美國信孚銀行的對沖基金經理史蒂夫．弗雷德海姆收到了追繳保證金通知。他的貸款經紀人已經改變風向。以前他們曾經大力金援他；如今他們要求追加更多保證金。弗雷德海姆的債券的市值，跌到了它們貸款時的市值以下，看得他膽戰心驚。由於他的許多債券都滯銷，弗雷德海姆拋售了其他信貸——巴西、土耳其、泰國、美國的抵押貸款證券、高殖利率債券。他賣掉什麼都沒差；關鍵在於，他必須賣出點東西。在這時候，資本自然會從風險較高的資產，流向風險較低的資產，不管其標的價值是多少。在很小的程度上，弗雷德海姆自己的行動讓它這麼轉變了。再加上整個華爾街其他一千名弗雷德海姆的加倍效果，恐懼的危機變成了一種「自證預言」，正如創造這個詞的默頓的父親所建立的理論

16 Author interview with Eric Rosenfeld.

那樣。隨著價格下跌，銀行紛紛退出對沖基金。而當銀行退出，對沖基金又不得不繼續拋售。

桑佛・魏爾完全不想和長期資本或其他任何套利公司合作，他交代下屬減少對對沖基金的暴險。所羅門即使在其交易員清算資產時，也因為債券套利和俄羅斯市場都虧損而感到不安。據說魏爾已經命令他的手下，把和所羅門有業務往來的對沖基金數量，從五百家減少到二十家！魏爾的好友巴菲特也緊盯著他的員工，要求非常詳細地了解波克夏・海瑟威公司對對沖基金的暴險。巴菲特在形勢嚴峻時，本能地收緊了對公司現金的控制，他想知道波克夏・海瑟威的一家保險子公司是否在交換交易裡，握有足夠的抵押品。〔17〕

高盛對其交換交易的暴險感到緊張，尤其是和長期資本的交易。當被J. M.從中國打來的電話激怒的科津回電給梅里韋瑟時，他警告J. M.：「我們沒有得到足夠的回饋。這可能會損害你的信用等級。」高盛試圖撬開這家對沖基金一直緊閉的金口，但長期資本仍然不願意共享資訊。它試圖照常營業。但該公司已經不再有資本可以隨意決定項目。在高盛和其他銀行的壓力下，長期資本交易部位的相關資訊正在慢慢洩露。

此時是八月二十六日星期三，美林的艾里森打電話回覆說行不通。仍然一頭霧水的艾里森補充說：「約翰，我不確定籌募資金是否符合你的利益。這麼做可能會看起來像是你有了什麼問題！」

索羅斯的最後期限已經去掉了五天，市場消息持續利空。股票波動率又上升了兩個百分點，達到二十九%。拉丁美洲的債券走弱。雪上加霜的是，西方銀行開始承認自己在前蘇聯的損失。瑞士信貸第一波士頓和紐約的共和國國家銀行（Republic National Bank）這兩家對資本主義新俄羅斯最具影響力的擁護者，也公開了它們在俄羅斯的巨額虧損。趕流行投資盧布債市、由佛羅里達西棕櫚灘的III離岸顧問公司（III Offshore Advisors）負責營運，名字也名符其實的基金「高風險機會基金」(High Risk Opportunities Fund）也滅頂了。紐約聯準會主席威廉・麥克唐納匆忙取消前往懷俄明州傑克遜霍爾（Jackson Hole）的行程，美聯準每年都在那裡舉行夏末靜修。既然有熊出沒，麥克唐納就沒時間等麋鹿出現了。

愈來愈絕望的梅里韋瑟和羅森菲爾德再次打電話給巴菲特。[18]有些合夥人一直不諒解巴菲特，因為在他們眼裡，是他把梅里韋瑟趕出所羅門的。他們怨恨這位簡樸的億萬富翁老是愛說教，尤其還喜歡把學術模型貶得一文不值，他避免採用模型，而是喜歡用他那種簡單的買入並持有普通股的方法。[19]就像我們看到的，長期資本的合夥人甚至做空波克夏，而在這筆套利交易上，他們損失了大約一・五億美元。儘管巴菲特和該公司合夥人出身自不同的學校，但同為有投資天賦的投資者，仍是會相互尊重。如今長期資本亟需資金，而此時在美國除了比爾・蓋茲，沒有人比

17 Author interview with Joseph Brandon.

18 Carol J. Loomis, "A House Built on Sand," *Fortune*, October 26, 1998.

19 In "How the Eggheads Cracked," Michael Lewis quoted one of the partners as saying "Buffett cares about one thing. His reputation."

巴菲特更有錢。

巴菲特答應和希利伯蘭見面，希利伯蘭在八月二十七日星期四飛往奧馬哈。到此時，該公司的資本已經縮水到二十五億美元。早上的《紐約時報》鄭重地定調：「現今的市場動盪堪比記憶中最慘痛的金融災難。」[20]希利伯蘭還在飛機上時，就已經知道東京的股市跌了三％，到達十二年來的低點。日本大藏大臣宮澤喜一說：「最基本的，就是不要恐慌。」[21]那一天，俄羅斯股價會下跌十七％，比年初的水準低了八十四％。事實上，世界各地的股市都在暴跌：倫敦下跌三％，西班牙下跌六％，巴西下跌十％。

美國市場和全球同步下跌。道瓊指數下跌三五七點，也就是四％。因為擔憂世界經濟陷入衰退而人人自危，商品價格跌到了二十一年來的最低點。第二天的《華爾街日報》將其稱為「全球性的保證金追繳通知」(globe margin call)[22]。每個人都想拿回自己的錢。由於在俄羅斯的愚蠢投機行為賠錢賠得很慘，投資者開始拒絕冒任何形式的風險，甚至不願冒合理的風險。美國長期公債的殖利率跌到五．三五％，是林登．詹森（Lyndon Johnson）在任總統以來的最低水準。全球藍籌股福特汽車公司發行的A級信貸，殖利率飆升到比美國公債高一一五點，儘管福特的信貸安全性並不比四月份差，當時的交易價差只有六十點。投資者只想打安全牌；此外，無論價格如何，他們都希望能夠提供較安全的債券，讓他們安心。

巴菲特週四在機場會見了希利伯蘭，並護送他回到自己的辦公室，位在披薩店對面的一棟淺色高層建築裡的一間簡樸的套房。希利伯蘭還是表現出一貫有條不紊的本性。他對長期資本的虧損據實以告，不過也表示損失已完全控制住了。他並沒有讓巴菲特覺得毫無希望。這位套利者詳細檢查了他遭受重創的投資組合。希利伯蘭強調他看到了未來的巨大潛力——有鑑於他的個人債務，他也別無選擇。希利伯蘭表示，不過由於長期資本急於籌措資金，因此該基金的通常收費願意減半。

對巴菲特來說，光這樣做還不夠。在他看來，長期資本的收費本來就太高了。[23]不管怎樣，他還是興趣缺缺，至少現在是這樣。巴菲特說了謝謝，但婉拒了。

當希利伯蘭離開並打電話回格林威治時，有了更糟糕的消息。該基金週四虧損了二・七七億美元——這是開業以來表現第二糟的日子。其資本縮水到二十二億美元。四年來，格林威治的智囊團賺錢的速度比其他任何人都快。如今，就像在倒帶觀賞一部電影，場景出乎意料的恐怖——他們無比快速的在虧錢。接下來不可思議的事情發生了。隔天，八月二十八日星期五，長期資本有盈利了。信用利差縮小，該基金的資本增加了一・二八億美元——這是幾個月以來第一次大幅

20 Sam Dillon, "Economic Turmoil in Russia Takes Toll in Latin America," *The New York Times*, August 27, 1998.
21 Sheryl WuDunn, "Japan Stocks Fall 2% but Rebound from a 12- Year Low," *The New York Times*, August 28, 1998.
22 "Russian to the Exits: 'A Global Margin Call' Rocks Markets, Banks—and Boris Yeltsin—Stocks Drop World-Wide; There's Sober News, Too, About the U.S. Economy," *The Wall Street Journal*, August 28, 1998.
23 Author interview with Warren Buffett.

上漲。合夥人們抱著一絲絲的期待，希望他們等待已久出現轉機即將到來。

但除了基金之外，合夥人還有另一件要擔心的事，需要趕快關注：LTCM，他們個人擁有的管理公司，正面臨著嚴重的現金流問題。LTCM欠了銀行團（包括富利銀行、里昂信貸、大通曼哈頓和勞合銀行〔Lloyds〕）一大筆錢，總計一．六五億美元。到了八月下旬，這些銀行，尤其是富利銀行，大聲嚷嚷著該基金的糟糕表現會構成違約事件，也因此，各家銀行有權要求還款。但LTCM並沒有現金——大部分資金都投入了基金，以增加合夥人的投資額。實際上，LTCM已經差不多要破產了。如果公開這件事，該公司和其基金都可能面臨惡性循環。

包括擔心個人債務問題的漢斯．赫夫施密德在內的一些合夥人認為，LTCM就是應該出售它在該基金中的部分股份來償還銀行。但律師里卡茲適時地警告說，如果公司自己人現在拿錢出來，而外部的投資人沒有選擇這樣做，那麼以後會很難看。梅里韋瑟可不想再次遭受美國證券交易委員會譴責，因此他同意了。此外他也知道，如果合夥人們售股換現，那他就幾乎無法要求其他人進行新的投資了。不管狀況是更好或更差，合夥人的錢都必須留在基金裡面。

不只LTCM，該基金也有現金流擔憂。隨著八月逐漸近尾聲，合夥人感受到了來自該基金清算經紀商貝爾斯登的壓力，貝爾斯登緊張地看著長期資本的資產一步步縮水。由於希利伯蘭的談判策略強硬，該基金和貝爾斯登從未簽署協議，這意味著貝爾斯登可以隨時停止清算其交易。因此，希利伯蘭的策略沒有什麼效果，現在長期資本只能任由貝爾斯登擺布。

要鬆綁現金，有一種策略是把長期資本和不同銀行進行的交易做配對。由於沒有銀行能了解全貌，因此沒有一家銀行看到其大部分的交易都進行了對沖，而且往往會相互抵銷；因此，每家銀行都要求比其他情況下更多的利潤。長期資本試圖將配對的交易轉移到同一家公司，但工作量很大：該基金擁有的個別交易部位多得令人難以置信——有六萬個。〔24〕

長期資本早先的疑慮已經變成了一種負擔（如果希利伯蘭早先堅持不讓銀行知情，配對交易的問題就不會出現）。希利伯蘭和其他交易員已經不再像該基金處於領先地位時那樣，老是神祕兮兮的，甚至態度傲慢，但是他們那自以為是的優越感，如今又回來成了他們揮之不去的陰影。長期資本不得不向它冒犯過的銀行請求從寬處理。儘管「酋長」（麥肯泰）極力反對，但合夥人們回憶起把二十七億美元還給投資人的事就覺得很折磨。更糟糕的是，他們還強迫他們的投資人接受！這筆錢本來可以解決他們的問題，但當然，投資人不再迷戀長期資本，也不會再哀求讓他們再投資。更重要的是，許多銀行本身也壓力沉重。這是歷久不衰的諷刺之事：在你最需要錢的時候，最有可能的金主（以長期資本這案例來說，就是像索羅斯，還有投資銀行和投資機構這類其他公司），很可能也是最具傷害力的。

合夥人開始意識到他們可能不會成功。他們精心打造的風險管理實驗，更不用說他們驚人的

24 Author interview with Eric Rosenfeld; "Hedge Funds, Leverage, and the Lessons of Long-Term Capital Management," Report of the President's Working Group on Financial Markets, April 1999,11.

利潤，正處於瓦解的危險中。「八月底我們很絕望，」羅森菲爾德坦承。由於讓自己落在這種不必要的屈辱，他們的語氣變成了難以置信和痛苦。他們太有錢了，有錢到不該惹上這麼多麻煩。最新的合夥人莫德斯特，哀嘆他的入夥幾乎毫無價值。

合夥人日益絕望的另一個跡象，是他們爭相避免個人資產受到陷入麻煩的長期資本所牽連。身價曾經高達五億美元的希利伯蘭，正用他妻子的支票帳戶來支付他奢華的新豪宅的工程款。梅里韋瑟悄悄地設法保護自己不受到債權人令人厭惡的糾纏。他把唯一的不動產——加州圓石灘一塊昂貴的二十英畝土地——簽字移交給妻子（他的威徹斯特莊園已經在米米的名下了）。〔25〕

此時梅里韋瑟急需放寬心，於是便打電話給老朋友文森．麥湯尼，他是該基金在貝爾斯登的第一個聯絡人。已經退休的麥湯尼，和J. M.底下那些優雅的教授都不一樣。他會戴金項鍊和尾戒，他穿著黑色絲質襯衫、前襟敞開現身在長期資本管理公司。他看起來彷彿噸位達三百磅。和J. M.那些奇怪、呆板的合夥人不同，麥湯尼把市場看做精緻的人類機構——天生易變，往往容易出錯。

「你們在什麼位置？」麥湯尼劈頭就問。

「我們下跌了一半！」梅里韋瑟說。

「你們完蛋了。」麥湯尼這麼回答，彷彿不需解釋為什麼他得出這個結論。

這是第一次，梅里韋瑟說的話給人憂心的感覺。「你在說什麼鬼話？我們還有二十億美元。

我們還有一半的資金——我們還有索羅斯。」

麥湯尼悲傷地笑了笑。「當你下跌一半的時候，人們估計你可能會一路下跌。他們會促使市場對你不利。他們不會啟動（再融資）你的交易。你完蛋了。」

麥湯尼造訪之後不久，梅里韋瑟和麥肯泰就去當地一家深受J. M.、以及其他移居過來的華爾街人士青睞的旅館喝一杯。喝著他的招牌酒飲琴通寧，梅里韋瑟看著他的朋友，用全然平淡的聲調說：「你說得對。」「酋長」也看著他。「我應該聽你的。」J. M.說。

• • •

局外人事後會批評他們這群人團結合作的方式，但這是他們唯一最能接受的選擇。他們的關係愈深厚，合夥人就愈不想和其他人相處，而他們的陣容就愈封閉。他們暫時壓抑了自己的怨恨和強烈的厭惡感；他們避免責難和抱怨。他們冷靜而堅決，他們破曉就到了辦公室，工作到深夜，彷彿他們身體在場就可以阻止失血。他們打了好幾個小時電話，試圖清算交易，安撫舊的投資人，引誘新的投資人，防禦銀行方。羅森菲爾德和黎伊試圖維持士氣。他們告訴員工：

25 Gary Weiss with Barbara Silverbush and Karen Stevens, "Meriwether's Curious Deed," *Business Week*, October 19,1998.

「我們會沒事的。我們有很多流動性。我們正在募集新資金。我們只是必須要規模更小點——我們的風險太多了。」合夥人不斷退到會議室，總是拉起窗簾防止外面的人窺探，祕密進行地解決他們的問題。他們的會議似乎開不完。他們離開前，可能就會有一名員工來央求透露一點消息。但合夥人幾乎都沒有回應，甚至對他們自己的雇員也不回應。神經緊繃的希利伯蘭像是沒聽見似的，與他們擦身而過。

• • •

到了八月的最後一個週末，長期資本已經比此前都更能滿足索羅斯開出的條件，而華爾街有權開支票的每一個人，大多數都出城度過這個夏末。幾週來的每一天，日復一日，長期資本都要虧損數百萬甚至數億美元——直到最後，它終於在週五迎來唯一上漲的那天。仍然懷抱希望的梅里韋瑟，又打了一輪電話。

其中一通是打給美林證券的丹尼爾・納波利，詢問納波利認為什麼時候才會止血——彷彿納波利或其他任何人都可能知道。然後J.M.打給了西西利亞諾，聯繫到瑞銀駐東京的經理。

「你家銀行裡有人想要投資嗎？」梅里韋瑟詢問道：「這些交易定價錯誤。我們認為我們有相當大的機會。」J.M.保持鎮定，補充說，長期資本認為它已經有高達十億美元的其他新資金實際上是囊中物了。

不過，瑞銀集團已經是長期資本的最大投資者。「你必定賠了有百分之二十五（的資金）吧。」西西利亞諾說。

J. M.冷靜地回答：「比較接近百分之四十五。」

西西利亞諾嚇到了。他懷疑會有誰願意冒險投入第一個十億元。他知道不會是他。

八月二十九日星期六，梅里韋瑟打電話給愛德森．米契，他是一九九三年率先進行長期資本首次融資的美林證券銀行家。米契後來搬到倫敦，為德意志銀行拓展全球債券業務。現在米契和德意志銀行可以為長期資本籌到資金嗎？

米契說這不太可能。

梅里韋瑟快沒朋友可找了。當你需要錢的時候，華爾街是個很絕情的地方。

八月三十一日星期一，這個月快結束時，一直在買本地股票的香港金融管理局突然停止支撐股市。又一個安全網被暴露為漏洞。當地交易所暴跌七%，引發華爾街的拋售潮。道瓊指數暴跌五一二點，等於暴跌六%，使得平均指數跌到七五三九點。從七月中以來，道瓊指數已經下跌了十九%。從阿拉斯加鮭魚季回來的財政部長魯賓，試圖藉由宣布美國經濟「穩健」來平息市場。但這只是加深了崩盤事件的神祕性，因為沒有任何一條消息是可靠的。《華爾街日報》引用了「令人失望的芝加哥採購經理人指數」，這是個微不足道得幾近可笑的解釋。該報提到的這句話還更接近真相：「在邊緣地帶，沒有增加的買家。」[26]一般大眾的經濟穩健，不過金融市場則是過度槓桿和過度擴張。整個華爾街都失去了勇氣。默頓模型裡那種冷靜、不會情緒化的交易員，如果曾經有過的話，如今也已經不存在了。現在他們正處於全面的恐慌之中。

長期資本交易的市場受創相當嚴重。股票波動率突破了三十%。公債殖利率下降，信用利差進一步擴大。投資級債券利差暴增——就在那一天——從一三三點升到一六二點！事實上，這種價差是必須推斷出來的，因為當天債券市場幾乎沒有任何交易。債券市場實際上已經關閉；沒有人能夠交易任何東西，或是不遭受可怕的損失。就好像被炸彈擊中了一樣；交易員茫然地和他們面前的螢幕你看我、我看你。根本就找不到買家。「八月三十一日是個獨特的日子，」瑞士信貸第一波士頓的債券策略師柯蒂斯・尚博（Curtis Shambaugh）說。「交易的股票少到你得去猜測它們在哪裡。」對於一個必須減輕負擔的基金來說，這個月以一種它所想像得到、最噩夢般的債券市場結束——完全沒有債券市場。

・・・

八月是有史以來信用利差最差的月份。[27]在以前，這種不斷膨脹的利差相當於預示經濟崩潰。不過這一次，一般民眾的經濟並沒有受到蕭條的威脅；或許有放緩，但也僅止於此。造成債券市場崩潰的，是華爾街本身的恐慌，而非主流經濟——華爾街裡過度的樂觀（和過多的槓桿）瞬間絕望了。

有四分之三的對沖基金在八月份虧損，而長期資本的表現是其中最慘的。在這可怕的一個月裡，梅里韋瑟這幫人損失了十九億美元，也就是他們資本的四十五%，只剩下二十二．八億美元。索羅斯挹資的機會消失了——毫無挽救的可能。而長期資本的投資組合，仍然很危險地在擴大。該基金擁有一千兩百五十億美元的資產——占其之前總資產的九十八%，是其現已縮水的股票的五十五倍——此外還有其衍生性金融商品投資裡的龐大資金槓桿，像是股票波動性和交換交易利差。這樣的槓桿根本難以維持下去。如果其資產總值繼續往下掉，其損失會在一眨眼間消耗掉那二十二．八億美元的股權。然而，考慮到交易規模，還有流動性會完全喪失，這樣的槓桿比率就沒有辦法降低。

這群合夥人處在一個不熟悉的地方，一個電腦模型沒有探索過的領域。史塔維斯認為，合夥人已經陷入了「一種他們不理解的波動性」。就理論上來看，像八月這種虧損的賠率是會令人望之卻步的；根據數學家的說法，這樣的崩盤是個相當怪異的事件，在整個宇宙的壽命裡，甚至重

26 Greg Ip and E. S. Browning, "The Bear Stirs: Stocks Plunge Again, Battering Stalwarts and Internet Stars—Dow Industrials' 6.37% Drop Wipes Out 1998's Gains; on Nasdaq, It's Worse—Some Say Bottom Is in Sight," *The Wall Street Journal*, September 1, 1998.

27 Author interview with Jack Malvey.

複無數次宇宙的壽命，都不太可能發生。[28]但是，在梅里韋瑟寫信給該公司的投資人，信心滿滿地支持默頓與舒爾茲對該基金風險的精細調整過的假設，還沒過完四年，這種事就發生在長期資本身上。唉，用合夥人的行話來說，就是「（交易之間的）相關性已經消失到剩一個」。每個投資的地方同時都賠錢了。骰子不是隨意丟出來的，不然最起碼它們看起來像是同一隻充滿惡意的手丟出來的。

28 Kolman, “LTCM Speaks,” *Derivatives Strategy*, April 1999.

9 人性因素 The Human Factor

九月初，梅里韋瑟得要告訴他的投資人該基金的可怕損失了，他在信裡也毫不閃避問題：

正如你們大家都知道的，整個八月裡，圍繞在俄羅斯市場崩盤的事件，在全球市場上造成了大規模且急劇增加的波動性。……不幸的是，長期資本投資組合的資產淨值也急劇下滑……在八月份跌了四十四%，今年到目前為止跌了五十二%，這種規模的虧損對我們來說是一個衝擊，對你們來說一定也是，尤其是考慮到本基金歷年來的波動性。〔1〕

不過，J. M.的信對該基金的未來還是抱持謹慎樂觀態度。毫無疑問，這種樂觀的看法反映了他誠實的評估，但此時合夥人們對自身前景的看法，和外界的看法有嚴重的歧異。根據這封信

1 John W. Meriwether, letter to investors, Bloomberg, September 2, 1998.

來看，長期資本大難臨頭的種子，在一九九八年初就已經播下，當時的信貸利差已經擴大。那時長期資本已經押注在利差會再度縮小，但投資人逃離非流動性證券，促成利差更加擴大。由於這種J.M.所稱的「逃向流動性」，「我們在各項策略上的虧損在事後是相關的」——這樣令人痛苦的解釋，意圖在說長期資本已盡其所能在「事前」避免這種相關性。

他的分析並沒有暗示長期資本裡有什麼人犯了錯——例如，在一九九七年底，在機會還相當難得的時候，沒有去刪減資產負債表。J.M.的言外之意，是他並不怪罪他的交易員，而是怪罪和他們唱反調的市場。

梅里韋瑟向投資人保證：「現在已經採取降低風險的步驟了，和我們的資本水準相當。」不過這是個十分有誤導性的說法，因為長期資本在銷售方面完成的不多，而且其槓桿比率已經飆升到五十五比一——這是梅里韋瑟忽略掉的事實。最厚道的解釋就是，梅里韋瑟在希利伯蘭和哈罕尼的強勢影響下，並不認為核心交易有那麼大的風險。他說：「在我們很多絕佳策略裡，我們看到了很棒的機會。」與此同時，J.M.斷言，他們的基金「流動性很強」——這點倒是沒說錯，但是並不能解決合夥人經營的管理公司LTCM所搞出來的嚴重現金流問題。

長期資本在九月二日把這封機密信件傳真給投資人，但其中一名投資人把內容洩漏給財經新聞社彭博社，彭博社甚至在最後一名投資人收到信件之前，就已經發布內容了。這起很沒必要的宣傳，像潑了冰水一樣打擊了基金合夥人。《華爾街日報》一篇更全面的關於金融困境的報導中，把長期資本的虧損拿來做為報導主角〔2〕，網路金融專欄作家詹姆斯・克瑞莫（James Cramer）尖銳地評論說，也許「天才」這個稱號應該保留給莫扎特，而不是給這些套利者。〔3〕

雖然媒體的議論讓他們感到尷尬，但此時交易員正要從漢普頓返回，該基金仍然預期會出現轉機。八月想必是個奇怪的狀況。「人們都去度假了，」合夥人們奔相走告，「現在一切會恢復原狀的。」但在梅里韋瑟發信後的隔天，穆迪投資者服務公司（Moody's Investors Service）下調了巴西的債務評級，這是個壞兆頭。把金融危機的病菌從一個國家帶到另一個國家的跨國交易員，現在似乎心照不宣地把注意力集中在巴西。貨幣投機客正在榨乾聖保羅，而聖保羅也仿效莫斯科的可疑作法，否認它會貶值。長期資本最不想要的，就是另一個俄羅斯。

不可避免地，各家銀行都收緊了巴西的信貸。美林證券總裁赫伯特・艾里森在九月四日（勞動節前的星期五）召開會議，討論美林在新興市場的回購交易的暴險。以前非常支持和長期資本發展關係的艾里森想知道，美林為什麼要為該基金的巴西交易提供資金。「你是想表達什麼，赫伯？」艾里森的一名下屬反駁道，暗指他的老闆以前明明偏愛長期資本。「就是因為你的關係啊！」艾里森大笑，並告訴他的員工，不要再讓這種事發生了。

2 Anita Raghavan and Matt Murray, "Financial Firms Lose $8 Billion So Far—Global Fallout from Russia Hits Big Banks, Others; Meriwether Fund Hurt," *The Wall Street Journal*, September 3,1998.

3 James J. Cramer, "Wrong! Rear Echelon Revelations; Einstein Has Left the Building," thestreet.com, September 3,1998.

銀行不僅對對沖基金感到不安，也很擔心自身的虧損不斷增加。高盛、摩根、所羅門美邦、美林和其他銀行也擁有龐大的債券投資組合，這些投資組合在不同的配置中，通常也和長期資本的債券類似。銀行也利用做空美國公債來對沖其投資組合，而且它們面臨同樣無情的信貸利差擴大的風險。此外，銀行的股價也大幅下跌。損失最大的高盛，尤其擔心熊市會破壞其下個月的公開募股計畫。所羅門也很緊張。桑佛·魏爾擔心，套利的損失可能會危及他和花旗公司即將在十月進行的合併。在魏爾嚴厲的命令下，所羅門持續清算。善變的哈罕尼非常沮喪，他想買下所羅門投資組合的剩餘部分，以阻止其出售。合夥人認為哈罕尼很愚蠢──長期資本已無法購買任何東西。他們幾乎都懷疑，神經質的哈罕尼並沒有竭盡全力地拋售資產，就好像他在暗地裡享受著一切都岌岌可危的快感。在倫敦的時候，他繼續騎著腳踏車上班，好像什麼錯都沒有。

不過合夥人注意到了一個不太吉利的模式：他們的交易比其他人的交易跌得更多。例如，垃圾債券出現反彈，但長期資本持有的某些債券仍持續低迷。[4]同樣的，英國的交換交易利差擴大得比德國大得多──這和長期資本所押注的完全相反──沒有任何明顯的經濟理由。在英國，交換交易利差飆升到八十二點，然而在德國卻在四十五點上下徘徊。「這不合理啊。」一名長期資本管理的交易員氣憤地說。假如英格蘭正遭遇到安全投資轉移（flight to quality），照道理講，德國應該也會遇到同樣的狀況。但無論從邏輯上還是其他方面來看，華爾街的交易員就像下沉的船隻上的老鼠，都在逃離長期資本的交易。

這不再純粹是巧合。長期資本在尋找資金的過程中，被迫透露其投資組合的點點滴滴，甚至整體概況。諷刺的是，這個迷戀於保密的對沖基金，現在成了一本打開的書。就像麥湯尼說的，市場會合謀對弱者不利。多虧了梅里韋瑟的信，這下華爾街都知道長期資本的麻煩了。競爭對手的公司開始提前拋售那些他們擔心被長期資本清算拖垮的部位。「人們一嗅到不對勁，就開始退出了，」當時在所羅門擔任交易員的科斯塔斯・卡普蘭尼斯評論道。「不要攻擊LTCM——要自救。」當他們不停努力進行長期資本的交易時，理查・黎伊覺得噁心，好像公司的競爭對手正在清算長期資本自己的交易部位。[5]希利伯蘭沒說錯：當你揭開你的祕密，你就會被看光光了。

• • •

梅里韋瑟可能認為該基金具有流動性，但是貝爾斯登可就沒那麼有把握了。長期資本的「私房錢」——也就是它保留在貝爾斯登待命的現金和證券——每天都在跌價。貝爾斯登對於為該基金進行清算愈來愈不安。雪上加霜的是，每天下午向貝爾斯登更新該基金業績的長期資本財務長勞勃・薩斯塔克，一再低估了該基金的虧損。薩斯塔克並不是故意的。長期資本必須估算許多交

4 Author interview with Eric Rosenfeld.

5 Michael Lewis, "How the Eggheads Cracked," *The New York Times Magazine*, January 24, 1999.

易的市值，尤其是未公開報價的衍生性金融商品。長期資本從其他交易商那裡取得它的「刻度」——它的價格。現在，競爭的銀行若不是謹慎行事，不然就是減少交易來利用長期資本的困境，迫使薩斯塔克帶著更準確的數字回貝爾斯登。

貝爾斯登的信貸經理麥克．亞利克斯認為，是時候該關注長期資本了。亞利克斯告訴薩斯塔克，如果長期資本的私房資產少於五億美元，貝爾斯登會停止為該基金清算。亞利克斯強調貝爾斯登現在很焦躁，他命令長期資本幫它和貝爾斯登融資的一些期貨合約尋找新的融資。謹慎的貝爾斯登不希望這家對沖基金有過多的暴險。

貝爾斯登的施壓，讓長期資本的回購交易員麥克．瑞斯曼也陷入焦躁。瑞斯曼是長期資本的挖錢高手，是幫公司的債券找到融資的人，而且通常是最可能成功的融資。他也是長期資本裡頭最接近真實人物的人。年僅三十三歲的他也是個單人脫口秀喜劇演員，在曼哈頓開了「高譚脫口秀俱樂部」（Gotham Comedy Club）。如果有人辦公室的燈還開著，那就是瑞斯曼了。但是到了九月初，這位回購交易員已經沒有表演脫口秀的心情了。他比其他任何人都更了解該基金的狀況，他告訴一位同事，如果長期資本在本月底前沒有籌到新資金，該基金將失去其回購額度，沒有回購額度的話，基金就死定了。

公司員工會感到焦慮是有個人原因的。他們在基金內有自己的資本，但他們對於合夥人為了挽救基金所做的事一無所知。員工是沉靜的英雄，即使他們的未來變得愈來愈黯淡，他們也會長時間工作。這也難怪，他們對於和他們一起工作，卻從不分享祕密的那些合夥人感到很不滿。當老闆們關起門來開會，這些員工會咬緊牙關等著。當合夥人出來時，員工會說：「嘿，老兄，出了什麼事？」典型的回應是：「我們正在盡力。」於是員工帶著嘲弄制定了一個「領帶指數」來替代可靠消息：員工們開玩笑說，打領帶的合夥人愈多，重要會議就愈多，公司的麻煩也就更嚴重！

事實上，合夥人們也擔心員工會跑掉。這個問題忽視不得，因為支付員工薪水的LTCM根本沒有流動性。在九月的第一週，富利銀行要長期資本管理公司償還貸款。這意味著LTCM的命運岌岌可危；富利銀行隨時有可能讓該公司破產。據推測，如果發生這種情況，LTCM的交易對象會宣告其交換交易協議違約，讓其基金本身破產。

面對著到目前為止最嚴重的危機，合夥人以貸款的形式，把三千八百萬美元從投資組合裡轉移到（他們個人擁有的）LTCM裡。這筆可疑的交易，提供了可以支付員工薪水到一九九八年年底的現金，為LTCM從員工那邊爭取到了一段時間。該基金的外部董事批准了這筆貸款，理由是如果LTCM垮台，其基金本身可能會倒閉。只不過，這筆貸款即使在合約上通過了，仍然充滿著利益衝突。合夥人就是把自己在基金裡的投資當提款機——或者說，實際上就是用基金裡的投資當抵押品來借錢——而對於信任他們、將資金託付給他們操作的外部投資人，卻沒有提供相同的機會。這是完全絕望的一種跡象。

即使耍這種花招也還不夠。由於仍然面臨著富利銀行的威脅，LTCM說服了大通曼哈頓銀行家大衛．福勒格承擔富利銀行的貸款，總計大約四千六百萬美元，並同意大通那裡先不收回已經拖欠許久的六千二百萬美元貸款。羅森菲爾德深深地感激大通銀行「令人難以置信的舉動」〔6〕，但現在LTCM欠大通銀行一億零八百萬美元、欠里昂信貸銀行五千萬美元、欠勞合銀行七百萬美元——還欠自己的對沖基金三千八百萬美元。

勞動節前的星期天，九月六日，梅里韋瑟再次尋找資金，他召集了美林的三名高層主管。比美林的理查．鄧恩警覺到事情不對勁，在假日輪值時間裡仔細檢查了美林對長期資本的暴險。比起自家的直接暴險，此時美林更擔心長期資本的問題。鄧恩正在思考，如果長期資本造成的崩盤引發了人們退出，市場會發生什麼狀況——整個華爾街能否同時通過同一扇門？美林證券非常擔心，因此委託了業務經理凱文．鄧利維和信貸經理羅伯特．麥克唐納，去了解格林威治的一些情況。鄧利維和基金合夥人關係一向友好，他直截了當地問他們：「你們還好嗎？」這幾個合夥人，還是用平常談論事情的那套正面說詞，表示公司儘管還有些問題，但仍然具有流動性。鄧利維後來告訴同事，他被這些合夥人騙了。〔7〕

不過J.M.和其公司確實相信，因為利差這麼大，鐵證就在眼前。「我們夢想有一天我們會有這樣的機會。」羅森菲爾德說。〔8〕他們缺乏的是利用這些機會的手段。J.M.現在處於艾克斯登投資銀行的位置上，面臨著不得不讓一些新的J.M.製造殺戮的前景。為了安全起見，梅里韋瑟告訴紐約聯準會主席威廉・麥克唐納，長期資本不得不尋找新資金。J. M.和所羅門的其他高層，曾因為沒有及早把問題告知美聯準而受到譴責；J. M.不會再犯那樣的錯誤了。

• • •

從八月底進入到九月這整段期間，合夥人的情緒隨著他們對新投資的展望而波動。他們迴避了棘手的LTCM現金問題，而專注於此時投資的人可能擁有怎樣的光明前景。摩根的門多薩仍然承諾投資兩億美元。他輕鬆地把藍籌投資者的名字列在他的名單上，其中包括通用電氣董事長傑克・威爾許。然而，其他事務經常分散了門多薩對LTCM的注意力。他真的很喜歡這家公司，但其合夥人對於門多薩是否是他們最有用的盟友，或者只是個有同情心的窺伺者，看法仍然很分歧。無論如何，這群合夥人的名片簿裡有很多有錢人的名字。邁倫・舒爾茲聯絡了個人電腦巨擘麥可・戴爾（Michael Dell），戴爾派了一個團隊去檢查該基金的帳簿。德州金融家巴斯家族（Bass）

6 Author interview with Eric Rosenfeld.

7 The author asked Dunleavy if Long-Term had been straight with him. He replied, "I won't answer that question. Anything between myself and a client is Merrill Lynch information."

8 Lewis, "How the Eggheads Cracked."

和其他許多人緊隨其後。從表面上看，這次閃電戰很像一九九三年長期資本的第一次宣傳活動。

不過，儘管他們自己好像沒有意識到，但這群基金合夥人已經失去了以前幫他們敲開各扇大門的無比光環。他們擁有華麗的履歷，不過並沒有魔法——沒有魔法，他們只不過是另一家基金而已。梅里韋瑟期望能獲得出版大亨齊夫兄弟（Ziff Brothers）的資金，便提出最初三年減收長期資本不尋常的高額管理費的條件——不過也只有前三年而已。這樣的廣告也許以前有效，但現在J. M.提出這種暫時性折扣的提議，讓齊夫兄弟覺得很傲慢。這就是華爾街轉瞬即逝的魅力：高收費經理人會讓投資人擠破大門也要求見，但往後一旦他降低收費比率，又會被投資人棄若敝屣。

一群合夥人還拜訪了大型對沖基金營運商「老虎基金管理公司」（Tiger Management）的負責人朱里安・羅伯森（Julian Robertson），他當時打算公開因錯誤押注日圓所造成的二十億美元虧損，所以可能沒有心思進行投機交易。不管怎麼說，羅伯森這個精明的南方佬沒有留下什麼深刻印象。他看不出裡頭有什麼內容，能夠讓他相信長期資本有卓越的專業知識。這群合夥人再次空手而歸。擁有這麼令人陶醉的資歷，和這麼炫麗傲人的名單，結果卻這麼灰頭土臉，實在罕見。

甚至已經投資長期資本的投資人，也開始拿放大鏡來檢視該基金。匹茲堡大學財務總監馬龍・皮斯（Marlon Pease）飛往格林威治和默頓和舒爾茲見面，他們兩人在學術界幾乎具有英雄般的地位。這兩位教授閉口不談他們最近的虧損，不過提到了該基金的潛力。擔任過業務員的舒爾

茲，對於長期資本要在九月籌到十億美元，到年底前再籌到十億美元，表示很有信心。但皮斯拒絕再投資更多錢。〔9〕

史丹佛大學教授威廉・夏普（William Sharpe）曾提供該基金一名投資人建議，他說：「我們被哄騙進這種作夢般的狀態。」不過此時夏普已經大夢初醒。當他的史丹佛大學前同事舒爾茲打電話來，想要籌措更多資金時，夏普提高了警覺。他的一名客戶是個富有的華裔美國人，已經準備投資三千萬美元，但夏普說這投資風險太高。他們同意這名客戶此時先投資一千萬美元，如果長期資本真能吸引到大型投資客，則再投資一千萬美元。他們準備把錢匯到一個託管帳戶，但舒爾茲推遲了。長期資本知道，募集這種小額資金毫無意義。

為了爭取大額資金，梅里韋瑟繼續和美林的赫伯特・艾里森、德意志銀行的愛德森・米契、大通銀行副董事長唐納德・萊頓（Donald Layton）和瑞銀資產管理部門的蓋瑞・布林森（Garry Brinson）保持聯繫。這些華爾街的巨頭很容易擁有足夠的資源，但是這些人會輕易動搖嗎？儘管基金合夥人的預測很樂觀，但這些銀行家對麻煩事的嗅覺很敏銳。隨著長期資本愈來愈著急，銀行家們更可以耐心等待。隨著時間一天天過去，「難得的機會」就會變得愈來愈廉價了。

看起來是不太可能達成目的了，長期資本進入的市場一直在崩跌。風險套利價差達到自一九

9 Author interview with Marlon Pease; Michael Siconolfi, Anita Raghavan, and Mitchell Pacelle, "All Bets Are Off: How the Salesmanship and Brainpower Failed at Long-Term Capital," *The Wall Street Journal*, November 16, 1998.

八七年崩盤以來的最高水準。[10]公開股票發行也停止了，讓高盛銀行的人不寒而慄。[11]B級債券的殖利率，從一年前的兩百點攀升到五百七十個基點，超過了藍籌股的殖利率。短期股票市場保險（股票波動）的價格翻了一倍。[12]一名期權交易員告訴《華爾街日報》：「這就像有一股恐懼籠罩著整個市場。」[13]在海外，價格反映出完全的恐慌。某個新興市場債務指數利率，從一年前的三百點，飆升到比美國公債還高的一千七百點！[14]葛林斯潘悲觀地警告說，在這樣一個陷入麻煩的世界裡，不能指望美國成為繁榮的綠洲。[15]這是個無論什麼資產都無法倖免於難的熊市。

而長期資本在全球進行了風險投資。在每一種套利活動中，它都持有風險較高的資產；在每個國家裡，都持有最不保險的債券。它已經對同一種賭局下注了數百次，現在賭輸了。

九月十日星期四這天糟糕透頂。交換交易價差又升了七點；其他價差也擴大了。倒楣事接踵而來——或許這是一個預兆？——運載著十幾顆全球星（Globalstar）衛星的火箭從天上掉落爆炸。碰巧的是，長期資本持有全球星的債券。合夥人們差點失聲大笑：連老天爺都和他們作對。在風險管理會議上，交易員在會議桌前走來走去，每個人都要報告他的結果。在得知每個交易員很明顯都虧損時，穆林斯語帶譏諷地問道：「我們就不能賺錢嗎——就一天也好？」九月到目前為止，他們還沒有獲利，一次也沒有。市場完全罷工。現在每個人都在拋售——除了長期資本。

該基金因規模極其龐大而動彈不得。它周圍的小魚正在清算眼前的每一個債券，但長期資本束手無策，就像一群致命的食人魚包圍著一頭臃腫的鯨魚。由於交易部位的規模大得可怕，合夥人陷入可怕的困境。要是他們賣出重大交易部位的一小部分——比如交換交易——就會導致價格暴跌，連帶使得其他所有交易部位的價值都下跌。哈罕尼從他在所羅門的時候開始，就會慫恿同事把交易部位規模增加一倍甚至四倍。現在他知道交易規模是有代價的。

到了十日下午稍晚，合夥人知道他們已經跨越了一個令人衰弱的心理障礙：他們的資本已經跌破二十億美元。梅里韋瑟接到了他一直很害怕的電話——貝爾斯登的執行副總裁華倫．史貝克特（Warren Spector）打來的——已經是當天很晚的時候了。長期資本能掌握的資產曾經跌到五億美元以下，但在當天結束時已經回穩。J. M.解釋說，顯然有一些長期資本的交易夥伴開始抽空支付到期款項。沒有人願意付錢給有可能破產的公司。但史貝克特此時已經不在乎解釋了。他簡單

10 Shawn Young, "Risk Arbitragers [sic] Have Been Feeling the Pressure as Gyrating Stock Prices Affect Value of Mergers," *The Wall Street Journal*, September 14,1998.
11 Steven M. Sears, "IPO Outlook: Market's Well Is Running Dry," *The Wall Street Journal*, September 8,1998.
12 Suzanne McGee, "Did the High Cost of Derivatives Spark Monday's Stock Sell-Off?" *The Wall Street Journal*, September 2,1998.
13 Steven M. Sears, "Options Market Reflects Fear and Uncertainty Despite Yesterday's Sharp Rebound in Stocks," *The Wall Street Journal*, September 2,1998.
14 Franklin R. Edwards, "Hedge Funds and the Collapse of LongTerm Capital Management," *Journal of Economic Perspectives*, 13, no. 2 (Spring 1999),199.
15 David Wessel, "Credit Record: How the Fed Fumbled, and Then Recovered, in Making Policy Shift," *The Wall Street Journal*, November 17,1998.

地告訴 J. M.，貝爾斯登會在星期日派一個團隊，查核長期資本的帳簿。否則，長期資本星期一的交易會無法結算。

隔天，九月十一日，梅里韋瑟打電話給高盛執行長科津。原本科津正在威尼斯慶祝結婚紀念日，講完電話隨即動身離開。J. M. 傳達了一個簡單的信息：長期資本需要緊急籌募大量資金。十億美元已經不夠了。若想要有活下去的機會，該基金至少得籌到二十億美元。接下來 J. M. 又打電話給紐約聯準會主席麥克唐納，努力向他通報長期資本為自救所做的努力。

當貝爾斯登的團隊在星期日抵達，長期資本表現出最好的行為。它突然成了模範客戶，打開帳簿，擺出一大堆三明治。希利伯蘭也沒有過度激動，耐心地為來訪者說明每一筆交易。梅里韋瑟和羅森菲爾德參與了整場簡報，以展現長期資本確實認真看待貝爾斯登的警告。亞利克斯對該公司業績印象深刻，但對其交易規模感到不安。隔天，在貝爾斯登的執行委員會開會後，亞利克斯向長期資本的財務長薩斯塔克重申，貝爾斯登最高門檻就是五億美元，不會讓步。如果長期資本要再次挑戰它，這件事就不用談了。

長期資本最大的投資者瑞銀集團的感受，甚至比貝爾斯登還要差。出身之前的瑞士銀行的衍生性金融商品專家戴維．索洛，在了解到剛合併完的瑞銀將遭受可怕的損失時，為時已晚。就像索洛分析的認股權證方案，瑞銀集團冒著巨大的風險，卻只可能獲得八%的回報——當然，現在這目標永遠不會實現了。九月十四日，索洛給瑞士銀行前行長、現任瑞銀執行長馬塞爾．奧斯佩爾寫了一封緊急電子郵件，裡頭寫道：「對於期權對沖、波動率和溢價的所有討論都很荒謬。」在挖苦他們的合併夥伴時，索洛心照不宣地補充說：「這筆交易是得到瑞銀集團執行董事會，以及坐在你餐桌旁的許多人批准的。」

同時，該週的星期一，梅里韋瑟、羅森菲爾德和黎伊拜訪了雷曼兄弟。雷曼兄弟債券方面的負責人傑佛瑞・范德貝克立刻詢問他所聽說的，關於該基金極度困難的傳言是否屬實。「在我們回答前，我們想討論一下藉由您的私人股本集團籌措資金的可能性。」J. M.起了頭，彷彿完全沒有狀況似的。「去年我們返還了部分資金。現在我們看到了二十年來最好的機會。」他的東道主沒料到，長期資本此時竟還這麼泰然自若。儘管如此，還是可以看出該基金承受的壓力。梅里韋瑟要求羅森菲爾德說明投資組合，但隨後又很快打斷了他——他一向把羅森菲爾德當兒子看待，相當信賴這名合夥人，這是他罕見表現出不耐煩的情況。雷曼兄弟的人員幾乎沒有被安撫下來。

・・・

長期資本確實有個逃生出口：它在一九九六年時，從大通銀行帶頭的銀行財團取得的循環信貸。這筆九億美元的循環信用貸款（最初是從五億美元開始籌資的），是長期資本需要時可以使用的備胎。通常，如果借款人遭遇嚴重惡化的狀況，也就是所謂的「重大不利變化」，這類貸款就會自動終止。但由於急著處理長期資本的事，大通銀行省略了重大不利影響的條款。如果在任何會計期結束時，長期資本的股權下跌超過一半，那麼循環信用貸款就變成可以取消。各家銀行抱怨說，該基金的虧損讓他們擺脫了提供資金的義務。但最後一個「會計期」已經在七月底結束——此時長期資本仍然持有大量股權。所以嚴格說來，銀行擺脫不了關係。由於大通銀行擬約草率，這些銀行不得不提供九億美元貸款，給一家無清償能力的公司。

但合夥人對於是否應該借錢，意見嚴重分歧。穆林斯認為不應該借。如果該基金要倒閉了，為什麼還要把銀行拖下水？額外的貸款只會把事情搞得更複雜。J. M.、霍金斯、莫德斯特和兩名諾貝爾獎得主也同意。希利伯蘭、哈罕尼、黎伊和羅森菲爾德則強烈主張使用循環信用貸款。他們問，那不然還能怎麼樣補足他們在貝爾斯登的資本？克拉斯克、麥肯泰和薩斯塔克也贊成尋求資助。律師里卡茲指出，如果長期資本不去探尋每一種可選擇的機會，可能就要對自己的投資人負責了。J. M.最後打斷了這場爭論，說道：「我們不必在這個時間點做出決定。」他們還沒有十分需要借這筆錢。

合夥人還有高盛和科津，在九月中的此刻，他們成了長期資本的最佳希望。高大蓄鬍的科津，一直以來似乎不太可能成為金融家。他出身伊利諾伊州南部的農家，在大學時期是籃球隊員，還娶了他的幼稚園同班同學。[16]在一九七五年，梅里韋瑟任職所羅門一年後，科津進入了高盛的債券部門。儘管名氣還不如梅里韋瑟，他已經成長為頗有天賦的交易員，他還公然讚賞梅里韋瑟，也把他的套利部門視為自己公司的模範。科津在高盛步步高升時，仍然維持一貫的真摯不做作，而且為人隨和，此外在這個大家都穿三件式西裝的行業裡，以習慣穿著針織套頭毛衣而聞名。

高盛，是華爾街最後一家為私人提供全方位服務的投資銀行，它和長期資本具有某些相同的特徵。它的合夥人是不太公開的，而且彼此關係異常緊密，數十年如一日。高盛的企業文化是異常謹慎（在其位於百老街八十五號的總部大廳裡，完全沒有高盛的標示）。直到近期，高盛一直都以對藍籌企業客戶的照顧而聞名。這家關係銀行業務的先驅一直很鄙視惡意收購，甚至避免為它自己的帳戶進行交易，這是出於一個高尚的前提：高盛認為，交易可能會讓該銀行和它的客戶產生衝突。〔17〕不過到了一九八〇年代和一九九〇年代初期，該銀行就揚棄了這種客套的細節。史蒂芬・佛瑞德曼（Stephen Friedman）與後來在財政部成名的羅伯特・魯賓這雙人領導組合，很自信地擴展到交易業務，而隨著高盛的銀行人員脫下了白手套，和客戶間的衝突就變成司空見慣了。在一九九四年債券市場崩盤時，高盛——和長期資本一樣，根據波動率的統計模型設定了風險限額——遭受了鉅額且不穩定的虧損。高盛發現，其槓桿交易部位在其他交易者之間已是眾所周知，想要把這些交易部位脫手就得承受重大損失。〔18〕銀行合夥人集體叛逃，讓一九九四年秋季接

16 Brett D. Fromson, "Farm Boy to Financier," *The Washington Post*, November 6, 1994.
17 Lisa Endlich, *Goldman Sachs: The Culture of Success* (New York: Alfred A. Knopf, 1999); see especially 126–8.
18 同前註, 195–207.

任、樸實無華的科津，擔負起重建合夥關係和業務的工作。後來公司恢復了以往盛況，但高盛的合夥人——又是像長期資本的合夥人那樣——了解到他們需要更多資金，而這也是他們打算發行股票的原因。在同時間裡，科津進一步把重心放在獲利高的銀行帳戶的交易業務上。

以前，科津對於和梅里韋瑟聯手很感興趣；而此時他的職位，讓他有實力和這個對手做交易。他同意提供資金，但長期資本要付出代價：他要求擁有合夥人的管理公司LTCM的一半所有權，長期資本的策略要全部告知他，此外他有權對該基金的暴險設定限制。這名釋出好意的金融家提議的條件跟收購差不了多少。然而，科津提供了出自高盛及其客戶的十億美元資金，還承諾幫助長期資本籌措第二筆十億美元。而且只要讓大家都知道，長期資本背後有高盛支援，該基金就有可能會止血。梅里韋瑟根本沒辦法拒絕。

兩家公司很快達成協議，條件是由高盛籌措資金，以及長期資本要通過審查，這也是慣常的程序。在長期資本的資本又賠掉更多之前，高盛必須加快行動。九月十四日那一週，該基金移交了大批檔案，並且把羅森菲爾德、默頓和四名員工派去百老街。默頓對於兩家公司聯手的「戰略價值」充滿了美麗的想像。一個高盛團隊向這些套利者不停提出問題。接著，來自高盛外部律師事務所蘇利文．克倫威爾律師事務所（Sullivan & Cromwell）的六名律師加入，嚴格拷問了長期資本派來的特使。

在格林威治，高盛負責辦事處運作的人員也不遺餘力地打探。有太多人在翻閱這家對沖基金的檔案了，長期資本的員工無法確切知道哪些人是高盛的員工。高盛團隊的一個重要成員是雅各・戈德菲爾德（Jacob Goldfield），他是一位瘦瘦高高、能力傑出卻舉止粗魯的交易員。據目擊者稱，任性的戈德菲爾德似乎直接從長期資本的電腦，把該基金的交易部位下載到一台超大的筆記型電腦裡（後來高盛否認有這回事），而這些交易部位一直是該基金悉心保護的資料。同時間，高盛在紐約的交易員賣出了一些相同的部位。在一天工作結束時，當該基金的交易部位價值縮水，長期資本辦公室的一些高盛交易員會閒晃到交易台，並提議要買下這些部位。[19]高盛明目張膽地玩弄兩面手法，正體現出投資銀行最醜陋的唯利是圖嘴臉。對於J. M.和他的合夥人來說，高盛正在他們眼前糟蹋長期資本。

星期一，也就是高盛開始進駐的那一天，股票波動率攀升到驚人的三十二%！星期二，達到三十三%——每個百分點都讓該基金損失四千萬美元。在該基金的整個投資組合裡，這已經見怪不怪了。長期資本的交易——尤其是該基金的交易——受到了無情的打擊，從丹麥的抵押貸款到福斯汽車股票，再到「車站賭場」（Station Casinos）和喜達屋的垃圾債券。長期資本曾經以八%的折扣價，購買荷蘭皇家的殼牌運輸公司，結果價差竟擴大到了十四%。即使是在一九九八年有大半時間都賺錢，可靠穩健的義大利債券交易，此時也跌回來了。

19 Author interview with Steven Black.

在每一類資產以及在世界各地，市場都對格林威治的這家對沖基金不利。該公司的顧問律師里卡茲向同事們形容，這是「LTCM的死亡交易」。其相關性已經消失到剩一個；每次擲骰都是出現兩點（蛇眼）。這群數學家沒有預見到這種結果。他們以前認為，隨機市場會產生標準分布——黑羊和白羊、硬幣正面和反面、撲克牌的傑克和二的正常模式，而不是日復一日地，每一筆交易都造成驚人的損失。

這些教授忽略了一個道理——這個道理其實他們很了解——就是在市場裡，尾端往往是肥的。一直待在距離紐約擁擠的交易大廳很遙遠的自家玻璃宮殿裡，他們忘了交易員不是隨機的物質分子，甚至不是像希利伯蘭這樣的機械邏輯學家，而是那種在群眾裡常常看到的，會因為貪婪和恐懼而採取行動，情緒頻繁波動且會做出極端行為的人。而在一九九八年夏末，那些做債券交易的群眾極度恐懼，尤其是進行風險信貸的人。這些教授沒有模擬到這點。他們以市場未曾出現過的那種不帶情感的可預測性，來編寫市場模型的程式；他們已經忘了，主導現實世界的交易者實際上掠奪成性、貪得無厭，而且擁有難以抵擋的防衛本能。他們忘了人性的因素。

• • •

梅里韋瑟向美聯準的彼得．費雪吐苦水說，高盛那些人「搶先交易」（front-running），意思是他們在有內部情報的情況下，進行了對長期資本不利的交易。的確，高盛在九月中旬是個極度活躍的交易商，有關高盛正在拋售長期資本在交換交易與垃圾債券的交易部位的傳聞，已傳遍華爾街。事實上，據說高盛的高殖利率債券交易員還對這件事大吹大擂呢。

但也不是只有高盛這麼做。到了此時，要摸透長期資本的投資組合也不是多了不起的事。幾個月來，所羅門一直在襲擊該基金的交易部位。德意志銀行正在對交換交易紓困，而此前對股票波動性沒有任何興趣的「美國國際集團」(American International Group，縮寫為AIG)，突然出手競購股票波動性。如果不是要藉長期資本的困境來賺一票，為什麼會突然產生興趣？摩根和瑞銀也在購入波動性。其中有些行動顯然是掠奪性的。這種和華爾街存在時間一樣久遠的競賽很簡單：如果能讓長期資本感受到足夠的痛苦——感覺受到「壓迫」——該基金才會投降求饒，並購回其空單。然後，任何持有這些部位的人都能大賺一筆。

然而，掠奪性交易的範圍比人們想像的要小，而且肯定比後來格林威治的某些偏執理論所斷言的要少。該基金合夥人井蛙般的世界觀，使得他們非常容易受到陰謀論影響，尤其是因為這種解釋能把他們虧損的責任推給別人。也因為這群套利者這麼自私，才會自然而然地認為，銀行也會對格林威治很著迷。

但是事實很簡單：到九月中旬，華爾街銀行主要擔心的並不是長期資本——他們擔心的是自己。鑑於每家銀行都有很多和長期資本一樣的交易，退出他們的交易部位只是在自保。尤其高盛正在介入處理虧損的交易，何況再過幾星期它就要發行股票了，所以亟欲減少自己的虧損。

不管銀行是刻意藉由犧牲長期資本來獲利，或者只是因為預期來自格林威治的拋售潮會拖累它們，出於自保才這麼做，都沒有什麼差別。前述動機中的任何一種，都會產生同樣的行為——大舉逃離長期資本的交易。長期資本的一名交易員便親眼目睹他最好的朋友，當時在德意志銀行任職、之前在學校的一名同事，拋售了長期資本的交易部位。其他交易員都知道，要是長期資本倒了，必定會引發大地震。「如果你認為非得賣掉一頭大猩猩不可，那麼你當然想要優先賣掉，」倫敦的一名高盛交易員指出，「我們非常清楚這條界線在哪裡；那樣做不違法。」

除了美國的股票——它們特別受內線交易法的強制約束。但其他地方普遍沒有這種法令，靠著私下的資訊來做交易的事一直都有。像是所羅門和高盛這些投資銀行，還經營著專有債券交易櫃檯，它們甚至公開吹噓是利用他們對「客戶流」的了解。換句話說，這代表當所羅門或高盛的某人聽到其客戶打算往哪方面進行交易的風聲，它通常也會往那個方向進行交易——而且動作更快。這就是為什麼高盛以前的管理人拒絕參與專責交易。太有可能出現利益衝突了。但是到了一九九八年，高盛以強勢積極、直接出擊的交易商而聞名，早已丟棄了所有偽裝，不再扮演溫和謙恭的銀行。

當然，如果高盛或其他任何人，利用自己提供投資銀行幫助時取得的資訊來得到好處，理論上可能會有詐欺的法律責任，只不過這樣的指控很難證明。至於科津，他個人並沒有否認高盛的交易員「在市場上做了一些最後可能傷害LTCM的事情。我們必須保護自己的交易部位。我不會為此道歉」。

科津確實否認了高盛在接觸長期資本後，交易方式和其他狀況下所進行的有所不同。他諷刺地補充說，考慮到它當時所處的季度，聽到高盛被指控賺取不當獲利的消息真的是很奇怪。[20]

• • •

長期資本完全只能任憑這類競爭對手擺佈，因為它的交易太過晦澀難懂、也太專門了。舉例來說，只有少數交易商——摩根、所羅門、瑞銀、法國興業銀行、美國信孚銀行和摩根史坦利，會進行股票波動交易。他們知道長期資本大量做空，他們知道該基金遲早要買入退出交易。因此，交易商拒絕賣出。無奈之餘，長期資本打電話給法國興業銀行，詢問他們對其交易部位的出價，但法國興業銀行的報價高得離譜：比市場價格高出十個百分點！儘管出價這麼荒謬，但也沒有其他可能的股票波動買家。不可避免地，價格大幅高漲。

通常，自由市場會自行解決這類泡沫經濟。例如，在一九八〇年，杭特（Hunt）兄弟曾試圖

20 Author interview with Jon Corzine.

壟斷白銀市場，短暫地把價格拉抬到每盎司五十美元。但後來人們開始仔細翻找收藏在閣樓裡的白銀，世界各地的廢五金處理業者也開始熔化並收集白銀。當所有的這些白銀進入市場，價格又跌回每盎司五美元，杭特家族申請破產。但是股票波動性是一種稀有鳥類。沒有人會在閣樓裡存放「波動性」，不會有多出來的供應來源。「股票波動性是最終的空頭緊縮，」一位知識淵博的長期資本員工表示，「其交易商只有四、五個而已。而且他它們拒絕賣出。」

• • •

隨著公司的虧損持續增加，內部合夥人集團與其他人之間的潛在歧見，就發酵成不愉快的氣氛了。不可避免的是，股份比較少的合夥人指責希利伯蘭和哈罕尼浪費掉這麼多錢。霍金斯和希利伯蘭原本就不對盤，他們變得彼此怨恨，而舒爾茲和希利伯蘭幾乎很少談話。不滿的合夥人不僅對希利伯蘭和哈罕尼的投資呼籲很不滿，而且對他們霸道、麻木不仁的作風很不爽。舒爾茲覺得，老是搞神祕的希利伯蘭並不是真正的合夥人；賴瑞不信任其他人。諷刺的是，銀行方也一直提出同樣的怨言。同時，麥肯泰也愈來愈少在公司出現了。他因為背痛而行動不便，這是這些合夥人絕望的一種象徵性表現，而且麥肯泰也因為梅里韋瑟沒有聽從他的警告，而愈來愈不滿。

考慮到他們的神經焦慮和巨大的損失，這些合夥人的關係變得如此緊張也只是人性罷了。他們不僅丟了錢，也丟人。梅里韋瑟在輝煌的職業生涯中，要面臨第二次慘痛的難堪恥辱。而他那些交易員，無論他們往後可能有什麼成就，他們在長期資本大起大落的過程中所扮演的角色，會跟著他們一輩子。這個團隊裡最情緒化、最忠於公司的羅森菲爾德，受到的影響令人感同身受。最起碼他在承受不了痛苦時，不會害怕放聲大叫。

他的老師默頓也很沮喪；他心煩意亂，而且不是因為自己的事。他擔心長期資本一旦垮台，會破壞現代金融的名聲——這是他非常努力奉獻的領域；為此默頓多次傷心落淚。畢竟，這位教授有著極佳的人性特質。舒爾茲也知道，如果該公司倒閉，會有很多人認為有損他們的諾貝爾獎光環。巧合的是，在該基金資產暴跌時，舒爾茲進行了早已排好時間的返鄉之旅，回到老家安大略省漢密爾頓市，他從在地小孩變成了諾貝爾獎得主，被視為本地之光。他的聽眾完全不知道長期資本當時陷入困境，這名賓客的焦慮肯定難以忍受。在歡喜地憶起他在當地的青春歲月後，舒爾茲幾乎要崩潰了。〔21〕

穆林斯的前途也黑掉了。這名時髦的銀行家曾經想像，他可能會成為艾倫・葛林斯潘的接班人。如今這件事已經不可能了。

21 Gretchen Morgenson and Michael Weinstein, "Teachings of Two Nobelists Also Proved Their Undoing," *The New York Times*, November 14,1998.

然而在這種持續不斷的痛苦中，這些合夥人大多會控制住自己的情緒。他們累積的忿恨從未或很少公開發作。他們繼續一起工作，避免大喊大叫或公開指責。事實上，在這種情況下，他們很顯然表現得很好。這多少呈現出他們之間的關係，尤其是在核心圈裡。他們會低聲嘀咕著，但沒有推卸工作。如果說要怪誰，至少在比較小咖的合夥人眼裡，會怪梅里韋瑟——因為他沒有用更強勢的影響力來經營公司。然而沒有人想要責怪J. M.。

一如既往，梅里韋瑟隱藏起自己的情緒。儘管痛心巨額虧損，但他還是冷靜以對，確實，十五年來，羅森菲爾德幾乎沒有看過他發怒。當每週七天、每天工作十五個小時的緊張情緒被一種荒謬感取代，梅里韋瑟似乎只有用言語消遣時，會卸下自己的壓力。某天晚上，大約在凌晨兩點，J. M.和黎伊、羅森菲爾德、里卡茲一起坐著。精疲力竭的工作讓他們頭暈目眩，一夥人開始聊起，如果公司能夠生存下去，就把公司改名。J. M.自我解嘲說道：「我想我們可以自稱為『無估值折扣資本管理』。」這段話結束了這夥人的話題；J. M.的幽默感總能讓他們振奮起來。接著，梅里韋瑟又彷彿不把他們蠻橫粗糙的所作所為當一回事似的，吹著口哨加了一句：「哦，我們讓瑞士人摔了個大跟頭。」他指的是瑞士的重要投資者瑞銀集團。J. M.開玩笑說：「我們再也不能踏上瑞士了——我們一下飛機，就會被他們逮捕了！」

• • •

高盛銀行的人在尋找資金時，發現了一件梅里韋瑟沒有透露的事：高盛名單上最有希望的投資者裡，像是巴菲特、索羅斯、麥克・戴爾和沙烏地阿拉伯王子阿瓦里德・本・塔拉勒・阿紹德（Al Waleed bin Talal bin Abdulaziz al-Saud）等等，長期資本都已經去找過了——而且他們已經拒絕該基金。科津得知此事後大動肝火。情況都這麼危急了，哪還有時間讓長期資本這樣遮遮掩掩、慢慢搞。

長期資本每天仍然要虧損好幾百萬美元。它拚命嘗試把交易項目配對，但進展緩慢。在貝爾斯登，它一直盡力把交易部位保持在最低點之上，但是不斷增加的虧損，加上不利的分數（價格），使其愈來愈接近邊緣。該公司試圖把交易部位低價賣給它的投資銀行，但是美林和高盛沒有興趣：它們也在相同的交易部位投資過多。

• • •

到了九月中旬，合夥人祈禱著三件好事能夠翻轉市場：一是國會批准給予國際貨幣基金組織更多補助，一是國際貨幣基金組織批准了對巴西的紓困，以及葛林斯潘降低利率。在這三者中，葛林斯潘是最關鍵的，也是最無從預測的。

美聯準對信用利差擴大深感憂慮，紐約分行一再被告知長期資本的困境。此外，九月十一日，路易斯安納州共和黨眾議員理查．貝克（Richard Baker）提醒葛林斯潘，對沖基金正在加劇公開交易銀行的狀況。一名在摩根工作的大學畢業生，將工作人員的內部消息告訴了貝克，稍後在一封見解精闢的信裡，貝克眾議員警告說：「我注意到，不受監管的對沖基金往往是高槓桿比率的，這可能導致受監管的金融機構的市值大幅下跌。」這場危機現在是公開的。九月十五日，喬治．索羅斯警告美國眾議院金融服務委員會，俄羅斯的內爆已經導致全球信貸緊縮。他指責銀行養大了「衍生性金融商品交易菊花鏈」——這些用詞似乎是從他和長期資本的祕密協商中得知的。

隔天，也就是九月十六日，葛林斯潘去了同一個小組。他澆熄了市場的期望，告訴國會降息是不可能的。令人難以置信的是，他再次淡化了對沖基金這類流氓投資客帶來的風險。這位主席容易受騙的程度似乎沒有極限。「對沖基金受到那些借款人嚴格監管，」葛林斯潘斬釘截鐵地這麼說。鑑於長期資本的貸方已經對這家失控的對沖基金提供資金，很難不歸納出這種結論：葛林斯潘要不是與現實嚴重脫節，不然就是故意對他所聽到的消息充耳不聞。至少，財政部長魯賓承認，牛市不可避免地，讓很多向來謹慎的銀行家變得輕忽起來。「如果你已經有五年、六年、七年取得很不錯的成果，」他告訴專家組，「會展延信貸的人往往會變得比較不小心。」〔22〕

• • •

金融往往是美化過的公正；它會懲罰有著特別情感的蠻幹者。長期資本的債權人發現，他們過去的寬大處理加劇了當前的危機。然而當一個一般的客戶延期償付，其預留款是以貸方持有的保證金形式存在的，理論上長期資本可能會一路跌到零元。銀行願意給長期資本融資，而不收取估值折扣，這使得該基金能夠充分靠這點優勢運作。如今，如果它違約，就什麼都不剩了。

貸方被他們所做的事情嚇壞，一點也不意外。「我們根本想像不到他們會遇到麻煩——這些人以風險管理著稱。他們教授風險管理；他們設計風險管理。」美林風險管理經裡丹・納波利回憶道——他很享受和該公司合夥人一起在愛爾蘭打高爾夫球的時光。「天曉得，我們是和諾貝爾獎得主做生意啊！」很諷刺的，只有非常聰明的一組人馬，才有可能把華爾街推到這麼危險的處境。比較不重要的人，才不會拿到這麼多融資，或是吸引到這麼多追隨者，從而導致這場股市泡沫。

有個確定的跡象是，包圍著該基金的信用網正在緊縮，即將和波克夏・海瑟威合併的「通用再保險公司」(General Re)，正在質疑長期資本的「分數」——也就是在爭論著它的交易要定價在多少——幾乎每天都這樣。通用再保險公司的衍生性金融商品子公司的倫敦負責人東尼・伊利亞

22 Steven Lipin, Matt Murray, and Jacob M. Schlesinger, "Bailout Blues: How a Big Hedge Fund Marketed Its Expertise and Shrouded Its Risks," *The Wall Street Journal*, September 25,1998.

（Tony Iliya），在半夜叫醒東京的員工，施壓要求對該基金索賠。該子公司也曾為長期資本的日圓交換交易提供融資。

就連一方面還在提供格林威治資金的摩根大通，也正在篩選其長期資本的暴險，為另一方面可能出現的違約做準備。「這會非常難看，」摩根的一名高階主管透露。破產並不能防止衍生性金融商品那方扣押抵押品。如果長期資本申請破產，很可能會發現它的傳真機響個不停，它的五十幾個交易對手大概都會傳真過來索賠。事實上，如果長期資本在其七千個衍生性金融商品合約裡，有任何一份違約，那就會自動引發其他每一份合約違約，其名義值大約為一．四兆美元。奇怪的是，即使是有破產意圖也被視為違約行為。長期資本的律師甚至不會提到B開頭的這個字。他們用一種像小孩般的遊戲，來掩飾他們的瞻前顧後。一名律師會問另一人：「如果有個基金虧損很多錢怎麼辦？你認為它會申請破產嗎？」雖說這只是在演情境劇，不過梅里韋瑟知道，他只有不到一個星期可以拯救他的公司。

• • •

孕育出長期資本的所羅門美邦，一直對救援之事置身事外。不過到了九月十六日星期三，所羅門加入了行動。該投資銀行把所羅門的股票風險管理負責人羅伯．阿德里安（Rob Adrian）、負責衍生性金融商品交易的安迪・康斯坦（Andy Constan）和桑佛的兒子馬可・魏爾（Marc Weill）派到格林威治。他們預期能加入高盛及其他銀行的一場大規模會議。然而，才剛過下午四點，所羅門的人到達時，這場會議已經結束了。阿德里安注意到一種詭異的靜默；大門緊閉，交易大廳空無一人。哈罕尼帶他們到一間辦公室，直言不諱地表示，議程裡只剩一個主題。他說：「我們需要錢。」〔23〕

哈罕尼表示可以把公司帳冊給他們看，這些帳冊現在已經是公開的祕密，但是魏爾知道他父親對套利活動很反感，不想因為看到太多東西而放棄所羅門的原則。於是一行人又開車回家。

隔天，所羅門派出了更高階級的團隊：史蒂芬・布萊克、湯姆士・馬赫拉斯（Thomas Maheras）和彼得・赫希（Peter Hirsch）。到了此刻，哈罕尼似乎很震驚。在之前的五個交易日裡，長期資本虧損了五・三億美元。由於一直這樣沒完沒了的賠錢，虧損似乎更雪上加霜了。九月十日星期四，該公司虧損了一・四五億美元；星期五，賠了一・二億美元。接下來那一週也沒有止住血：星期一，長期資本下跌了五千五百萬美元；星期二，八千七百萬美元。九月十六日星期三的情況更慘重：一・二二億美元。就像《聖經》上寫的瘟疫一樣，虧損是不會停下腳步的。哈罕尼冷漠的仔細審視這些虧損，彷彿這些虧損是發生在其他人身上一樣。長期資本的多元化策略沒有奏效

23 Author interview with Rob Adrian.

一事，讓他想忘都忘不掉。他能理解八月的虧損，但市場本來應該在九月復甦的，這樣的虧損讓他大惑不解。美國交換交易利差已經攀升到驚人的八十三點；英國交換交易利差更令人難以置信的達到八十八點！長期資本光是在這兩種交易裡所持有的大量交易部位，就足以讓它破產。哈罕尼忿恨地怪罪華爾街的投資銀行，尤其是高盛，聯手對付這家沒有朋友的基金。〔24〕

雖然合夥人對高盛很憤怒，卻又不切實際地把高盛視為救世主。羅森菲爾德和其他人，帶著愈來愈高漲的絕望，整個星期都在打電話給高盛。儘管高盛最初很樂觀，但它也還沒有籌到那筆資金；而此時長期資本估算出來它需要的不是二十億美元，而是四十億美元——相當大的數目。在九月十七日星期四上午，梅里韋瑟、希利伯蘭、羅森菲爾德和默頓前往高盛，竭力要求給予融資。科津和身材矮小、稜角分明的財務長約翰·塞恩（John Thain）把他們請進公司。

羅森菲爾德費盡了唇舌，表示：「你們是敝公司最後的機會。」

那個星期四稍晚，梅里韋瑟正式向紐約聯準銀行主席麥克唐納告知長期資本的困境。諷刺的是，該基金當天就賺錢了，是整個月的第一次獲利。但這筆獲利只能算杯水車薪，六百萬美元——錢太少也來得太晚了。長期資本的股權價值跌到了十五億美元。驚人的地方在於，距離俄羅斯的延遲償付才僅僅過了一個月。在這一個月裡，長期資本就賠掉了其資本的六成，這是華爾街的一次史詩級的崩盤。

到了星期五，長期資本收到了高盛的來信。塞恩表示，很少人有能力投資長期資本所需要的金額。巴菲特也許會願意掏出一大筆錢，索羅斯也可能會，但長期資本已經請求過他們了，還有高盛的名單上其他人也幾乎都問過了。那天早上，高盛投資銀行家彼得．克勞斯（Peter Kraus）和巴菲特進行了會談。巴菲特重申，和他對希利伯蘭講的一樣，他不感興趣。而其他人也已經拒絕了。也因此，塞恩認為事情沒有轉圜的餘地了。塞恩也懶得多說他私下的想法：很顯然地，長期資本快要倒閉了。

• • •

但高盛並沒有停止嘗試。那天克勞斯和巴菲特又談了幾次。找巴菲特幫忙的最大障礙物，是他不喜歡長期資本複雜的合夥結構。他對它的各種支線基金不感興趣，當然對LTCM錯綜複雜的細節也不感興趣。部分原因就是，早在幾十年前，巴菲特自己的合夥企業就已經結束了；他也不喜歡別人的合夥企業。不過巴菲特告訴克勞斯，如果只是購買長期資本的投資組合——此時已經賠得相當慘了——而不用留下梅里韋瑟、他的員工或他的同伴，那也許還有救。大略提了這個想法後，兩人開始討論到波克夏．海瑟威和高盛聯合競購長期資本的資產，或許再把AIG保

24 Author interviews with Steven Black and Thomas Maheras.

險公司也拉進來。同時，克勞斯也向科津報告了這一小段進展。這一整天，高盛都在討論波克夏與高盛出價的想法，以及其他拯救該基金的方法。

在長期資本管理公司這方，情況變得嚴峻。該公司收到了貝爾斯登的一封信，明確表示它打算停止清算低於五億美元的資金——這顯然是要斷絕關係前的最後一步。如今得和大通銀行談談了。儘管長期資本管理公司認為，在法律上，它可以隨時動用其貸款融通（loan facility）權利，合夥人們也希望聽到大通銀行這麼說。公司裡的銀行家穆林斯打電話給大衛．福勒格。福勒格此前承擔了富利銀行的貸款，算是已經對長期資本盡心盡力了。他會再做一次嗎？

福勒格這位銀行家中的銀行家很清楚，如果大通銀行和其他銀行團成員真的提供資金，那麼這筆錢最後可能拿不回來。但如果大通不提供資金，它可能就要擔下責任。而且福勒格擔心，要是長期資本倒閉，可能會嚴重波及整個華爾街。而華爾街是很重要的客戶。福勒格打電話給大通銀行董事長華特．施普萊，他說：「我想我們別無選擇。」

與此同時，長期資本投資的市場再次暴跌。令人難以置信的是，股票波動率飆升到三十五%。美國的交換交易利差擴大到八十四．五點。而且還沒完。抵押貸款利差擴大七點，垃圾債券擴大五點。道瓊工業指數下跌二一八點；日本股市跌到一九八六年以來的新低。

星期五晚上，羅森菲爾德打電話給摩根的彼得．漢考克（Peter Hancock），他住在馬麻羅內克（Mamaroneck），和羅森菲爾德同一個城鎮，他的小孩和羅森菲爾德的小孩就讀同一所學校。這位一向很鎮定的套利者非常激動；他很害怕貝爾斯登真的抽腿，而且確信長期資本很可能撐不過下個星期。長期資本的信用額度正在流失，而關係到其交易部位的謠言（其中很多是假消息或極度誇張），讓它的困境更雪上加霜。

羅森菲爾德突發奇想，建議摩根的銀行家致電高盛的塞恩。據了解，這是第一次有人拜託銀行為他們的事做配合。當晚漢考克和塞恩就發言了。高盛銀行這方帶頭進行這些工作的是克勞斯，星期五那天，他帶著妻子和一位客戶，去紐華克參加一場貝多芬音樂會。中場休息時，克勞斯偷偷跑到公用電話前，打電話到奧馬哈那邊。他和巴菲特就某筆交易估算出一些數字。巴菲特稍微聊到即將出門旅遊的事，後來克勞斯回到貝多芬音樂會場上，跟他妻子和客戶對這件事隻字未提。然後巴菲特打電話給波克夏即將收購的通用再保險公司的約瑟夫・布蘭登（Joseph Brandon）。「有一些人正身陷金融災難裡。他們可能無法成功（脫身），」這位億萬富翁警告說。「對於任何不提供抵押品或追加保證金的人，不要接受他們的任何藉口。不要接受任何藉口。」後來，他搭飛機前往西雅圖，和比爾・蓋茲帶隊的一群人會合，他們打算在阿拉斯加和西部國家公園的某些地方，度假兩個星期。〔25〕

到了此時，仍然有人幻想著巴菲特會拯救長期資本——正因為碰巧七年前他曾經救過所羅門

25 Carol Loomis, "A House Built on Sand," *Fortune*, October 26, 1998.

兄弟。儘管如此，科律認為應該要把美聯準也拉進來。他打電話給麥克唐納，麥克唐納還和其他大銀行的負責人談過這件事。這位銀行家對某人表示，長期資本的問題會造成市場蕭條。此外，他們擔心要是該公司倒閉，可能會產生嚴重的不穩定效應。

心裡懷著這樣的顧忌，科律提議讓高盛向美聯準簡報，介紹長期資本的投資組合。梅里韋瑟同意應該向美聯準簡報，不過他理所當然地更樂意由長期資本直接做簡報。因此，在星期六，前央行副主席穆林斯打電話給麥克唐納，邀請美聯準前往格林威治。

當然，麥克唐納已經考慮過長期資本的問題好一段時間了。他知道最後他可能非得介入不可；他也知道這樣做會讓美聯準飽受批評。監管者一方面是保護者，一方面也是教父。他不喜歡公開的場合；當他能夠慎重地行使權力時，只靠著威脅要採取行動，或是藉由哄騙讓人照他的命令去辦事，是最有效率的。在麥克唐納的想法裡，最理想的情況，是讓某個華爾街的地下領袖去精心策畫出解決方案。他和紐約聯準會主席約翰・懷特海德（John Whitehead）討論過誰能擔負這個任務。以前，花旗銀行的華特・瑞斯頓（Walter Wriston）或高盛的古斯・李維（Gus Levy）可能可以帶動華爾街。當然，一個世紀前，J. P. 摩根一世曾經把這個角色做得很完美。但是今日有誰能擔負這個重責大任？麥克唐納和懷特海德一致認為：沒有。華爾街有很多銀行家，但是沒有J. P. 摩根一世。〔26〕因此，雖然美聯準只同意要聽取簡報，而沒有要積極參與的意思，麥克唐納已準備好採取第一個步驟了。

會議排定在星期天舉行。但麥克唐納正打算在前一天晚上飛往倫敦。他決定不取消會議——因為取消又會引起市場動盪——並派他的副手彼得・費雪代替他，去長期資本管理公司參加會議。麥克唐納離開前，先向葛林斯潘和魯賓進行了簡報，並告訴他們，長期資本籌措新資金的嘗試失敗了。[27]

但高盛仍在處理這個案子。碰巧，瑞銀的瑞士衍生性金融商品專家大衛・索洛在紐約參加一個朋友的婚禮。科津找到了他，詢問瑞銀是否願意加入長期資本籌募資金的行列。索洛說：「好吧，但是你知道我們銀行是他們最大的股權投資者嗎？我不認為我們的利益完全一致。」完全不知道這層關係的科津掛掉電話，顯然被惹毛了。他試圖再次拯救這家公司，沒想到這家公司很明顯仍然把他蒙在鼓裡——對此他真的是厭煩透了。

科津也在星期六和巴菲特說上話了，不過只有在巴菲特從阿拉斯加峽灣深處，能夠藉由手機取得聯繫的那個時間點。「他正在進行這種水上漂浮活動，」科津回憶道，也顯現出他的惱怒。「你會失去聯繫兩、三個小時，都沒辦法談到話。」[28]根據巴菲特的說法，他向來對大自然沒多大興趣，

26 Author interview with John Whitehead.
27 Federal Reserve Bank of New York, "Chronology of Material Events in the Efforts Regarding Long-Term Capital Portfolio, L.P."; Alan Greenspan, letter to Senator Alfonse M. D'Amato, October 20, 1998 (enclosure).
28 Author interview with Jon Corzine.

這趟旅程是比爾・蓋茨強力邀約的，「船上的那傢伙想過去仔細看看，還要看看駝鹿；而我想要連上衛星連線。但那個地方衛星連線的連線品質就是很糟。」〔29〕

不過他還是清楚地表達了他的立場始終如一。巴菲特是願意讓高盛處理細節，但是他希望在任何情況下，他的投資都不要讓長期資本管理，或者是和約翰・梅里韋瑟有任何牽扯。然後衛星連線就中斷了。

29 Author interview with Warren Buffett.

10 在美聯準 At the Fed

市場……可能會停止運作。

——威廉・麥克唐納，紐約聯邦準備銀行總裁〔1〕

一九一三年創立聯邦準備系統時，是出於很多原因，但最根本的原因是：人們不再信任私營銀行家來管理金融市場。在美聯準成立前，政府沒有有效的武器來緩和國家的經濟循環，對於困擾著華爾街的週期性危機，也沒有多少作為可以緩解。很多時候，政府不得不畢恭畢敬地尋求私人銀行家協助。到了進步時代，由於政府懷疑信託而信任監管，人們需要一家代表公共利益的銀行。從那時候起，美聯準一直扮演著公僕的角色，但其工作內容卻比較接近私營銀行和華爾街。這是個微妙的角色，因為美聯準應該監管銀行業，而不是庇護銀行家。它必須保護市場的運作，

1 William J. McDonough, statement to Committee on Banking and Financial Services, U.S. House of Representatives, October 1, 1998.

同時又不會顯得太過親近——過於維護——它所監督的銀行。

在公開場合最常見到的美聯準的那一部分，是它位在華盛頓的管理委員會，該委員會負責備受矚目的調整短期利率任務。這個委員會的主席，是美國對抗通貨膨脹的要角，以更大的意義來說，是國家經濟的管家。艾倫·葛林斯潘從一九八七年以來就一直擔任聯準會主席，可能是歷任主席裡最受敬重的一位，這要歸功於他在任期間經濟的出色表現。如果葛林斯潘能改善那種晦澀、往往令人費解的公開發言風格，一定能提升他給民眾的那種國家經濟預言家的形象。

葛林斯潘要比大家所了解的，更加依賴美聯準的各個分支機構，尤其是紐約聯準銀行，在它擔負的諸多角色之中，還充當華盛頓觀察市場的潛望鏡。壯碩的紐約聯準主席威廉·麥克唐納會和私營銀行家保持密切聯繫，也會向葛林斯潘報告他聽到的狀況。他的副手是彼得·費雪，從哈佛法學院畢業就直接進入紐約聯準銀行就職，在一九九八年時已是年屆四十二歲的官僚。費雪執掌紐約聯準銀行的交易部門，並監管著四千五百億美元的政府證券投資組合。當葛林斯潘想要緊縮或放寬貨幣條件，費雪和他的員工便會藉由買進更多證券或出售某些證券，來實際執行這項指令。〔2〕

費雪身高約一百九十公分，灰白捲髮，早在長期資本出現危機之前，就一直在關注著對沖基金。在他看來，對沖基金只不過是經濟增長趨勢的又一個跡象，把以前一向由商業銀行處理的工作（如貸款和投資）分配出去給專業人士。例如，在一九八〇年代，拉丁美洲國家政府無法償還貸款時，損失完全由少數幾家大銀行承擔。但是在一九九〇年代，當墨西哥政府違約，感受到這種痛苦的，還有數十家對沖基金和共同基金，以及他們的投資人——這些投資人認為，銀行的傳統角色是向新興市場提供資本。費雪對於對沖基金的整體看法，和默頓的觀點並無不同，都認為長期資本本質上是一家銀行。

然而，長期資本並不是銀行，美聯準沒有權限可以管對沖基金。如果費雪要求查看長期資本的帳簿——或任何一家對沖基金的帳簿——理論上它是可以拒絕的。但是在實際上，費雪經常和對沖基金的交易員聊天，他們當中有些人，會沒有保留地分享他們對市場的看法，所有人都默默認可美聯準的權威。而星期日的會議，費雪收到了邀請。

費雪住在紐澤西的梅普爾伍德（Maplewood），這個中產階級市郊離格林威治相當遙遠，因此他取消了觀賞八歲兒子和六歲女兒踢足球的計畫，搭乘助理迪諾．柯斯（Dino Kos）開的私人吉普車前去赴約。在長期資本的辦公室，他們會見了財政部助理部長，也是魯賓部長在高盛時的合夥人蓋瑞．詹斯勒（Gary Gensler），還有另一名美聯準官員。

長期資本的辦公室很安靜。昇陽工作站大多無人看管。穆林斯把來訪者帶到會議室和其他合夥人見面，費雪經過某個房間時注意到，雅各．戈德菲爾德和他的高盛團隊正在那個房間裡仔細

2 Author interview with Peter Fisher; Jacob M. Schlesinger, "LongTerm Capital Bailout Spotlights a Fed 'Radical,'" *The Wall Street Journal*, November 2,1998.

研究長期資本的文件。

在短暫親切地寒暄後，希利伯蘭向官員們展示了一份機密文件，即使是長期資本大多數員工也從未見過這份文件。該文件名為「風險彙整表」（risk aggregator）。長期資本外部的人很難搞懂這家基金在幹嘛，因為它有很多交易部位都是由多筆交易組成。更重要的是，它的衍生性金融商品帳簿是一大堆合約，而每個合約都會被其他合約所抵銷。風險彙整表是藉由把長期資本對個別市場的暴險加總起來，來簡化投資組合。

費雪像病理學家進行X光掃描一樣地研究這份報告。當他聽著介紹時，了解到這個病人已經情況危急了。風險彙整表裡的每項暴險，都列在單獨的一行，並且這幾行會按照類別歸類到單獨的欄位裡。例如，第一個欄位是帳戶「LT003」，用來處理「USD（FI/US）」也就是美元固定收入（U.S. dollar fixed income）。在第一個欄位的第一個條目寫著：

USD_Y-shift ... 2s-10s @ 45 ... -2.80 ... 5 y-sh ... 14.00

這一行字，說明了長期資本的暴險，在兩年期和十年期國庫債券之間的殖利率曲線平緩幅度，當時的利差為四十五個基點。每變動五個基點，長期資本會賺（或虧）兩百八十萬美元。該交易的預期波動率為一年期間裡有五次這類波動，也就是說，根據其模型，長期資本的全年暴險不會超過一千四百萬美元。

下一個條目「USD_Z+D-shift」呈現的是長期資本對短期利率變化的暴險。一直到第五行，費雪才看到一個真正令人震驚的數字。在「USD_Swap Spread」這行字底下，顯示長期資本有二．四億美元的暴險——但這是在假設交換交易利差始終維持在其歷史波動率一年只有十五點的情況下。有鑑於一九九八年的交換交易利差的變化已經達到四十點，這個假設變得很荒唐可笑。光是第一頁就有二十五個條目，這份風險彙整表有十五頁。質量輕薄到簡直讓人感覺不出來。

談到國際交易，希利伯蘭把英國的債券和交換交易、丹麥的抵押貸款、紐西蘭的交換交易利差、香港的債券，以及瑞典與瑞士，還有德國、法國和比利時的各種暴險的那幾行條目拿給費雪看。費雪也看到了義大利、西班牙和荷蘭的債券。

接著費雪又看到更多條目，此時涉及到該基金的股票部位。他對於股市波動性就占了大量條目感到震驚。然後是長期資本在新興市場的暴險：巴西、阿根廷、墨西哥、委內瑞拉、韓國、波蘭、中國、台灣、泰國、馬來西亞和菲律賓。俄羅斯有三個條目，包括「俄羅斯強勢貨幣方向」——代表該基金已經定向，或是直接做投機買賣。

起初，這麼多交易竟然同時崩盤，這似乎很驚人。但是仔細看著它的投資組合，費雪一下子就明白：長期資本的交易是相互關聯的——在這件事發生前，這些交易就已經有關聯了。「他們在世界各地都有同樣的價差交易。」費雪心裡想。詹斯勒也有相近的想法：在出現危機的期間，那些關聯性總會歸結到同一件事。當地震襲來時，所有市場都會震動。為什麼長期資本對這種狀況如此驚訝？

合夥人完成風險彙整表的報告後，他們又瀏覽了另一份文件，根據交易對手來解決長期資本的暴險。理論上，其交易對手會有擔保品保護其權益。但事實上，如果該基金突然倒閉，它的所有交易對手都會不約而同地試圖拋售，從而使擔保品的價值必然暴跌。此外，長期資本的每個交換交易對手勢必會被「扒光光」，或是緊抱著合約另一方已不復存在、只剩單方的合約。每個交易對手都會急於抵銷其單方的交換交易，像銀行擠兌一樣壓垮市場。根據長期資本的說法，如果發生這種情況，其十七家最大的交易對手——像是美林、高盛、摩根和所羅門銀行——將總共損失二十八億美元。

費雪盯著這個數字想著：「在正常的市場上，這可能還有點道理。」但是現在市場已經非常焦慮了，有可能完全失控。費雪心裡也有個底，他把可能的虧損調整到三十億至五十億美元，即使這只是估計。陷入困境的不是只有長期資本——是整個華爾街。天曉得這些虧損什麼時候會開始損害到整個體系？誰知道這個體系是否有爆發點？費雪愈聽愈覺得糟糕。「我不擔心市場交易量縮水，」他透露說：「我是擔心市場交易會完全停擺。」

在以前，參訪者有了大致的了解後，這群人就會開始尋找一些解決方案。詹斯勒提到，在一九九〇年，垃圾債券大王「德崇證券」（Drexel Burnham Lambert）的破產申請，實際上紓緩了垃圾債券引起的恐慌。

但是在這次案例中，里卡茲解釋說，破產沒辦法阻止任何事情；那只是按鈴告訴交易對手可以開始爭搶擔保品了。德崇證券造成的金融危機牽涉的只有債券，沒有衍生性金融商品。長期資本的情況要複雜得多了。費雪很清楚，試圖解開所有這些層層疊疊的交換交易，是不可能的。此外，能不能幫該公司找到買家也是個問號。沒有人會想插手像股票波動性這類交易部位。「因此這是一個新的典範，」詹斯勒不滿地表示。

該基金合夥人尤其對來自貝爾斯登的壓力感到不安。費雪總結說，長期資本需要的是喘息空間。經過一番協調，套利者和官員們想出了一個計畫。假設先讓銀行知道，長期資本將以最嚴格保密的方式向他們展示投資組合，讓銀行於四天後，也就是星期四到訪呢？很快地研究過後，銀行可能會在接下來的星期日拍賣會上競標這些資產。等到星期一市場重新開盤時，長期資本實際上就會消失了。

但是這個計畫有個問題：里卡茲提醒他們，長期資本只剩下十五億美元的股權。扣除在貝爾斯登被凍結的現金和保證金帳戶等裡頭的資金，剩下的自由現金正好為四・七億美元。該公司曾經一天虧損數億美元。很有可能，長期資本沒辦法撐到星期四。

而此刻是星期日下午四點，距離東京股市開盤剩不到幾個小時。他們已經花了六個小時試圖解決這個問題，卻一事無成。官員們走到一個側廳，詹斯勒也回電到財政部。距離期中選舉還有六星期；到目前為止，經濟一直是政府的一個亮點。政府最不想看到的就是金融危機。與合夥人重新會合後，費雪告訴他們：「你們很沉著，我們也很冷靜，但華盛頓快瘋了。」然後他向梅里韋瑟伸出手。J. M.說，不管怎樣，他都想把問題處理好。「謝謝，」費雪說，「你是第一個提前告訴我們的人。」

星期日下午，科津和還在阿拉斯加峽灣旅遊的巴菲特談過話，他似乎還沒確定要不要救長期資本。那天晚上，高盛總裁打電話給費雪，告訴他不要指望私人救援。費雪心裡有了一個念頭：「我們要怎麼撐到另一個週末？」他第一次提出了組成一個銀行團的想法。對巴菲特出價感到悲觀的科津，也贊成他這麼做。〔3〕

摩根大通也有類似的想法。摩根在東京和倫敦的分析師，在過去二十四小時內，一直在下載和高盛與美聯準所見到的資料類似的文件。有趣的是，對於長期資本的交易並沒有變得更加奇怪，摩根的分析師也感到訝異。這些交易的規模很大，但並不稀奇。儘管如此，由於大家都知道長期資本是做債券交易的公司，所以摩根對其股權帳簿的規模感到驚訝。

摩根看到了兩種選擇。一個是讓基金倒閉。然後每家銀行都會幫自己扣押擔保品；摩根估計，這會讓每家大型銀行損失五億到七億美元。另一個選擇就是，摩根可以自己買下大部分的投資組合。但這會帶來另一個問題。摩根知道其他銀行已經看過這個投資組合。如果有任何一家銀行收購了投資組合，它會和長期資本處於同一個處境——勢必成為全華爾街的箭靶。所以必須把所有銀行都拉進來才行。

星期日下午，一直有著和摩根相似想法的科津，打電話給美林證券董事長科曼斯基。科曼斯基有一半俄羅斯東正教猶太血統、一半愛爾蘭天主教出身，以及是百分之百布朗克斯土生土長，這天他正在為日落時分的猶太新年做準備。科津告訴他「LTCM有一些真正的問題。看起來他們會在一、兩天之內破產。」他提到高盛的人已經在格林威治——但並不是說高盛獨家窺探了該公司的帳簿。在這個當下，他也沒有提到高盛和巴菲特正在考慮收購投標。

科曼斯基以休假為由掛掉電話，並讓他信任的副手，美林總裁赫伯特・艾里森接手後續。那時科津正在打高爾夫球，但在那天晚上十點半，他聯絡上了艾里森。逐漸地，華爾街的前幾大銀行家開始交換意見。由於他們的粗心大意，他們輕率地融資，他們妄想討好一個自以為是的客戶，這些華爾街銀行一起造成了這次慘敗。他們的本能就是盡可能地瓜分掉長期資本倒閉後剩餘的資產，但此時他們開始了解到，這麼做的話，自己可能也會有倒閉的風險。他們也陸續得到結論，他們可能不得不做出最違背自己本性的事：可能必須通力合作以求度過難關。

九月二十一日星期一，又是糟糕的一天。美國交換交易利差攀升到八十七點；英國交換交易利差飆升到九十五點。首次發行和非首次發行公債之間的價差——兩者都是完全安全的美國政府

3 Author interview with Jon Corzine.

信用貸款——大漲到令人難以置信的十九點。（才一個月之前，價差還在平常的六點而已。）價格有一種非現實的氣氛，彷彿交易者都在拋售任何和長期資本有關聯的東西，即使那關聯是最薄弱的謠言傳出來的。銀行正在「扭曲對該基金不利的分數」，要在還有東西可搶的時候，趕緊拿走搶得到的所有擔保品。所羅門美邦高階主管史蒂夫．布萊克從他在東京的屬下那裡聽說，高盛正在把長期資本的交易「當成洩慾對象」，尤其是交換交易。高盛表示，所羅門美邦在歐洲也在做同樣的事情。〔4〕

到了中午左右，在一筆相當小的交易裡，股票波動率大幅增加三個百分點，達到三十八％！期權市場如今蘊含著災難性的波動，可能每個月都會大跌一次。對羅森菲爾德來說，這簡直是無稽之談；感覺好像波動率之所以上升，只是因為交易員知道長期資本現在不堪一擊——在當時這看法可能是真的。〔5〕這種明顯的操作使得該基金損失了一．二億美元。正如文森．麥湯尼預言的那樣，飢腸轆轆的交易員即將完成始於俄羅斯危機、了斷長期資本的工作。

長期資本在星期一總共虧損達五．五三億美元，剛好等於其一個月前的虧損。就占比來看，這個星期一的損失要嚴重得多：該基金的股權一下子被吃掉三分之一，只剩下不到十億美元。而且該基金仍然持有超過一千億美元的資產。因此，就算把衍生性金融商品略去不看，其槓桿率也大於一百比一——這在投資史上是個相當驚人的數字。這時候，如果長期資本再多虧損百分之一，它就徹底完蛋了。

儘管要到市場收盤後，才能知道損失有多嚴重，但合夥人在當天早些時候，就知道星期一是最高峰。律師吉姆．里卡茲打電話給貝爾斯登的執行副總裁華倫．史貝克特，並威脅說，如果貝爾斯登停止清算，他將提起訴訟。該基金沒有什麼可失去的，里卡茲知道這一點。接下來里卡茲也打電話給大通銀行，要求立即從循環信用貸款中撥出五億美元。

幾分鐘後，銀行聯盟的銀行（總共二十四家）開始發牢騷。里卡茲和該基金的負責人布魯斯．威爾森（Bruce Wilson）堅持銀行必須借這筆錢，沒有商量的餘地。但是他們會在這個客戶完蛋前認錯嗎？忠誠的福勒格說大通會提供資助。更重要的是，他也把這要求發電傳電報給其他銀行，告訴它們，在他看來，它們也必須提供資金。長期資本拿到了四．七五億美元，大部分是在當天收到（只有法國農業信貸銀行不肯借）。這筆貸款對長期資本的股權沒有任何幫助，卻是貝爾斯登庫藏的錢。也許，這筆錢可以爭取到幾天。

在美聯準，費雪透過電話和高盛的科津、塞恩、美林的艾里森，以及摩根大通董事長道格拉斯．華納（Douglas Warner）保持聯繫。這些電話讓費雪確信，私下籌募資金的努力會失敗——而且更要緊的是，市場即將大難臨頭了。他愈來愈覺得三大銀行應該採取一些集體行動。艾里森和科津整天都在發表意見。艾里森不像某些交易員那樣好勝，自然會傾向合作。還藏著巴菲特這張王

4 Author interview with Steven Black.
5 Author interview with Eric Rosenfeld.

牌的科津，同樣持這個立場，不過只是用來以防萬一的。在那個星期一，科津聯繫了ＡＩＧ保險公司的董事長莫里斯．格林伯格（Maurice Greenberg），說服他加入巴菲特與高盛的競標。ＡＩＧ具有必要的衍生性金融商品專業知識，如果有這個第三號成員，這組合會更強大。正在旅遊的巴菲特再度失聯，但他的策略已經很清楚了：買下投資組合，讓全世界知道它現在掌握在更可靠的人手上，讓價格回升——然後再賣掉。

在摩根內部，一個和門多薩有關係的小團體；摩根全球債券主管彼得．漢考克；以及其股權部門主管克萊頓．羅斯（Clayton Rose），也在考慮單獨行動。奇怪的是，協助創立長期資本的美林是三大銀行中消息最不靈通的。整個星期一的時間，艾里森都在努力跟上進度。他在下午派出一個團隊，搭乘直升機前往格林威治，以了解他的客戶有多麼迫切。整個猶太新年假期，希利伯蘭和羅森菲爾德都在工作，他們向來訪者解說投資組合——還有誰沒有看過帳簿嗎？梅里韋瑟仍然非常平靜，甚至很客氣。他承認「我們誤判了市場」。

但是J. M.仍然認為長期資本的交易是合理的——如果它能夠度過這次暫時的危機，也就是流動性的短暫崩盤。J. M.非常希望該基金繼續存在。他就像個即將要擁抱情人的男人，只要他能夠度過暴風雨讓他的飛機降落。但是追加保證金通知、其他交易員的狙擊、謠言散布者、高盛找來的傭兵……

美林團隊在得知長期資本的交易規模如此龐大後相當震驚，尤其是股票和歐洲的交換交易

（比美國交換交易的流動性要低得多）。美林的理查・鄧恩問道：「你們知道這些部位相當龐大嗎？」〔6〕這些套利者似乎不懂他在問什麼。高盛交易員戈德菲爾德無處不在，美林的人完全搞不懂為什麼他會在場；他伏在他的筆記型電腦前，沒有正眼看美林的人。

• • •

在倫敦的星期一夜裡——在格林威治還只是下午——瑞銀的經理安迪・西西利亞諾打定主意，必須親眼看看這個對沖基金。他趕上協和式客機，在飛機上和維克多・哈罕尼不期而遇。儘管到達時兩個人都還有時差問題，但他們都沒有打算睡覺。他們共乘一輛豪華轎車前往格林威治，在那裡的會議室，眾人正圍著J. M.、羅森菲爾德和兩位諾貝爾獎得主。高盛的人還在大樓裡，就像已經建立灘頭陣地的侵略部隊。會議室裡，大家普遍有一種找掩護的心態。這群合夥人不停地討論著，高盛的交易員用手機打電話給紐約那邊時會怎麼說——雖然他們肯定不知道這些交易員說了什麼。但是這群合夥人已經迷信，有一個陰謀想要搞垮他們了。當他們結束和高盛的對談，他們對貝爾斯登大發雷霆，毫不客氣地暗示貝爾斯登的信是突然出現的。這些合夥人輕輕鬆鬆地

6 Author interview with Richard Dunn.

忘掉自己以前多麼不可一世，低聲下氣地想知道，為什麼他們的朋友會拋棄他們。〔7〕

羅森菲爾德彷彿要看到第一百遍似的，反覆查看投資組合，逐筆交易評估前景。唯一的局外人西西利亞諾，從一開始就知道沒有人反對他出現。長期資本現在沒有祕密可言了。事實上，西西利亞諾出人意料地受到歡迎。他是該公司以前一直迴避，但現在迫切需要的和外部世界連結的橋梁。合夥人們懇請西西利亞諾提供幫助，把他們的交易部位固有的邏輯——全是為了資本——散播出去。他們還在出售，但卻用一種微弱的自欺欺人的氣味，來粉飾他們的胡說八道。復仇的主調，像酸奶的凝乳一樣在表層底下冒泡：要是長期資本有新資本能夠投入缺口，價格就會反彈，那些和他們交易的機會主義討厭鬼也會求饒。

到了星期一，市場八卦把每一次價格的小幅下跌，都歸因於格林威治在拋售。但是一般的媒體卻出奇地安靜。從梅里韋瑟於九月二日發出信件的隔天開始，媒體就沒有對這家失控的對沖基金發表過任何評論。華爾街的專家們，正全神貫注在預期要發布的「莫妮卡·李文斯基性醜聞案」聽證會的柯林頓總統作證錄影帶，據說這會重挫市場景氣。費雪則認為，性醜聞和華爾街股市不景氣無關。在他看來，長期資本就像個已死之人一樣讓市場頭痛不已。

和銀行談過後，費雪有了結論，華爾街願意加入救援行列，但鑑於這些銀行家之間互不信任以及競爭的本性，沒有人肯冒險帶頭救援。帶頭的工作將交給美聯準。科津此時仍在對沖他的賭注，他的想法也一樣。如果高盛獨家競標的可能性落空，他希望能避免不受控的競爭局面。他更願意在美聯準的保護傘下攜手合作。而赫伯特・艾里森也在催促費雪，以中立的立場把一些銀行聯合起來。費雪覺得時間所剩無幾，便邀請三大銀行到美聯準吃早餐。〔8〕

費雪堅稱，他和麥克唐納都不擔心長期資本的虧損，甚至也不擔心其他公司將來可能遭受的損失。如果確實如估計的，十七家銀行總共要分攤三十億到五十億美元，那麼每家公司最多損失三億美元，他們肯定還承受得住。就算承受不住這筆損失，這些華爾街的私營銀行也是把自己股東的資金置於風險之中；他們並沒有向美聯準尋求幫助。

費雪擔心的是影響範圍更大的「系統性風險」：他擔心如果長期資本倒閉，而且其債權人倉促且毫無章法地強行清算，恐怕會危及整個金融體系，而不只是一些重要的參與者。葛林斯潘後來用了「市場停擺」這個說法，讓人聯想到市場混亂到可能停止運作的樣子——這代表交易者勢必會停止交易。〔9〕麥克唐納引發了一種類似的恐懼——在這麼多市場還有這麼多參與者遭受損失，必定會引發清算、利率極度波動和更多虧損的惡性循環：「市場……可能會停止運作個一天或幾天，也許更久。」〔10〕

7 Author interview with Andrew Siciliano.
8 Author interviews with Jon Corzine and Herbert Allison.
9 Alan Greenspan, testimony before Committee on Banking and Financial Services, U.S. House of Representatives, October 1,1998.
10 William J. McDonough, statement to Committee on Banking and Financial Services, U.S. House of Representatives, October 1,1998.

自從大蕭條以來，美國還沒有經歷過真正的市場崩盤，儘管有時市場似乎正快速朝著崩盤的可能性發展。但對於金融世界末日的恐懼，已經啟發了一種富有想像力的著作，在這些作品中，極端的情況下會出現類似的自然災害情節、大規模電腦當機等負面事件，諸如此類。理論上，沒有人能夠說系統性風險是否會呈現真正的威脅——這句話含糊不清且定義不明確——但監管機構自然傾向謹慎行事，避免犯錯。當費雪準備會見他的客人時，亞洲就算還不是蕭條，也已經處在衰退的陣痛中；俄羅斯肯定會陷入衰退；而南美洲已經在衰退邊緣了。在美國，信貸利差大幅擴大，意味著貸方拒絕貸款——這是經濟衰退的一種典型跡象。前一天，也就是九月二十一日，美國公債殖利率曾觸及五．〇五%的低點。《華爾街日報》援引一名經濟學家的話報導，「現在公債純粹是衡量恐懼的一種標準」——恐懼持有任何非公債的債券。[11]從瑞士到巴西再到新加坡，股市都在暴跌。退出華爾街來看，費雪勢必已經注意到美國的經濟仍然相當活躍（不像一九二九年秋天，華爾街大崩盤時，美國經濟已經在衰退了）。事實上，大多數美國人甚至不知道有這場金融危機——魯賓部長說，這是半個世紀以來最嚴重的危機。[12]但它確實存在美聯準的記憶中。

• • •

費雪的客人——美林的科曼斯基和艾里森、高盛的科津和塞恩，以及摩根大通的門多薩——

在當天早上七點半抵達。如果一位高階主管的情緒可以從其公司股價來推測，那麼費雪的這些訪客一定笑不出來。美林的股價為五十四美元；七月時，它的交易價格為一〇八美元——是現在的兩倍。摩根的股價跌了超過四十%。高盛還沒有上市——這代表科津的情緒可能是所有人裡最糟的。在這樣的市場狀況下，高盛不可能賣得出股份。

費雪說，他星期日已經在長期資本耗了一整天，正擔心著系統性風險。幾位銀行家對此表示同情。美林證券此時還處在接近驚嚇的情況——不是長期資本的關係，而是其自身在債券方面持續不斷虧損。故意避開套利型操作的美林，從來沒想到自己會這麼脆弱。摩根雖然狀況好一點，但也經歷了很慘的一季。高盛在八月和九月的交易虧損高達十五億美元，著實讓人嚇一大跳（當然不能和長期資本相比）。因此，當費雪表示整個體系已經陷入危險，他的訪客毋須思索全球資本主義的枝微末節，至少出於他們自己的原因，這些人早已經準備信任他了。

每家銀行都提出了不同的解決方案。科津透露，高盛知道有一名潛在的競標者——一位「大人物」——正在一旁等待時機。摩根的門多薩提出了一個複雜的計畫，就是持有長期資本債務暴險的銀行可以「贖取」(lift，也就是購回）其債券交易，而持有股票暴險的銀行可以瓜分其股票交

11 J. R. Wu, "Treasurys Gains Are Trimmed After Yield Hits Low of 5.05%, as Stocks Rally on Tape Release," *The Wall Street Journal*, September 22,1998.

12 Robert Rubin, remarks at Woodrow Wilson International Center for Scholars, Washington, D.C., October 20,1998.

易。本身也被長期資本套住的科曼斯基，認為這作法太過複雜和耗時。他和艾里森傾向於成立一個簡單的財團來進行投資。

但是，如果長期資本的股權繼續蒸發，那麼不管有什麼解決方案也都枉然。其中一位銀行家承認，銀行必須阻止他們的交易員向該基金出手。科曼斯基粗聲粗氣地說：「嗯，就叫那些雅痞閉嘴坐下吧。」這段話有可能是針對科津說的。科曼斯基後來表示，雖然他沒有特別回想起這句話，但他聽說高盛的交易員已經把「長期資本所有的交易部位」下載到他們自己的電腦裡了，高盛理所當然否認了這件事。無論如何，有關高盛交易的猜測，已經在最高管理階層人士之間傳開了。「我不知道有誰知道這件事是真有其事，」科曼斯基說，「但是問題還是在。」〔13〕

銀行家們在九點半左右休會，同意派兩組人到長期資本研議摩根的方法。一組人會研究贖取長期資本的債券交易部位，另一組人研究它的股權。由艾里森帶頭的第三組人，會回到美林證券研究該財團的想法。此外，他們還同意邀請長期資本最大的投資者瑞銀集團，加入他們的行列。

梅里韋瑟泰然自若地向銀行家們打招呼，但希利伯蘭看上去就憔悴又緊張；這位交易大師個人也操作了不少資金槓桿，幾次虧損下來已經讓他元氣大傷。到目前為止，長期資本和諮詢的銀行家之間的會議，已經有了一種排練過、過分熟悉的氣氛。這群合夥人已經厭倦了這些不甘不願的收購者；此外，市場變化得這麼快，以至於銀行家們無法知道這些投資組合究竟價值多少。他們對這些投資組合進行估價時，很保守地打了折扣，最後得出的各個部分出價加起來，比零元高不了多少。他們的最低估值似乎讓哈罕尼覺得受傷。「謝謝你們前來，」他帶著責備的神情對美林的一名銀行人員說：「但我們認為你們說得不對。你應該和我們一起投資。」他就像個溺水的人，卻還試著指揮岸上的救援人員怎麼做；他的內心深處認為，他是不會沉下去的。

但長期資本在星期二又虧損了一．五二億美元，使其股本縮水到七．七三億美元。貝爾斯登的執行長吉米．凱恩告訴費雪，長期資本有足夠的現金度過星期二——但是要過星期三這關可能會有問題。[14]它能在二十四小時內做什麼？摩根的選項已經沒戲唱了。科律懷疑「大人物」也會浮出檯面。這問題就交給了艾里森。

五十五歲的艾里森是一名投資銀行家，在美林的高階主管裡很少見，美林的高階主管大多是從公司的股票經紀人陣容裡挑選出來的。典型的美林證券人物是科曼斯基，他是個風度翩翩、身材魁梧的前股票經紀人，從未拿過大學文憑，但在銷售方面已經幹得有聲有色。艾里森則曾在耶魯大學主修哲學，還是史丹佛大學企業管理碩士，書卷氣十足。他細膩，禿頂，還戴著眼鏡，更像是推銷員，而不是鋒頭人物，而且——儘管他有野心——他還是個完美的第二號人物。不可否認，他非常聰明，具有解構交易以及讓零件正常運作的才能。星期二下午，艾里森和一小群銀行家，窩在一個能俯瞰自由女神像的會議室裡，敲定了一個計畫。到了下午四點，費雪和這四家銀

13 Author interview with David Komansky.
14 Author interview with James Cayne.

行用電話會議聯繫合作時，艾里森已經在一張紙上，用四分之三頁幫該財團制定了簡要的大綱。

艾里森的計畫若想要有任何機會，勢必需要華爾街大多數銀行支持。此外，他向費雪解釋說，把這些銀行聚集起來的唯一方法，得由美聯準打電話給它們，提出要舉行會議。〔15〕費雪同意了。雖然他堅持美聯準不支持任何特定方法，但這位監管官員就在美林的計畫背後開始迅速行動。下午六點左右，費雪和幾名助理開始打電話給十幾家銀行，再加上美林、摩根、高盛和瑞銀——這幾家長期資本規模最大的交易對手，並宣布當天晚上八點在美聯準召開緊急會議。麥克唐納曾經在倫敦和國際監管機構，談論過衍生性金融商品的危險性，他將透過電話保持聯繫。在倫敦幕色降臨之時，麥克唐納正搭乘飛機返回紐約。

四大銀行的銀行家在七點會見了費雪。艾里森的計畫，要求十六家銀行每家投資二．五億美元。塞恩曾經堅持總共要投資四十億美元——如果再少一點，投資組合就會受到攻擊。但這些銀行家對其他任何事情都不肯同意。這套方案應該（像比較膽怯的銀行家提議的）算是股權呢？或者要算是臨時貸款？應該允許長期資本的合夥人留下，還是要解雇他們？如果他們真的留下來，要由誰來控制這個基金？科津強烈主張長期資本合夥人應該放棄控制權。到了八點二十分，四大銀行還在爭論不休。同時間裡，其他大銀行的執行長也陸續抵達，在會議室外面一直等著。

費雪叫了暫停，打開大木門，邀請其他人進會議室。這是一場驚人的聚會，與會人士都是華爾街的精英。費雪注意到了所羅門美邦的共同執行長德里克．莫恩；大通總裁托馬斯．雷伯瑞克；貝爾斯登執行長吉米・凱恩；瑞士信貸第一波士頓執行長艾倫・惠特（Allen Wheat）；摩根史坦利董事長菲利普・珀塞爾（Philip Purcell）；以及來自英國雷曼兄弟和巴克萊銀行的高層主管。在四大銀行出席的人當中，費雪看到了科曼斯基、艾里森、科津、塞恩、華納、門多薩、羅斯和大衛・索洛。十二家銀行派出了二十五名銀行家——全是中年男人。這些粗脖子的銀行家雖然彼此熟悉，但也不習慣在接獲這樣臨時的通知後，與這麼多同業會面，而且是在這樣的地方——在會議室邊緣的金色畫框肖像油畫靜靜注視下，塞坐在柔軟的皮革辦公椅上。摩根的桑迪・華納（Sandy Warner）打破僵局，愉快地宣布：「兄弟們，我們要去野餐了，而門票價值二・五億美元。」

費雪雖然是個官僚，賺的錢只有這些客人收入的零頭，卻獲得了這些人的注意，因為只有他能夠代表如今看來岌岌可危的「公共利益」。費雪的發言只有短短幾分鐘。他表示，美聯準有興趣了解私營部門是否能找到解決方案，避免一場混亂的清算——一場會損害整個體系的清算。除此之外，他也採取了中立的立場，刻意對那些具體內容保持超然。艾里森說：「感覺就像他只是出租了一個會議廳。」當然，費雪所做的遠不止於此。美聯準不會每天都邀請華爾街銀行的負責人到董事會，這些高層人士也知道這一點。

環顧房間，雷曼兄弟法務長湯瑪士・盧索（Thomas Russo）的第一個念頭是感到敬畏——對於

15 Author interview with Herbert Allison.

自己成為這群人的一員感到短暫的滿足。隨著辯論持續進行，盧索變成有點啼笑皆非。他很疑惑：「當你位居高位時，你對底下雞毛蒜皮的小事真的了解多少？」他們都接受過行使盡職調查的訓練，但沒有人接受過因應這類緊急狀況的訓練。

艾里森總結了他的計畫，每家主要銀行都表示贊成。科曼斯基說：「這不是我如何處理這筆資金的第一選擇，但我認為這是正確的作法。」科曼斯基不嫌麻煩地補充說，他擔心如果長期資本倒閉，美林證券驚人的交易損失會失控。其他銀行家也很擔心。但雷曼反對，認為不應要求他們和大銀行提供相同的貢獻——為什麼不是每家銀行根據其暴險進行投資？塞恩反駁說這太複雜了——沒有時間了。這時候，每家銀行都開始爭奪自己的特殊利益。大通的雷伯瑞克因為貝爾斯登引起了這場危機，而向貝爾斯登開炮。他也知道，貝爾斯登仍然掌握著關鍵。凱恩明顯地不敢作聲，他的公司為長期資本進行清算，一年可賺取三千萬美元，而且他本人也投資了該基金。

接著這些銀行家對長期資本發洩了他們的憤怒。他們已經從格林威治這群人身上，拿到他們想要的一切。四年來，這些合夥人對其他事都漠不關心，從每家銀行挑選最有利的交易，甚至毫不遮掩他們自鳴得意的優越感。如今這群合夥人看起來像假先知，銀行家們覺得被騙了——他們太輕信這些人了。有些人表示應該解雇這幾個合夥人，為什麼要給他們錢？艾里森和科津一再中途離開會談，向梅里韋瑟提供最新消息（每通電話至少有兩家銀行參與談話，以避免祕密交易的可能性）。聽聞這些針對他而來的怒火，梅里韋瑟聽起來很羞愧。「聽著，我會盡我所能地提供協助。」他喃喃說道。

高盛的塞恩最了解長期資本，他仔細說明了投資組合的風險。這批人都同意任何投資都應該以股權的形式進行，但除了四家主要銀行，沒有一家公司願意做出承諾。大多數銀行認為，如果長期資本倒閉，他們的損失也不到二・五億美元；為什麼還要再花冤枉錢？艾里森說，後果可能真的很可怕，甚至比俄羅斯之後還要糟糕。他提醒大家，長期資本擁有一千億美元的資產，以及一兆美元的名義衍生性金融商品暴險。

此外，其股票部位令人毛骨悚然。如果不是期權提供的保險單，一些投資人就不會買入股票，而長期資本很容易成為最大的供應商。如果沒有長期資本，投資者可能會退縮不買股票。這些銀行家沒有人希望看到股市進一步下跌。福勒格感到房間裡瀰漫著恐懼。接著他又開始覺得沮喪，這天是他的生日，他可能要關在會議室裡度過了。

晚上十一點左右，費雪建議他們休息到隔天早上十點。艾里森和美林證券的同事湯姆・戴維斯（Tom Davis）回到辦公室重新起草條款。他們不時地為了解決問題，打電話給在格林威治守夜的梅里韋瑟。凌晨時分，艾里森向科津和門多薩報告最新進度；艾里森希望星期三不要再節外生枝。凌晨三點，巴黎的上班日開始時，艾里森把新條款傳真給長期資本的法國交易對手。然後他就回家了。第二天，他需要每家銀行做出承諾。他懷疑這件事是否有可能做到。〔16〕在以前，沒有人能在一天內籌到四十億美元。

美林證券意識到它還必須趕快找一些律師。菲利普・哈里斯（Philip Harris），美林證券的外部律師事務所世達律師事務所（Skadden, Arps, Slate, Meagher & Flom）的合夥人，曾經參與過長期資本最初的籌資過程，但是專門負責投資基金的他也想要找一位訓練的專家。凌晨兩點半，哈里斯打電話給世達律師事務所的合夥人J・格里高利・米爾默（J. Gregory Milmoe），把他從斯卡斯代爾的家裡叫醒。五十歲的米爾默一頭白髮、戴著金框眼鏡、說話輕聲細語，是專門從事破產事務的律師。他以前是鋼琴樂手，在世達的郵件收發室找到一份工作，後來去讀法學院。「出現了一些東西，」哈里斯說：「我們需要你幫忙。」

米爾默答應會在一大清早就加入。

「不是，」哈里斯解釋說，「我們要你現在就過來。」

米爾默沖完澡、穿好衣服，跳上他的Volvo汽車。他在這座城市最安靜的時間驅車進了曼哈頓。到了三點半，他抵達世達總部所在地那幢閃閃發光的黑色摩天大樓，開始上工。

• • •

剛剛從倫敦抵達的麥克唐納，在星期三稍早來到了美聯準。手推車和加長型豪華轎車爭相擠在街道空間裡，在狹窄的巷弄中豪華轎車只能緩緩行駛。在上方隱約可以看到美聯準大樓，高高的外牆一直延伸到一個空無一物的陽台，彷彿建築師想要傳達宮殿的儀式感和堡壘的堅固。麥克唐納打電話給歐洲央行的同行，通知他們這次危機。他的同事費雪接到貝爾斯登執行長凱恩的電話。凱恩的公司幾乎沒什麼暴險，他說貝爾斯登不會為任何救援措施出力。費雪懇求凱恩多考慮一下其他意見。凱恩語帶威脅地說道：「如果你想讓這個作法行得通，就不要照本宣科。」

到了上午十點，銀行家們回到會議室。星期三的聚會規模更大，總共大約有四十五人。這批人是華爾街重要證券商裡的名人榜：桑佛．魏爾、科曼斯基、科津、大通銀行的雷伯瑞克、摩根的華納、瑞士信貸第一波士頓的惠特和雷曼兄弟董事長理查．富爾德。加上來自瑞士、英國和法國的五家銀行的高層，以及因為長期資本龐大規模的股票波動性交易，而被召見的紐約證交所主席理查．格拉索（Richard Grasso），湊成了這場令人驚嘆的聚會。德意志銀行的愛德森．米契則是透過電話聯繫的。當這些銀行家走進會議室，他們都注意到壁爐架上一座古董鐘上方的喬治．華盛頓肖像，旁邊則有麥克唐納的前任主席的肖像。會議室窗簾被拉上，擠滿這麼一大群人後，高雅的黑邊桃花心木會議桌就顯得太小，而桌上已經臨時鋪上一個更大的桌板。〔17〕

會議室本身就是一個附加設施，美聯準是在一九三五年時，從隔鄰的屋主手上買下它的，這

16 同前註。

17 The accounts of the meetings at the Federal Reserve were mostly drawn from interviews by the author, including ones with Herbert Allison, Jon Corzine, Peter Fisher, David Pflug, David Komansky, and Thomas Russo.

名屋主在繁榮時期原本是不肯出售的。有人開玩笑說，是美聯準策畫了股市崩盤，好取得這個場地。這個玩笑話中帶刺，由於在一九二九年初期，美聯準未能遏止利用保證金借款的股票投機活動，此後一直被視為錯失了一個特別的機會——這個機會或許能避免那次股市崩盤，也許也能避免隨後而來的經濟大蕭條。麥克唐納在想方設法預防LTCM會發生的，正是這種崩盤——儘管規模小得多。

然而，麥克唐納並沒有在會議室。這位紐約聯準主席和四家主要銀行的高層在一個接待室裡密會，他們已經變成像是其他銀行大會的流動安全理事會。這天早上天氣暖和，其他執行長不習慣等人，開始不耐煩了。

十點二十五分，年六十四歲、身材魁梧、有著濃眉和稀疏銀髮，出身芝加哥的麥克唐納突然現身，並表示他要暫停會議，直到下午一點。他神祕地補充說：「並不是已經窮途末路了。」但他拒絕詳細說明。這些執行長目瞪口呆，完全不知所措。後來他們才知道，在四巨頭開會大約十分鐘後，科津和塞恩把麥克唐納拉到一邊，央求他考慮突然談好的新進度：巴菲特準備出價收購。「我以為我們在同一陣線上！」瑞銀的索洛憤怒地吼著。但是麥克唐納不能錯過這個看似天賜的禮物；他更加喜歡不需要美聯準出馬的解決方案。為了確保這件事是真的，他打電話給人在蒙大拿州一座牧場裡的巴菲特。巴菲特證實了這個說法，他們正在準備投標競購。在大會議室裡，這些CEO帶著嫌惡的表情起身。他們對高盛在背後進行交易感到憤怒。就連科曼斯基都覺得科津太保密到家了。

在高盛的投資銀行家克勞斯準備書面提案時，巴菲特打了一通電話給梅里韋瑟。「約翰，」巴菲特用他不會被認錯的聲音說，「你會收到有我名字的投資組合的標單。我只是想讓你知道那確實是我。」梅里韋瑟沒有多說什麼。

儘管高盛做事一絲不苟，但還是出現了小瑕疵。最後，在十一點四十分，梅里韋瑟從傳真機裡拿出了一頁傳真。傳真上表示波克夏．海瑟威公司、美國國際集團（AIG）和高盛願意用二．五億美元收購該基金。如果接受，他們會立刻再投資三十七．五億美元以穩定該公司的營運，其中的三十億美元由波克夏出資。

巴菲特提議用二．五億美元，買下這年年初市值曾經高達四十七億美元的這家基金。到這一天結束時，遭受市場又一次下跌的長期資本，其市值只剩下五．五五億美元。但即使和這個驚人縮水的淨值相比，巴菲特的報價顯然便宜多了。不過才幾週前個人身價都高達數億美元的這些合夥人，勢必會傾家蕩產。更重要的是，他們會被開除。此外，為了確保梅里韋瑟不會四處詢問其他買家，巴菲特把截止時間定為下午十二點三十分，剩下不到一小時。梅里韋瑟把傳真交給里卡茲。J.M.問道：「我們要怎麼處理這件事？」

對梅里韋瑟來說，這個提議必定是特別苦的良藥。J.M.對於高盛和AIG做出對該基金不利的交易確實很憤怒，因為他們在企圖用低價購買它之前，還幫助要把該基金弄垮。此外，這個提案又重演了J.M.職業生涯中的重大創傷：把他的事業和工作丟給巴菲特收拾。儘管如此，長期資本的合夥人還是仔細研究了這個提案。當天再次與合夥人聚首的西西利亞諾，對他們認真的情緒印象很深。西西利亞諾認為，他們首先關心的是制定一個公正的解決方案，以避免造成大範圍的災難。巴菲特的出價最起碼是一個辦法。

可惜的是，里卡茲發現這次投標有些問題。它誤寫成要收購LTCM（管理公司）資產的要約，但巴菲特並不想買這家公司。[18]高盛的法律顧問，蘇利文・克倫威爾律師事務所的約翰・米德（John Mead）向里卡茲解釋說，巴菲特是要購買該基金的投資組合。該投資組合的資產——股票、債券等等——當然可以隨時出售。但它的衍生性金融商品合約就不是這樣，因為另一方的當事人必須批准。此外，巴菲特的條件之一，是投資組合的融資仍然存在。正如里卡茲看到的那樣，巴菲特勢必要買下其投資組合公司——也就是LTCM在開曼群島的合夥企業：「長期資本投資組合」（LTCP）。但LTCP只是其原始複雜分支結構中的樞紐。這個樞紐由八個獨立的分支以及其普通合夥人持有，根據里卡茲的說法，如果不更改合夥協議，則絕對不可出售，而更改這個合夥協議需要每個分支的投資人同意。里卡茲表示，簡單的說，這次出價成交的機會不大。

然而，他認為它會以不同的形式運作——如果波克夏集團只是按照目前的結構投資該基金。而巴菲特做為最大的投資者，仍然可以隨意解雇合夥人。

但是米德無權更改出價，而巴菲特又離奇地遠在天邊。確實，沒有人知道他到底有多想要買下長期資本。在以前，巴菲特用一紙文件完成複雜交易的能力，一直是他的魅力之一，而這個提案——總共有五個段落——無疑是他的商標。但也許他對長期資本的出價太簡單或太武斷，因為它無法容納該基金更微妙的具體內容。此外，投資銀行家克勞斯可能已經跟巴菲特說明清楚了，但他本人不知怎麼地，不熟悉長期資本的組織結構，把這次投標嚴重處理錯誤了。

高盛的律師米德別無選擇。中午十二點二十分，米德告訴里卡茲出價被撤銷了，里卡茲走回J. M.的辦公室說：「巴菲特的出價已經不用談了。」梅里韋瑟立刻打電話給麥克唐納——這確實是他最後的希望。「好的，」麥克唐納說，「我會打電話給各家銀行，但我不確定他們是否會回來。」

後來據說J. M.故意放棄了巴菲特的出價，認為他可以透過麥克唐納達到更好的結果。然而，這個說法是認為，J. M.對一齣混亂且快速變化的戲有相當全面的理解。梅里韋瑟確實沒有試圖解決法律問題，而且這種複雜的狀況往往是在簽署了原則性協議後，才能獲得解決。但巴菲特也不完全是那麼肯變通的人。星期三中午，J. M.沒辦法認為巴菲特會同意他信裡的條款以外的任何條件。或許是這些條款過於嚴苛，或個人的不信任感這類隱晦的因素，讓J. M.不想再進一步找巴菲特幫忙，但J. M.知道的是，為了使財團的努力有任何機會，這件事必須交回美聯準處理——而且要盡快。

18 The letter was printed in *The Wall Street Journal*; see Mitchell Pacelle, Leslie Scism, and Steven Lipin, "How Buffett, AIG and Goldman Sought Long-Term Capital, but Were Rejected," September 30,1998.

銀行家們帶著怒氣，在下午一點回來了。高盛搞的小動作，讓他們想起彼此之間的信任感有多麼薄弱。他們不想待在那裡；他們在長期資本裡也沒有任何股份。摩根史坦利董事長珀塞爾認為，就算該基金倒閉，他的銀行也幾乎沒有風險。桑佛・魏爾剛剛結束了他自己的套利部門——為什麼還要去救別人的？魏爾甚至沒有回美聯準（由德里克・莫恩和傑米・戴蒙代表他）。瑞士信貸第一波士頓也持懷疑態度。大通的雷伯瑞克說，只有在銀行團的貸款還清的情況下，他才會加入。艾里森和科曼斯基仍然贊成達成協議，但現在他們懷疑這有沒有可能談成。〔19〕

這些銀行家討論了系統性崩潰的可能性，但無濟於事。這是他們自家人的話題，而不是銀行家們想花二・五億美元投進去的事。而雷曼兄弟也根本負擔不起這筆錢。雷曼兄弟本身的穩定性，也是華爾街流言蜚語的主角，其融資成本一直在飆升。雷曼兄弟董事長富爾德直言不諱地問科津，高盛的買家是否會因為價格而退縮——如果是這樣，財團為什麼要拿更多錢出來？科津說，其中一直有法律的問題。這些CEO幸災樂禍地聽著；誰知道該相信什麼？麥克唐納幾乎都沒說話。

如今這是艾里森的會議。這位數字掛帥的人決定進行投票。美國信孚銀行說它要加入……巴克萊銀行也加入。

所有人的目光都投向身材魁梧的凱恩，他懶洋洋地坐在同事史貝克特旁邊。這位貝爾斯登執行長說：「我們今天早上打電話說過我們不會加入。」此時會議室裡一片死寂。然後，這些CEO

異口同聲地要求他解釋。這樣子只會讓凱恩更加堅決。凱恩說，以一家清算代理商來說，貝爾斯登已經有夠高的暴險。接下來他就不再多說了。其他人認為他們很可笑。貝爾斯登持有五億美元——它是風險最小的。「他們看世界的角度和大家不一樣，」一名與會者酸溜溜地說道，「他們完全只顧自己的利益。」突然間，這些私人企業的典範帶著社群主義的熱情生悶氣。摩根史坦利董事長菲利普・珀塞爾氣到臉紅脖子粗。他怒道：「堂堂一家華爾街大公司說不參加，這是大家沒辦法接受的！」[20]就好像貝爾斯登打破了默契；這在將來會付出代價的，艾里森發誓。

麥克唐納要求貝爾斯登的人進他的辦公室。「你們必須說些什麼，」麥克唐納強調，「科曼斯基真的很生氣。」過了一會兒，科曼斯基進來了，他整個臉紅通通的。這位美林總裁氣炸了，他轉向凱恩問道：「你他媽的在幹什麼？」凱恩納悶：「我們什麼時候變成合夥人了？」科曼斯基像詹森總統那樣摟著他，史貝克特試圖擠到兩人中間，這樣凱恩就不必獨自應付科曼斯基兩百五十磅的體重。

是有事情觸怒了凱恩——隱約可以察覺出他覺得受辱了。他對科曼斯基說：「如果你回到會議室，說你對貝爾斯登有多年的了解，而且我們是一家值得尊敬的公司，那麼我們會說，做為清算代理商，我們沒有任何專門的知識會讓我們感到不舒服。我們只是選擇不參加。」接著他們便

19 Author interview with Herbert Allison.

20 Author interview with David Pflug.

回去會議室，也說了他們各自要說的話。

接著，焦點轉移到長期資本。科津說這些合夥人是耗材，還說：「我們不需要這些傢伙；這個爛攤子是他們搞的。」沒有人完全同情梅里韋瑟，但瑞士信貸第一波士頓的惠特說，解雇他是錯的。如果華爾街把所有這些錢都投入到該基金，他們就需要有人來管理它。而格林威治的這些人顯然比任何人都懂。

不過，科津堅持財團至少必須獲得完全的控制權，包括解雇J. M.和其他合夥人的權力。它需要用合約來鎖定合夥人，並嚴格監管交易限制。科津從一個極端走向另一個極端——現在想要J. M.當他的搭檔，現在想要把他銬起來。但他比任何人都更了解長期資本的缺陷。該公司沒有控制權，沒有哪個人的層級在交易員之上。科津堅持高盛不會在沒有問責制的情況下投資，他打電話給梅里韋瑟確認他會接受這些條款。否則，高盛就退出。

其他人感覺得到科津承受著特殊的壓力。他的副手塞恩正在美聯準辦公室接聽打到他手機的電話。沒有人能聽到塞恩在說什麼，但他們能看到他表情痛苦。高盛損失慘重；它的IPO岌岌可危，它的合夥人很不爽。科津看起來是腹背受敵。

除了科津，其他銀行家陸續離開了會議室。歐洲的代表打電話回家；美國人回他們的辦公室。也許，有些銀行家打電話給他們的交易員。會議細節被洩露出去了。

長期資本管理公司裡鴉雀無聲。它的交易市場正在暴跌，尤其是它的股票波動交易。最新報價是跌了四十一%！現在這幾乎都不重要了。這家公司已經快要結束了。交易停止了，電話終於接通了。沒有可以打電話的對象；公司合夥人這幾個星期以來一直在聯絡的人，此時都在美聯準會議室裡。

長期資本合夥人在玻璃帷幕牆的會議室裡一起等待。每隔一段時間，艾里森或科津就會打電話向J. M.提問，合夥人會據此推斷出一些進展。在外面，一群非合夥人站在電視螢幕旁，希望能一窺在玻璃牆另一邊幾個星期前展開的故事。下午三點左右，美國的消費者新聞與商業頻道（CNBC）以驚人的詳細程度，披露了美聯準的情況。哈罕尼出來了，長期資本的回購交易員瑞斯曼說：「他們會幫你們的。」哈罕尼謝過他，走開了。

在美聯準會議室裡，大家最後談到資金。艾里森希望有十六家銀行出資，每家出二．五億美元。但法國的銀行都沒辦法出資超過一．二五億美元。雷曼兄弟只能出到一億美元。貝爾斯登不參加。艾里森曾經把所羅門美邦和花旗算做兩家銀行，但花旗認為即將和所羅門合併，因此並未表態。福勒格說花旗應該也要加入，但所羅門執行長莫恩告訴他管好自己的事就好。

到了下午四點，機會快要溜走了。他們甚至還籌不到四十億美元，艾里森沒有其他選擇，只能把每家銀行的金額提高到三億美元。這讓科津感到很尷尬，他不得不打電話給他的高盛合夥人徵求同意。「摩根史坦利的彼得．卡奇斯（Peter Karches）冷笑道：「你這什麼意思？你是老闆啊！」銀行家們懷疑科津在尋找下台階，但科津是完全接受華爾街的領導人應該盡自己的一份力量。他那些合夥人比較沒有歷史感，並不這麼認為。高盛本身也在尋求資金，所以他們不願意投資長期資本，何況此時撕裂高盛的派系競爭分散了他們的力量。在艾里森看來，科津飽受磨難，長期資本不負責任的作為令他陷入困境，雖然他對這些作為感到憤怒，但在合夥人施加的龐大壓力下，他仍然盡力做正確的事情。他和塞恩警覺地互相對看。有一次，塞恩掛斷電話，在他耳邊輕聲交談。科津哀怨地轉頭對著眾人說：「我那些合夥人真的不想做這件事。」

儘管他的支持度搖搖欲墜，科津還是繼續堅持著。這個時候，有十一家銀行的資金為三億美元，加上法國的銀行和雷曼兄弟，已經籌到三十六．五億美元。算上長期資本的剩餘股權，總共會有四十億美元的資本。其中應該分配多少給長期資本的原始投資者？有人說是零，但艾里森說必須給予該公司合夥人獎勵。畢竟，他們將管理這些銀行的資金。

另一個問題是要投資多久。銀行家希望能盡快收回他們的資金，但如果這個財團被認為是暫時性的，其他交易員就會開始攻擊它。要變得穩定可靠，該財團需要持久的力量。這些銀行家商定了一個由以下三部分組成的議程：一、降低基金的風險等級；二、把資金返還給新投資者；三、最後想辦法實現獲利。對這些銀行家來說，全部的人都能全身而退再好不過了。

下午五點十五分，艾里森打電話給梅里韋瑟，告知這些條款。長期資本將從代表十四家銀行的新「分支財團」獲得三十六．五億美元資金。交換的條件，是這些銀行將獲得該基金九十％的股權。長期資本的現有投資者將保留十％的股份，市值約四億美元。但是基金合夥人在那十％當中的股份，將完全納入他們自己和LTCM的債務。簡單說，就是他們對長期資本的投資（曾經價值十九億美元），完全花光了，其中大部分是在短短五星期內賠掉的。雖然新安排的詳細狀況還未敲定，不過很明顯的，至少在接下來的三年裡（財團的預期壽命），這些合夥人的費用將被削減，他們的管理和營運自由也會被嚴重削弱。

科曼斯基認為對手銀行做的工作很偉大，儘管他們理所當然地救了自己隱藏的投資，而不只是救了梅里韋瑟。這些銀行家所做的，只是選擇了確定的三億美元風險，而不是損失規模未知的那一點點可能性。這代表這些銀行家終於對賭博失去了興致。

七點過後不久，他們交給記者一份新聞稿。這份新聞稿將以意想不到的方式，影響許多大事件，因為它向世界傳達了這項複雜交易某個程度上尚未底定。

新聞界自然很關注美聯準在策畫這次紓困計畫中，起了什麼作用。[21]根據隔天《紐約時報》的報導，美聯準已經把「大到不能倒閉」的原則，擴展到用在高風險、投機性的對沖基金。《紐約時報》的報導隱瞞了美聯準沒有動用到公款的事，馬上就讓美聯準處於挨打的局面。報導中暗指美聯準甚至默認幫私募、不受監管的基金承擔責任，這點非常令人不安。就像某位前財政部官員在其他地方說的：「萬一喬治・索羅斯出問題了要怎麼辦？」[22]《華爾街日報》社論表示，這次

21 Gretchen Morgenson, "Seeing a Fund as Too Big to Fail, New York Fed Assists Its Bailout," *The New York Times*, September 24, 1998.

金援延續了十年以來，保護私人投資者免受其犯錯造成之影響的模式——每次例子都讓投資人更加膽大妄為，犯下更多錯誤。〔23〕

到了金援之後的第二天，已經有人呼籲政府調查長期資本和一般對沖基金。〔24〕瑞銀集團彷彿為了強調對沖基金可能造成的虧損，便低聲下氣地宣布，它正在沖銷在長期資本的全部投資。瑞銀執行長馬西斯・卡比亞拉維塔曾經期待，其集團與長期資本的「戰略關係」能讓瑞銀重振旗鼓，沒想到最後讓銀行虧損了七億美元。

對於擁有超級富有的交易員、深奧的數學理論和備受讚譽的諾貝爾獎得主，高高在上、向來強勢的長期資本摔了個大跟頭，評論家們有點幸災樂禍。倫敦的《金融時報》評論道：「如果穆林斯這麼喜歡解決危機，此時他一定是個非常快樂的人。」〔25〕普遍且可以理解的反應是，對於美聯準將出手拯救這位《老千騙局》裡的主人翁，有一種嫌惡感。

對於梅里韋瑟來說，這是不同類型的厭惡感。自從所羅門醜聞之後，他所做的一切，至少在他看來，都是為了恢復他的名譽和事業。現在這一切都完蛋了。梅里韋瑟這個再內向不過的人，如今變成代表華爾街驚人的過度傲慢、貪婪與投機愚行的公眾人物。他和那些忠心耿耿的套利者，是這場歷史性股災、這場危及整個金融體系的災難的始作俑者。攝影機工作人員跑來格林威治，電視台直升機在該公司以前安靜的辦公室前盤旋。梅里韋瑟至少沒有受到指責說他不誠實，但除此之外，九月下旬對他來說是最糟糕的噩夢。他維持著出奇的冷靜，雖然有人懷疑他是否藉由某種疏離來掩蓋其悲劇。他唯一公開的談話，是透過他的新聞發言人發表的一句話，他在這段話裡，溫和地表達了對財團提供資本的感激。

事實上，財團的這個交易可能還有變數，因為銀行首先必須解決一大堆棘手的問題。其中一組問題和J. M.與他的合夥人，以及銀行對他們的控管程度有關。另一個問題則涉及該基金不穩定的財務狀況：該財團把這筆交易當作條件，要求取得長期資本眾多貸方中的每一家銀行的豁免。銀行相當害怕，即使在注入新資本後，單單一次違約也會引發連鎖反應，搞垮該基金。

此外，每家銀行都必須查核並充分了解該基金，才能說服其董事會繼續進行這次交易。完成後，他們必須簽訂合約。而這一切，都必須在九月二十八日星期一之前做到——只剩五天。通常，這樣的過程需要幾個月，但長期資本仍然岌岌可危。「這是一場瘋狂的衝刺，」盛信律師事務所的外部法律顧問托馬斯·貝爾說，「想拚看看我們是先完成交易，還是先把錢花光。」

代表美林證券的世達律師事務所，自然受聘代表該財團。美林提議，讓高盛的代表事務所

22 Michael Schroeder and Jacob M. Schlesinger, "Fed May Face Recriminations over Handling of Fund Bailout," *The Wall Street Journal*, September 25,1998.

23 "Review & Outlook: Decade of Moral Hazard," *The Wall Street Journal*, September 25,1998.

24 Gretchen Morgenson, "Fallen Star: The Overview; Hedge Fund Bailout Rattles Investors and Markets," *The New York Times*, September 25,1998; Schroeder and Schlesinger, "Fed May Face Recriminations over Handling of Fund Bailout."

25 "Mullins Magic," *Financial Times*, September 25, 1998.

蘇利文・克倫威爾律師事務所擔任共同顧問，但是狡猾的高盛不希望它的律師幫其他任何人工作。儘管如此，高盛堅持讓蘇利文・克倫威爾律師事務所的約翰・米德出席談判。這形成了一種有趣的動態。和藹可親的世達合夥人米爾默不得不為整個財團調停，而米德則自始至終只為高盛談判。四十六歲已滿頭白髮的米德是訴訟律師，有一張溫柔的鵝蛋臉和雙下巴，掩蓋了他冷酷的強硬作風。從一開始，他就採取強硬立場，敦促米爾默確保合約盡可能限制長期資本合夥人，並以其他方式保護財團的利益。對銀行來說這是好事，因為合夥人希望透過談判，贏回他們在市場上失去的東西。令人難以置信的是，梅里韋瑟和他的合夥人已經在策畫，要成立一個新的對沖基金——這是合夥人唯一的復活機會——彷彿長期資本可以像一筆賠本生意一樣拋諸腦後。

與此同時，該基金的交易大廳正在醞釀一場風暴。同樣一起完蛋的工作人員很快變得憤怒起來。既然該基金已經倒閉，他們就要求給個交代；基金合夥人似乎是虛榮心作祟，一直不願討論將來的處置。即將結婚的年輕交易員麥特・扎姆斯（Matt Zames）也賠掉了他的投資，他闖進了合夥人的一間辦公室。「沒有人給我答案！」他咆哮道。當另一名員工從報紙報導得知，這些合夥人一直以來隱瞞了多少事情時，簡直氣炸了。這名員工轉頭對著大衛・莫德斯特，怒火中燒說道：「你什麼都不肯告訴我們嗎？」

• • •

世達在截止日期的三天前（星期五）開始談判。來自各家銀行的七十名律師湧入美林的董事會。這些律師發現，他們來談判的協議實際上並不存在；有太多問題讓他們意見分歧。就在律師們談判時，市場再次暴跌，使長期資本的資本縮水到四億美元，比一月一日的水準低了九十一％。

米德的會議紀錄顯示，銀行極度擔憂合夥人（和LTCM）的債務會讓救援計畫功虧一簣：「長期資本需要大約一．二二億美元的現金，好讓某些委託人能夠償還個人貸款，也讓其管理公司能夠償債，包括一筆借給合夥企業的三千八百萬美元貸款。」此外米德指出，銀行對於投資仍然非常緊張。摩根大通希望保證銀行能在三年後贖回投資。大通銀行堅持要求在交易結束後的第二天，償還五億美元的循環信用貸款。美國信孚銀行和德意志銀行則要求，在管理該基金的「監督委員會」中擁有一個席次。如果任何一家銀行遭起訴，摩根史坦利和高盛希望聯合賠償，諸如此類的。要在星期一之前完成，非常艱鉅。

米德的筆記沒有說到的是：米德自己提出的問題，比其他所有律師加起來的還要多。高盛的律師要求剝奪J. M.和其合夥人的日常控制權；他們不能領取投資人訴訟獲得的賠償金；他們要承擔全部責任。此外他堅持，連此時出手救援的銀行日後可能採取的行動，也應免於承擔責任。推翻舊政權還不夠；米德還想要把斷頭台推出來。

到了星期五晚上，比較冷靜的米爾默，在過去的兩個晚上幾乎沒怎麼睡，想盡辦法湊出一些基本條款。這個被戲稱為「合夥人監督團一號」的財團將投資三年。基金合夥人的收費將削減，管理公司的一半股份將以一美元的費用轉移給財團。

梅里韋瑟和他的合夥人仍然會每天管理該基金，但他們要向監督委員會報告，委員會的成員由在格林威治全職工作，並且和母銀行斷絕關係的銀行人員組成。最終的權限落在銀行派出的主管組成的董事會。

在星期六稍早時，合夥人們收到了合約副本。他們立刻大發雷霆。他們喊道，這是契約奴工——這合約剝奪了他們的紅利、激勵獎金、免責保障以及重新開始的自由。這些合夥人早已習慣了超級富豪的非凡生活，無法想像為五斗米折腰的日子，而且薪水只有二十五萬美元。他們已經在泡泡裡過太久了，以致忘記了是最近發生的事——他們自己即將破產——讓他們走到這步田地。星期三那天，J. M.表達了「感激」；到了星期六，這批人拒絕簽字。對他們來說，這合約百害而無一利。

這種鬧脾氣的表現夾帶著認真的威脅。合夥人不簽名，財團就不能投資。而此時財團公開承諾要進行這場交易。相反的，這些合夥人幾乎沒有什麼好損失的。他們暗示，他們總有辦法讓基金破產，用個人破產做為掩護，然後去華爾街找到七位數薪水的工作。里卡茲設法要讓他們冷靜下來，也承諾合約的最終版本會好一點。然後他們一行人前往世達律師事務所。

市中心的這家知名律師事務所，在三十三樓有兩個大型會議室和一排私人套房，以容納不難想見的律師與銀行家的劍拔弩張。到了星期六早上，一百四十名律師在近乎混亂的環境中來回奔波，試圖處理這家對沖基金令人麻木的複雜資產、它的債務、它的組織結構，和它的管理公司。

世達律師事務所的律師們在第一間會議室中，接受銀行律師的提問，這是一個挑高二十英尺的巨大房間，很快被戲稱為「律師室」。主持會議的米爾默說：「把你們的問題丟給我處理。」於是律師們就把問題交給他了。

米爾默陷入了可怕的困境。該財團的實際領導者美林證券覺得它不倒閉也不行了，沒什麼立場能談判。為了在七十二小時內，擬定一份十四家銀行以及所有合夥人都接受的合約，米爾默自然不得不做出妥協。日子一天天過去，銀行方的律師開始覺得米爾默對格林威治讓步太多了。有一次，為了達成共識，這位友善的律師竟然說：「我想代表LTCM提出要求。」

米德厲聲反駁：「**他們憑什麼提要求？他們星期一就要破產了！**」雖然煩人的米德讓米爾默的工作變得更加棘手，但他也藉由強化米爾默的談判手腕，爭取到對財團有利的結果。

梅里韋瑟、哈罕尼、羅森菲爾德、黎伊、薩斯塔克和里卡茲中午出現在世達律師事務所。這些合夥人不得不穿過走廊裡整群憤怒的銀行家身邊，他們恭敬而懊悔，喃喃地表達著感激之情。一個明顯的逆轉是，以前倨傲的套利者穿著漂亮的西裝，而銀行家和律師們穿的是斜紋棉褲。低聲下氣的合夥人被護送到第二間會議室——盡職調查室——讓銀行家向他們提出問題。這主要是事實調查：銀行在更深入了解該基金之前，不會做出承諾。以往總是守口如瓶的這些合夥人異常配合，彷彿急著挖出他們很久以前埋藏的寶藏。他們在下午較晚的時候離開事務所。

如今時間真的不多了，大部分的重要問題都還沒有解決。米德要求長期資本合夥人親自為他們的陳述掛保證，他希望新資金（銀行的資金）能避免用在訴訟。此外，米德也不喜歡合夥人的公司之間互相貸款；他要他們償還這筆貸款。

合夥人也有問題。他們堅持剩下的一點點舊資金應該可以用來應付訴訟。他們不希望銀行的人在格林威治的工作場所監視他們。銀行家要求每個合夥人答應，在沒有股權的狀況下繼續留任三年，合夥人對這個要求猶豫不決。

此外，銀行家必須處分仍然無力償債的管理公司LTCM。仍然渴望和合夥人保持關係的高盛，建議就簡單地讓LTCM倒閉。但LTCM也欠了大通的錢，而且是很多錢，所以高盛這個走偏門的想法會害大通遭殃。福勒格對高盛很不滿，突然說道：「我們要退出了。」美林的銀行人員湯姆．戴維斯趕緊打電話給艾里森，告訴他協商即將破裂。[26]事情很快就惡化了。

美林察覺到問題太多而且時間不夠，便制定了應急計畫。銀行在和長期資本簽訂的回購合約上面簽署了違約通知，然後趕緊把合約送到開曼群島，用快遞送到長期資本在當地的代理商。在週末稍晚的時候，美林證券全球各地的經理聽取了清算程序的介紹。他們的假設是，如果長期資本破產倒閉，其他對沖基金也會倒閉。然後接下來會發生的事，美林只能用猜的，但是它知道，在恐慌中，取得資金的管道會消失，沒有資金，任何證券商都無法長期生存。就算是美林證券這麼大的公司，也很害怕。

星期六晚上，世達律師事務所的冠名合夥人約瑟夫・弗洛姆（Joseph Flom）打電話給米爾默，想了解事情的進展。弗洛姆對他聽到的事情感到很難過。「這是頭一遭，一個案子就有可能毀掉我們和四分之三的客戶之間的關係，」弗洛姆說：「所以別搞砸了。」

這些律師，包括世達指派的二十五名律師，留下一度陪著這些法界糊塗塌客（Woodstock）的、吃剩一半的三明治、飲料杯和走味的咖啡，一個個走到附近的酒店閒晃。米爾默繼續草擬合約。當站在他的肩膀上、叨叨念著修改建議的律師愈來愈少，他用鉛筆進行修改，列印機像不睡覺的貓一樣嗡嗡作響。凌晨四點過後的某個時刻，米爾默的腦海中仍然縈繞著弗洛姆的警告，別搞砸這次交易，他癱倒在辦公室的灰色布沙發上睡著了。

• • •

星期日早上，艾里森匆匆趕往世達律師事務所。他在兩個大會議室之間的小房間裡「開張」

26 Author interviews with David Pflug and Herbert Allison.

了——這房間成了「銀行家的房間」。到了上午十點左右，銀行家們並肩站在凌亂的方桌周圍，艾里森希望能再次挽回這次救援行動。

合夥人們也回來了。梅里韋瑟和另外幾個人一起坐在其中一間會議室裡。但希利伯蘭與他的私人律師站在一旁。負債累累的希利伯蘭，正在猶豫要不要退出這次救援行動，申請破產，把債務拋在腦後。當然，這麼做也會拖垮該基金。管它以後會怎樣……

希利伯蘭的可笑舉動，提醒了這些銀行家他們有多不甘願到場。他們本人根本不想幫這些合夥人。只是恐懼讓他們留在這場交易裡。艾里森認為，如果在宣布交易後，長期資本這時候倒閉了，對市場來說會更糟——而且糟到極點。此外，美林證券的名聲也會搖搖欲墜。長期資本的律師知道艾里森非常希望談成這筆交易；他們巧妙地玩起了「膽小鬼賽局」（game of chicken）。長期資本的律師貝爾回憶道：「財團說，『你們別無選擇，但是我們呢……』，而我們說，『你們別無選擇，不過我們呢……』」雖然人們很少意識到這一點，但有時債權人也要對其債務人心存感激。

• • •

大通副董事長威廉・哈里森（William Harrison）是和福勒格一起，從康乃狄格開車來紐約的。在星期日的大部分時間裡，哈里森帶領的銀行人員都在試圖安排必要的豁免。最棘手的問題是野村、共和銀行和義大利外匯局，他們每一家都貸款給長期資本。銀行家們堅持，除非這三家全都同意豁免長期資本立即還款，否則他們不會往下進行。

然後是里昂信貸，它向LTCM提供了五千萬美元的貸款。美林的理查・鄧恩打電話給該銀行在巴黎的一名高階主管（當地已經是星期日晚上），並提出不尋常的合作請求。仍舊無功而返。西方世界可以暫停待命，但法國人只想要回他們的資金。為了拯救這家管理公司，大通銀行不得不再次放下身段。LTCM確實有一・〇四億美元的遞延費用，大通答應拿這筆錢來償還LTCM所有其他債務，包括里昂信貸和公司間的債務。大通將來必須提供一・〇八億美元的貸款給已經毫無市值的LTCM。

這種明顯無私的行為可能挽救了這一天，但是高盛這關還沒有完全結束。星期日傍晚，高盛投下了一顆炸彈。高盛的內部法律顧問羅伯特・卡茨（Robert Katz）宣布，除非大通同意放棄對於償還銀行團的五億美元的權利，否則高盛會退出財團。高盛不接受把新資金投入投資組合，以便大通把這筆資金取出這件事。重點是要拯救長期資本，而不是拯救大通。其實這個問題整個週末都困擾著許多銀行家——他們通常樂於讓高盛扮黑臉。

福勒格再一次傻眼——他也厭倦了一直當好好先生。其他銀行家雖然對高盛的目的心有戚戚焉，但也嚇得不輕，因為在這個節骨眼，還要冒著整場交易告吹的風險。雷曼兄弟的律師拉索轉向卡茨說：「你在虛張聲勢。」卡茨只是笑了笑。大通的人明確表示他們會奉陪到底。卡茨後來回想起來，直到當時，「還沒有結果」。那時候是晚上七點。

科津週末從他位於漢普頓的宏偉海濱住家返回，途中他用手機打電話到會議室。當科津重申除非大通把錢留在那裡，否則高盛不會投資時，逐漸失去耐心的福勒格爆發了。「強恩，」他說：「我要不客氣的說一句——操你媽的高盛自己去玩吧！」塞在長島高速公路車陣裡的科津就暫且不管了；他已經習慣從他鬥嘴的合夥人那裡受到壓力，他們又一次退出了財團。

卡茨和科津談完後，無奈地說：「今晚我們得不到結果了。」所以高盛也退出了。卡茨表示，高盛的執行委員會將於星期一早上六點三十分開會，並且在那時候做決定。這時輪到所羅門美邦高層主管史蒂芬．布萊克爆發了。他氣憤地說，高盛真正想要的，是在日本那邊做出決定之前，有十二個小時可以進行交易。「想都別想！」

諷刺的是，這個財團最棘手的問題，不在於長期資本，而在於它們之間。高盛、美林和大通在各種私下討論時，將美國信孚銀行董事長法蘭克．紐曼（Frank Newman）排除在外，對此紐曼感到很憤怒，索性放棄參加會議。而從未消除的搶先交易醜事，在最糟糕的時刻冒出來了。旅行者的董事長桑佛．魏爾打電話給艾里森，他對於高盛交易員再度參與其中的報導很生氣。艾里森把卡茨拉到一邊，然後在電話裡私下和科津溝通。高盛的兩位高層主管都否認了這些報導。艾里森告訴卡茨：「如果我們其中一人離開，這一切就破局了。你真的希望這筆交易因此破局嗎？」

艾里森認為科津不是在虛張聲勢。科津的合夥人就是執拗的想要離開。但因為有兩家銀行堅持著，艾里森直覺地感覺到了交易的基礎：艾里森認為，要是大通答應了高盛的條件，那麼高盛就會重新加入。人們總是會放任高盛那些壞孩子。哈里森和福勒格認為無路可退了，而大通同意了。該基金可以留住五億美元。科津讓他的幾個合夥人進行表決，並且判定——也許太快了——他們支持他。晚上九點左右，高盛重新加入了財團。

除了野村、共和國銀行和義大利，這些銀行家仍然需要大通的二十三個集團合夥人的豁免。否則他們不會繼續進行。此外，該財團的投資者法國巴黎銀行也還沒有點頭。艾里森在房間裡轉了一圈，調查那些銀行家，看看有誰在哪些銀行有認識的人。然後他們開始打電話到人們還醒著的任何時區。艾里森在午夜前離開。

在格林威治，里卡茲和世達律師事務所正透過電話不斷地談判。突然間，哈罕尼衝出會議室，彷彿嗑了藥似的脫口而出：「記住一件事——我們得把這個孩子買回來！」用什麼買回來？里卡茲也很想知道。午夜過後的某個時候，律師收到財團答應發紅利給合夥人的消息。凌晨三點，他離開回家了。儘管有各種鬆散的結局，但這些律師期待在星期一早上十點完成這場交易。

但是富利銀行、共和國銀行和加拿大豐業銀行（Bank Nova Scotia）拒絕簽署豁免權利。對一些拒絕妥協者抱持友好態度的花旗銀行副董事長威廉．羅德斯（William Rhodes），在星期一早上與哈里森對各家銀行進行了調查。哈里森態度很激烈：他們不得不在星期一關門。

在世達，這群銀行家在一間會議室裡盯著，合夥人則在另一間堅守著，門口站著守衛。艾里森在兩間會議室之間穿梭，定期和梅里韋瑟一起去察看其合夥人的狀態。哈罕尼在走廊裡巧遇所羅門美邦的布萊克，他說：「我不敢相信會發生這種事。」哈罕尼覺得他們的交易會飆漲——如今這些交易都會變成銀行的，而不是合夥人的。布萊克也只能為他感到遺憾。〔27〕

十一點左右，J. M.派人向艾里森轉達，合夥人想為他們造成的麻煩道歉，也想協助財團。但他們還是有分歧。〔28〕大多數人想在合約簽名；他們已經累垮了，想要結束創傷。而希利伯蘭不肯讓步。

而該基金又再度虧損。銀行家們一直關注著貝爾斯登，想知道長期資本能否撐過星期一。在這場令人心碎的守夜活動裡，高盛向不可避免的事情低頭，並取消了其計畫的公開募股。這對科津來說是雙重不祥之兆，他已經承諾投資長期資本三億美元，卻還沒為自己的公司募集到資金。

然後，一直為自己被排除在銀行家核心圈外而鬧彆扭的美國信孚銀行董事長法蘭克・紐曼，跑掉了。令人難以置信的是，這位沒有安全感的銀行家宣布他要退出財團。那時是星期一下午三點。

艾里森現在和紐曼通上電話。他能夠讓步的都讓了，但這回又讓了一次：給了美國信孚銀行在監督委員會的席位。紐曼勉強接受，重新加入這場交易。

下午五點，財團同意合夥人可以要求用「舊資金」來應付可能的官司。五點三十分，財團答應，不論是被解雇的、還是退出的合夥人，都不會失去股權。梅里韋瑟並不是很滿意，他說：「我們的人仍然不會簽署，直到它說我們可以出去成立一個新基金。」這就是他們現在的目標——擺脫長期資本。

艾里森知道，如果合夥人密謀放棄，銀行永遠不會投資三十六．五億美元；他把J. M.拉到一邊解釋說，他沒辦法把這些條件寫下來。每個合夥人都得各自承諾三年；除非新財團真的被視為「長期」的，否則市場會對它沒有信心。但隨著時間過去，艾里森可能會投資，合夥人可能會自由離開。J. M.把這話當成承諾；他已經得到了他所能得到的一切了。

豁免已經生效，而美聯準已經接獲提醒，要在平常的六點半關閉時間後，保持其電子支付線路開放。美聯準預計會收到十四家銀行的電匯，總額為三十六．五億美元。

合夥人們準備簽字。他們在房間的遠處站成一團，這是一座大教堂大小的空間，似乎讓這一小群地位一落千丈的套利者相形見絀。希利伯蘭正在閱讀合約，除了律師，其他人都很難看懂。空白處填滿了鉛筆修訂過、畫掉的句子和上下箭頭，就好像這份合約是過去這三天的亂象的具體呈現。里卡茲和其他幾位律師試圖告訴希利伯蘭，哪些段落代表什麼意思，但他不想聽，他想自己看，從臉上流下的淚水讓他幾乎看不到字。他不想簽字，他痛哭流涕；合約裡的東西對他來說沒有意義，申請破產勝過成為沒有希望找到出路、別人的契約奴工。梅里韋瑟把希利伯蘭拉到一

27 Author interview with Steven Black.

28 Author interview with Herbert Allison.

邊，跟他討論這個財團，以及其他人怎麼加入的，並且也需要他加入。然而，從來不需要別人，曾經抗拒為公司餐廳分攤費用，如今卻無法償還債務的希利伯蘭，依舊拒絕簽名。接著艾里森也開導他，說他們不是要摧毀任何人，而是試圖恢復大眾對金融體系的信心。J.M.也說：「賴瑞，你最好聽赫伯的話。」最終希利伯蘭簽下名字，該基金被十四家銀行接管了。

11 結局 Epilogue

它引發了一個漩渦，這個漩渦將市場交易部位推到想像不到的極端，遠超過風險管理與應力損耗紀律合併等級，也把它本身捲了進去。

——LTCM機密備忘錄，一九九九年一月

長期資本垮台，對它的合夥人來說是一場悲劇。在貪得無厭的貪慾驅使下，幾個月前，他們就已經從外部投資者處強行套現，讓他們自己承受（實際上是單獨承受）崩盤的主要壓力。這些華爾街的魔法師個人損失了十九億美元。最有自信的交易員希利伯蘭，原本身價接近五十億美元，一覺醒來發現自己竟然破產了。他不得不靠妻子黛博拉的資產過活；他不得不懇求里昂信貸，別讓他蒙受個人破產的恥辱；此外，他還要努力償還兩千四百萬美元的巨額債務。其他大多數合夥人賠掉了九成以上的個人財產——也就是他們在該基金投資的一切。多虧了美聯準推動的和平接管，以及赫伯特·艾里森的管理，大多數合夥人仍然比一般美國民眾有錢得多；高額金融交易會獎勵成功（一旦成功，獲利頗豐），但奇怪的是，在二十世紀末，它同樣保護了失敗者。即使長期資本的合夥人（包括希利伯蘭）的超級富豪生活就此結束，他們仍然保住了漂亮的家園。令這些低調的暴發戶更為痛苦的，是史無前例的虧損讓他們被貼上「大眾公認不負責任的投機客」標籤，並且毀掉了他們在華爾街同業間的聲望。不過後續倒沒有發生道德上的醜聞。錢是賠掉了，但好歹賠得清清白白。

長期資本的經理艾瑞克・羅森菲爾德拍賣掉了他過去費心蒐集的葡萄酒收藏——其中一些給了美林證券的康拉德・沃斯塔德（Conrad Voldstad），他是監督委員會的成員，也因此接手了羅森菲爾德的投資組合。更慘的是，羅森菲爾德後來得知，他妻子有一些生活不太寬裕的親戚，因為聽從他的意見而蒙受損失，為此他感到內疚。不過對於這些挫折，他似乎能泰然處之。當所羅門兄弟公司的前同事威廉・麥金塔打電話來了解，詢問有什麼地方能幫上忙的時候，羅森菲爾德苦笑著回答：「寄錢來就行了。」

其他合夥人變得鬱鬱寡歡，不然就是亟欲辯解平反。該基金短時間內遭受殘酷的重創，其中絕大部分的原因，是哈罕尼一再堅持投資自己公司，想到這裡這名交易高手就心煩意亂。「這是一場個人悲劇，」反覆無常的哈罕尼的一位朋友指出，「這個悲劇每天都跟著他，不會離開。」

全美各地廣泛報導該基金垮台的消息，幾乎沒有人同情這些合夥人。《時代雜誌》稱他們是「最聰明也賠最慘的人」，還提到「憤怒與震驚交織在一起」。頭條新聞作家拿這些跌落神壇的金融天才歡樂地作弄了一整天。《舊金山紀事報》（*San Francisco Chronicle*）嘲笑他們：「我們太有錢了，很有本錢耍笨！」默頓老家的地方報《波士頓環球報》（*The Boston Globe*）也附和道：「迅速（並可疑）地解決一個『長期』的問題。」對於美聯準協助紓困華爾街大亨這種明目張膽的不公平作為，新聞界自然不會放過。在費城，《詢問報》（*The Inquirer*）尖銳地問道：「一家對沖基金倒閉，所有投資人都跟著受害——這公平嗎？」《邁阿密先驅報》（*The Miami Herald*）則用「他們膽子愈大，就摔得愈輕」，把這些套利者說成嬌生慣養的富家子弟。〔1〕

默頓對於長期資本的失敗在現代金融、以及在他本人非凡的學術成就上留下的汙點，更加心煩意亂。雖然他默認自己的模型失敗了，卻也堅信，其解決之道是設計出更加精細複雜的模型。〔2〕但想到依賴任何公式化模型都會造成避免不了的風險，他便打了退堂鼓。

和默頓一同獲獎的邁倫・舒爾茲，在紓困方案過後一個星期，在紐約高雅的皮耶飯店和一名舊金山律師再婚。即使在他的婚禮上，舒爾茲也無法逃避這場災難的象徵。梅里韋瑟和羅森菲爾德不停地跑出去打電話，默頓・米勒則溫和的批評指教了新郎一頓，告訴舒爾茲說他現在應該已經發現，想要擊敗市場是多麼危險的事。〔3〕瀟灑的舒爾茲最起碼還保有幽默機智。這位諾貝爾獎

1 John Greenwald, *Time*, October 5,1998; *San Francisco Chronicle*, October 1,1998; *The Boston Globe*, September 27,1998; *The Philadelphia Inquirer*, September 27,1998; *The Miami Herald*, September 27, 1998.

2 Michael Lewis, "How the Eggheads Cracked," *The New York Times Magazine*, January 24,1999.

得主沒有閃躲，而是既嚴肅又有點搞笑地告訴婚禮的賓客，他會冠上他妻子珍的姓，而不是要他老婆冠夫姓。

至於J. M.，他從未公開談論他的感受，也沒有多談這起「極端事件」，因為談論該基金就會提到它垮台的事。這名退休的交易員急於逃離聚光燈，常常被敲門的記者嚇到[4]，他對這場個人悲劇的反應，就和這個欠缺隱私的時代下極少數的人一樣：完全沉默。當然，正如他曾經對艾里森說的，他對這一切很後悔。也許他一直在思考，自己一輩子小心翼翼把握機會並且避免成為焦點，怎麼還會成為臭名昭著的過度投機的象徵呢？但更有可能是，J. M.巴不得把這場災難從腦海中抹除。長期資本是一樁失敗的交易，但不會是最後一樁。

• • •

美聯準在紓困計畫的第二天，也就是九月二十九日星期二，降低了利率。然而，美聯準的行動並沒有給長期資本或它的新老闆帶來任何緩解。在紓困之後，美國交換交易利差擴大到九十六．五點，英國則飆升到一百二十點。荷蘭皇家／殼牌的價差，在長期資本剛進入這一行時是八％，此時擴大到二十二％。福斯汽車兩類股票的差價，在長期資本投資時是四十％，現在擴大到六十％以上。事態持續惡化。

投入三十六・五億美元新資金進行資本重組後，長期資本繼續暴跌，就像一個跳傘的人拉開拉繩後，不管怎樣還是繼續下墜。在頭兩個星期，該財團賠了七・五億美元。對財團來說，所有可能的結局裡最可怕的狀況，再度發生了。

到了十月中旬，整個華爾街似乎都被長期資本傳染了。新財團的核心公司美林、美國信孚銀行、瑞銀集團、瑞士信貸第一波士頓、高盛和所羅門美邦，一家接著一家紛紛傳出和格林威治等量齊觀的巨額虧損。銀行股暴跌，代表投資人對出手拯救長期資本的金融機構普遍沒有信心。在紓困方案之後，投資人一直很擔心華爾街資助對沖基金不夠審慎。各銀行一家接著一家，盡職盡責地削減了它們對這個有害類別的暴險——這類基金以往一直是華爾街羨慕的種類，如今卻遭眾人嫌棄。

事實上，這些暴險雖然龐大，但並不像危言聳聽的人所說的那樣具有威脅性。不會有「第二個長期資本」在等著爆掉。但長期資本（以及其他對沖基金）的確同樣對華爾街產生了不良影響。這些銀行一直無法抗拒這些基金驚人獲利的誘惑——雖然獲利稍縱即逝。它們資金充裕，急於建立自己的同類型交易櫃檯，並模仿對沖基金的多樣化策略。在長期資本倒閉後，銀行在債券套利、俄羅斯市場和股票衍生性金融商品方面，也遭受了損失。看著別人玩，時間一久就想學別人玩；

3 Author interview with Eugene F. Fama.

4 Lewis, "How the Eggheads Cracked."

那才是銀行「暴險」的真正代價。

美林的股價在短短三個月內，暴跌了三分之二——和長期資本的股權從頂端跌到谷底的九十二％虧損相比，是沒有那麼嚴重，當然也沒有持續那麼久，不過仍然相當驚人。科曼斯基和艾里森一直以美林證券不做自營交易為榮，但美林的債券交易員同樣損失了近十億美元。美林證券突然擔心自己的信用評等有可能被調降，於是由艾里森帶頭，積極縮減成本，並解雇了三千五百多人，其中大部分是債券部門的員工。到了十月中旬，長期資本不僅再次內爆，它的新主人，也就是華爾街那些主要銀行，更深陷麻煩之中。

此時艾倫．葛林斯潘認為他已經看夠了。十月十五日，這位美聯準主席第二次降息——這預示著他還會再降息，直到整個金融體系恢復流動性為止。華爾街回穩，債券利差縮小。幾個月以來，債券套利者首次達成持續盈利目標。在格林威治，投資組合翻身了。在經歷過痛苦、驚訝、接著焦慮不安和徹底毀滅的六個月，從四月以來已經虧損了驚人的五十億美元的長期資本，終於不再虧損。風暴過了。〔5〕

• • •

這次失敗帶來的不良影響普遍減輕了，但是對長期資本的各種投資人、員工、對手，以及華爾街友人的不良影響，卻程度不一——就如一般常見的那樣。在拯救該基金的工作方面，赫伯特．艾里森出力最多，但是他在美林證券拚命削減成本時所扮演的角色，很快讓他在公司內部招致怨恨。一度過危機，大家對恐慌的記憶淡去，就開始指責艾里森反應過度。艾里森知道自己不適合接任科曼斯基的職位，於是辭職並加入參議員約翰．馬侃（John McCain）的總統競選活動工作。美林證券的風險經理丹尼爾．納波利擔下了美林證券虧損的責任。被換掉之後，他繼續休長假。

高盛的強恩．科津和長期資本的關係忽冷忽熱，而且持續得有點長。高盛讓人們知道，倘若價格合適，華倫．巴菲特仍然很想要買下長期資本。科津還打電話給阿瓦里德．本．塔拉勒．阿紹德王子，以評估沙烏地阿拉伯是否有意加入另一場收購競標。不過到了十月底，該基金已經穩定下來，銀行財團不需要高盛的銀行家四處奔波了。

高盛重啟ＩＰＯ，並且在一九九九年五月上市。不過，曾經把職業生涯賭在先前的ＩＰＯ推展，後來又把事業賭在梅里韋瑟身上的科津，這次沒辦法躬逢其盛。在一月的一次罕見的董事會政變中，他的合夥人開除了他。

科津和梅里韋瑟進行了最後一次合作：科津長期以來一直想延攬梅里韋瑟為搭檔。在春季，科津和梅里韋瑟兩人，帶著要共同經營長期資本的想法，聯手籌募資金，打算從華爾街的持有人

5 在二〇〇〇年，和這次對沖基金垮台事件如出一轍，索羅斯和老虎管理公司遭受到令其元氣大傷的連續虧損，老虎基金被迫清算資產。

手中買下該基金。但他們的嘗試失敗了。後來，科津在高盛IPO中獲得二．三億美元收益後，離開了華爾街，投入紐澤西州一場激烈的民主黨參議員候選人提名活動。在科津身上，可以看到很多矛盾的地方，他為人正派，卻負責經營一家不擇手段的公司；在一個凡事向錢看的社會中，這名銀行家知道，自己處於一個更大的世界裡的什麼位置；他會為了梅里韋瑟這個讓他失望也令他著迷的對手，而放下手上的劍。

瑞銀集團也支離破碎，不僅在長期資本的投資賠得很慘，就連拉米．戈德斯坦的股票衍生性金融商品部門也虧損連連。設計出瑞銀那些不牢靠策略的前瑞士銀行王族馬西斯．卡比亞拉維塔，也辭職了。曾在比較嚴謹的瑞士銀行擔任執行長的馬塞爾．奧斯佩爾，很快整頓了集團。有一名倒楣的受害者，是長期資本合夥人的朋友、瑞銀集團經理安德魯．西西利亞諾，他是最早質疑長期資本認股權證有疑慮的人，但由未把他的擔憂告訴最高層，後來遭到開除。

此前在俄羅斯積極搶進盧布債券的美國信孚銀行，在該國遭遇重大虧損；它在巴西與其他新興市場同樣損失慘重。該銀行被迫出售給德國競爭對手德意志銀行，這根本是對自以為是的信孚董事長法蘭克．紐曼的一種嘲諷。紐曼在美聯準的賭氣行為，差點讓拯救長期資本的行動功虧一簣。但他雖然被評價為失敗的人物，卻為自己賺到估值一億美元的絕佳降落傘——一筆他不配收下的鉅額補償金。〔6〕

桑佛．魏爾如往常一樣成了贏家。花旗集團和旅行者／所羅門按照預定計畫合併。一直飽受謠言困擾的雷曼兄弟，很快就恢復了元氣。如果沒有大通曼哈頓銀行一再幫助，長期資本肯定會破產，該銀行的貸款後來得到償還，並且一舉成名。事實上，多虧了這次救援行動，長期資本得以支付每一筆追加保證金。它對債權人的所有債務也全部償還了。

• • •

諷刺的是，在一九九七年底被強制撤回資本，因而提前退出長期資本的大多數外部投資人，意外逃過了一劫。大約有三十八位投資人，很幸運地在該基金成立之初就投資，而且大多數都在一九九七年兌現，平均年獲利率為十八％——雖然不比同期主要股票的平均獲利率高，不過也非常不錯了。在一九九八年的重大虧損前已經完全套現、人數相當的投資人，獲利甚至更好。

獲得特別豁免，允許保留更多投資資本的投資人，最後還是賠錢了。很諷刺的是，差點就讓基金倒閉的貝爾斯登執行長吉米·凱恩，就是這樣一個「受惠的」賠錢者。在最高點時進場投資的美林董事長科曼斯基，也虧錢了。大約有十幾家大銀行，年獲利率只達到個位數，另外有十幾家銀行也都賠錢，值得注意的是，這包括了瑞銀集團、瑞士信貸第一波士頓，以及德勒斯登銀行。

6 Matt Murray, "Bankers Trust Is Hit by $488 Million Loss," *The Wall Street Journal*, October 23,1998; Paul Beckett, "Former Chairman of Bankers Trust Is Expected to Quit Deutsche Bank Post," *The Wall Street Journal*, June 25,1999.

外部投資人幾家歡樂幾家愁的結果，絲毫沒有減損長期資本失敗的嚴重程度。該基金即使前四年經營得非常成功，賺了大錢，最終累積的虧損仍然非常驚人。一九九八年四月一整個月，在長期資本投資的一美元價值翻了四倍，達到四．一一美元。到了紓困那時候，才經過五個多月，只剩下三十三美分。扣除合夥人的費用後結果更慘：投資的一美元（曾經能賺到二．八五美元），縮水到微不足道的二十三美分。按淨值計算，這個有史以來最了不起的基金——鐵定也是智商最高的基金——虧損了七十七％的資本，而一般股市投資者的資金卻翻了超過兩倍。

• • •

和大多數華爾街企業的員工一樣，該基金員工的大部分工資，是以年終獎金的形式發放的。他們將這些獎金大部分都拿來投資該基金，因而隨之付諸流水。「我們都虧了錢，」一名分析師說。另一位債券交易員則說：「到最後我們都空手而歸。」

十月，員工發起了一場小型抗爭，要求把將來的獎金存進一個不能任意動用的信託基金。這些員工也渴望得到某種程度的認可，有些人承認老闆不該把他們蒙在鼓裡。但合夥人的保密習慣根深蒂固。在一場合夥人和員工的會議上，一名員工強烈要求：「向我們解釋為什麼我們應該坐在這裡，而不是去找工作。」一名合夥人回答：「這是個合理的問題。我們會盡快回覆。」這些有才能、敬業的勞工，從來不曾得到老闆的信任。

救援行動一個月後，長期資本解雇了三十三名員工，差不多是員工總數的五分之一。〔7〕此後，不斷有人離職求去。該基金提供了小額遣散費，不過就連這筆錢，也是應J. M.一夥人要求的價碼給的一點甜頭。要離職的員工被哄騙簽下終止協議，在協議裡，他們重申保證不會說出任何關於該基金的任何事——彷彿這些合夥人害怕一些祕密醜事外揚似的。

• • •

基金一穩定下來，合夥人便發現自己陷入動彈不得的難受處境。雖然他們仍然掌管著一家龐大的基金，但他們的手腳被華爾街的新主人綁住了，這些新主人像焦慮的老師一樣，監視著該基金的每個交易部位。別想要投資什麼新交易，財團唯一感興趣的，是拿回它的錢。長期資本合夥人原本幻想自己可以像以前一樣管理基金，這下非常失望。在財團的指示下，他們穩定地縮小規模，減少交易部位，並且降低暴險。哈罕尼在出清交易時很快樂；監督委員會懷疑哈罕尼在拖延時間，不得不派一些成員到倫敦，以確保這個固執的套利者照規矩來。

7 Peter Truell, "Bailed-Out Hedge Fund Cutting 18% of Its Staff," *The New York Times*, October 28, 1998.

合夥人們堅定地撐到最後一刻的談判，確保了他們能獲得豐厚的獎金——平均五十萬美元——做為他們待了一年的回報。要是他們沒有那樣堅持，就會被當成約聘員工一樣對待，被迫吞下自己的苦果。他們與銀行之間的分歧消除了，這有利於現在掌握所有權力的財團。財團不想再因為那些大膽的套利者而侷促不安，也監看了該基金的影象。令合夥人屈辱的是，有一次財團與這些合夥人角色互換：財團命令合夥人，把公開聲明拿給他們的新老闆批准，此舉暗示現在這些合夥人沒辦法信任。

令這家以巧妙避稅而自豪的公司尤其擔憂的是，美國國稅局開始對LTCM以及其各附屬公司進行全球審計。這次審計，重點擺在一九九六年和一九九七年，而且在該基金倒閉十八個月後還沒解決，它讓那些合夥人日後有可能被催繳巨額欠稅。

在這次危機過後，該團體超乎常人的團結精神崩潰了。有些合夥人開始相信，為了公司的利益，希利伯蘭和哈罕尼應該離開，這不僅是因為他們在虧損中扮演的角色，也因為他們的控制慾。這兩人都不適合團隊合作。梅里韋瑟從霍金斯、麥肯泰、莫德斯特和穆林斯那裡，都聽過對他們兩人的抱怨。但是不知道為什麼，他並沒有打算處理他們。J.M.召開了幾次會議，試圖安撫叛變者，但他太慢吞吞，對他的合夥人太過忠誠，無法面對這兩個頂級交易員。事實上，霍金斯最後找來老大並公開宣告，不是希利伯蘭走，就是他走。總是不厭其煩勸說的J.M.說了一句：「祝你好運。」然後就離開會議室了。

在紓困方案之後的一年裡，不滿的合夥人一個個（在財團的許可下）離開公司。大多數人都能夠利用過去的人脈，恢復正常的上班生活。沒有被貼上任何汙名標籤；華爾街的第二幕和政界的一樣稀鬆平常。也許大眾記得住的，就只有一個循環內發生的事，無論是選舉週期還是景氣循環。對整個經歷感到痛苦的舒爾茲，和珍一起回到灣區，開始拾筆寫作，也偶爾在史丹佛大學講課。他和長期資本東京辦事處的前負責人黃奇輔，受聘為德州大亨巴斯家族管理資金。默頓繼續在哈佛任教。在救援行動一年之後，憑藉他得來不易的第一手知識，默頓被摩根大通聘為風險管理顧問。

模型程式設計師莫德斯特，成為摩根史坦利股票部門的常務董事。前中央銀行行長穆林斯決定第三次轉換跑道，成為了幾家利用網際網路提供金融服務的新創公司的顧問。霍金斯和麥肯泰幫一家投資基金擬定投資計畫。這些離職的合夥人普遍心滿意足地，不再出現在大眾的視野範圍——除了坦率直言、不吝於分享想法的舒爾茲。他還留著關於長期資本的詳細筆記，也願意和人談起它。

梅里韋瑟從不懷疑，他和他從所羅門帶來的核心團隊會試圖籌募資，東山再起。幾乎是紓困協議上的墨水一乾，J. M.和他的忠實信徒就開始對財團的掣肘感到不耐煩了。他們不斷纏著他們的監督者，要求讓他們籌募新資金。J. M.開始嘮嘮叨叨數落艾里森，說他沒有兌現他的承諾（艾里森堅持要該團隊再等一陣子），彷彿是紓困者欠他們債一樣。

在一九九八年底和一九九九年初，合夥人們上路拜訪投資人，表面上是要向他們解釋這次股災，實際上是為未來的籌款預作準備。J. M.向歐洲投資人傳播關於這次股災的簡報，以便為推銷他的下一次風險投資計畫鋪路。艾里森得知此事後嚇了一大跳，財團命令J. M.停止這麼做。「這些傢伙該不會認為他們可以贖回自己吧？」財團裡的一個銀行人員懷疑。顯然，他們確實認為可以。在他們被禁言之前的一次公開採訪裡，合夥人提出了一種挽回形象的理想化觀點，說他們是一群傑出的超理性主義者，多半是運氣不好，才被一個不講道理且貪婪的世界欺騙了。〔8〕

這些合夥人表面上願意負責任；他們說他們在各種場合都道歉過了；但是他們從未講清楚，他們是為什麼事情道歉。J. M.與主要合夥人普遍否認，他們投資組合的資金槓桿或規模是重要的導火線；他們甚至否認他們的基本戰略有缺陷。〔9〕相反的，在一次又一次的會議中，這群合夥人指責其他交易員既不理性又貪婪。他們把長期資本形容成外部事件的受害者，尤其是八月的流動性短缺，以及九月的惡意搶先交易。

在美聯準這場歷史性會議一週年之際，邁倫．舒爾茲在紐約世界之窗餐廳的一次談話中，令人信服地指出，低評級債券利差擴大的程度，遠遠不是用單純違約風險所能解釋的。因此，舒爾茲得到結論，利差必定都是「流動性利差」，代表投資者願意為更具流動性的票據支付的溢價。這些論點裡有一種循環性質：當價格下跌，人們可能往往把它歸咎於沒有買家，因而歸咎於「流動性」。就像舒爾茲自己提到的，有一些非常真實、潛在的事件讓買家望而卻步；亦即，投資者一直指望國際貨幣基金組織紓困開發中地區，但該組織無法同時保護所有人：

> 我喜歡舉的例子是：有個父親有好幾個兒子。每個兒子都認為，父親會在他需要的時候支持他。但是，如果他的一個兄弟需要支持，那麼父親支持他與其他兄弟活動的資源就變少了。支持選項的價值減少了。某種程度上，這是導致八月份流動性外逃的原因。用有形的例子來說，另一個兒子「俄羅斯」，得不到足夠的支持，結果，其他所有兒子，未開發國家，就看起來都信譽不足。〔10〕

舒爾茲感嘆，學術界和從業人員沒有模擬這種「壓力－虧損流動性成分」以及它對價格的可能影響。但很顯然，流動性不足只是這個問題的表現，而不是這個問題的原因。在這些自利的說法中，沒有一個表示長期資本讓自己暴露於這種危險中本就有錯在先。有個人以三十英里時速駕駛汽車，如果他在一塊冰上打滑了，他可能會怪罪道路；但以一百英里時速開車的人，可能就不

8 Lewis, "How the Eggheads Cracked."

9 See Lewis, "How the Eggheads Cracked," and Mitchell Pacelle, Randall Smith, and Anita Raghavan, "Investors May See 'LTCM, the Sequel,'" *The Wall Street Journal*, May 20,1999.

10 Myron S. Scholes, "Risk-Reduction Methodology: Balancing Risk and Rate of Return Targets," talk at the Economist investment conference, New York, September 22–23,1999.

會怪罪道路。

舒爾茲沒有回答為什麼「學者和從業人員」會忽視了長期存在、且基本上不言而喻的流動性風險。即使在這起載入史冊的重大倒閉事件後，長期資本的合夥人也沒有承認自己有什麼重大過錯。他們爭辯說，他們已經被一場無法預見的事件——類似百年一次的完美風暴——搞得精疲力盡。在基金垮台後，羅森菲爾德解釋說：「我相信，我的確認為這是以前從未發生過的事情。」〔11〕當然，這種事實際上發生過，而且不是一百年一次，是很多次——在墨西哥、華爾街、股票、債券、白銀、泰國、俄羅斯，在巴西，都發生過。陷入這種金融災難的人，通常會覺得非常倒楣，但金融史上常常有「肥尾」的例子——根據對以往價格的解讀，這種不尋常且極端的價格波動似乎令人難以置信。

不管他們從這次創傷中學到什麼，這些合夥人就像在紓困之前那樣，繼續強調利差太大了，現在正是投資的時機，再也沒有這麼好的機會了。模型是這麼說的！關於這點，他們已被證明是錯的——或者至少在紓困一年後，他們還沒有被證明是對的。雖然華爾街恢復元氣了，但是長期資本的套利品牌還沒有。在它的新老闆領導下，該基金在一九九八年最後一季締造了好成績，並在新的一年有好的開始；但接下來它就陷入失控狀態了。一九九九年夏天，美國交換交易利差再次膨脹，達到一百一十二點——甚至比前一年恐慌時的天文數字還要高。百年一見的洪水在兩年內發生了兩次。

一九九九年九月二十八日，也就是紓困方案實施一年後，交換交易利差維持在九十三點，股票波動率為三十%——都遠高於長期資本進入這些交易時的水準。在紓困後的第一年，該基金獲得十%的收益，幾乎沒有顯著的復甦。然後，除了這筆不怎麼樣的獲利，該基金還贖回了該財團的三十六．五億美元資本。事實上，該基金要在二〇〇〇年初清算。

因此，長期資本的問題不僅僅是流動性不足。也許該基金的整個戰略是錯誤的，而一九九八年全球（以及長期資本）對信貸的看法已經有點過於樂觀。證據表明，這兩個因素都有影響：長期資本誤判了市場，而這種誤判的影響在九月嚴重加劇，當時其他交易員為了保護自己，避免受到長期資本即將倒閉所影響，開始停止交易，因而導致「流動性」消失。

• • •

葛林斯潘坦率地承認，美聯準經過精心策畫拯救長期資本後，鼓勵了未來的風險投資客，或許也提高了未來發生股災的機率。這位美聯準主席表示：「可以確定的是，美聯準介入可能會造成一些道德風險，無論多麼輕微。」〔12〕然而他也認為，「如果長期資本突然破產，對市場價格的嚴

11 Author interview with Eric Rosenfeld.

12 Alan Greenspan, letter to Senator Alfonse M. D’Amato, October 20, 1998.

重扭曲」造成的風險，會超過前述的負面影響。

如果人們把長期資本的事件單獨拿出來看，會傾向於同意美聯準出手干預是正確的，就像面對突然精神不穩定的患者，大多數醫生會願意開出鎮靜劑一樣。崩盤會「立即」引發風險，而那些藥物要「長期」服用才會成癮。但我們必須了解長期資本一案的真實情況：它不是獨立的案例，而是由政府機關（或國際貨幣基金組織）援助私人投機客的一連串案例中，最新的案子。十年來，這個不幸的名單持續增加，涵蓋了儲蓄和貸款、對不動產過度放貸的大型商業銀行、墨西哥、泰國、韓國和俄羅斯（曾嘗試紓困）的投資者，以及此時隸屬多家銀行的長期資本。確實，美聯準的參與是有限的，而且沒有動用政府公款。但是如果沒有美聯準的巨大權力和影響力在他們背後，銀行就不會合作，也不會一起出力，這麼一來長期資本肯定會倒閉。據估計，銀行和其他機構會遭受更嚴重的損失——儘管有人認為，並沒有某些人所想的那麼嚴重。長期資本的暴險相當龐大，但是傳播到整個華爾街，也遠遠不到世界末日的程度。到某個時候，拋售會停止。在某個時候，買家會回來，市場會穩定下來。其他銀行也可能倒閉，但充其量這只是一個外部機會。

容許發生這類損失，可以讓其他大多數人和機構不敢冒險魯莽行事。尤其是現在，在經歷了十年繁榮和活躍的金融市場後，提醒人們「愚蠢要付出代價」並不是壞事。為長期資本規畫的軟著陸，會不會迷惑一些投資人，使這些人在日後出狀況時也指望美聯準？總的來說，考慮到一九九八年九月的恐慌情況，美聯準決定介入雖然可以理解，遺憾的是，這麼做浪費了讓市場受到一次必要教訓的機會。

對於該基金能夠存活下來，紐約聯準銀行主席麥克唐納似乎不太高興，或許還感到不自在，但他總是為自己的作法辯護。紓困行動過了一年後，有一次他不留情面地脫口說道：「LTCM快要關門大吉了。我可以向你保證，這個結果我非常滿意。」〔13〕

葛林斯潘更嚴重、拖得更久的錯誤，是始終不理會監管和更完整披露衍生性金融商品的需求。葛林斯潘誤判了銀行在這次金融危機前自我監管的能力，在這次危機發生後才六個月，他就呼籲建立一個比較不繁複的監管制度。〔14〕提升資訊透明度可以讓投資人為自己把關，所以是自由資本市場的最佳夥伴。然而葛林斯潘卻很落伍的反對加強資訊透明度，這讓人想起早期他曾經（深受艾茵．蘭德〔Ayn Rand〕影響），寫下「監管的基礎就是一支武裝部隊」這句話。〔15〕事實上，正是在缺乏透明度的國家（如俄羅斯），市場才需要靠士兵來保衛。

如果長期資本事件能證明什麼，那就是在傳統證券市場上運作良好的資訊公開制度，無法應用在衍生性金融商品合約方面。說白了，投資者對資產負債表的風險非常清楚，然而對衍生性金融商品的風險卻完全不了解。（在葛林斯潘和銀行的反對下）許多報告標準正在改變，但是漏洞

13 Lynne Marek and Katherine Burton, "Long-Term Capital Near to Being Out of Business, McDonough Says," *Bloomberg*, October 1, 1999.
14 Remarks by Alan Greenspan before the Futures Industry Association, Boca Raton, Florida, March 19, 1999.
15 Capitalism: The Unknown Ideal, quoted in "Ayn Rand: Still Spouting," *The Economist*, November 27, 1999.

仍然存在。隨著衍生性金融商品用得愈來愈多，這種資訊匱乏會再次讓我們頭痛不已。

此外，除了改進對衍生性金融商品的報告，還有一個強有力的論據來限制實際的暴險。監管者限制大通曼哈頓和花旗銀行可以放貸的金額，這樣他們的貸款就不超過某個比率。監管機構這樣做是有道理的：銀行已經多次顯示，如果可以的話，它們會超出謹慎的額度。既然如此，為什麼葛林斯潘支持一種制度，允許銀行累積他們選擇的任何數量的暴險──只要該暴險是用衍生性金融商品的形式？

若將美聯準的雙頭政策──危機發生前把頭埋在沙裡，事情發生後就干預──看做單一政策，更讓人無所適從。**政府的重點應始終放在預防，而不是主動干預。**政府預先為受到監管的實體（像是銀行等）制定規則是完全恰當的；代表不受監管的對沖基金去干預危機，那又是另一回事了。

白宮成立了一個藍帶小組，也就是總統直屬的金融市場工作小組，研究長期資本倒閉事件。這個跨部會小組（包括美聯準）的報告總結表示：「LTCM事件引發的核心公共政策問題，是要怎樣更有效地限制過度槓桿。」此外，它也認可了衍生性金融商品的角色愈來愈重要，更指出「資產負債表槓桿本身，並不足以估算風險」。[16]然而，該報告在解決方案這部分表現較弱。它確實要求對沖基金加強資訊透明，銀行制定更好的風險與信用貸款管理政策，以及更嚴格的監管標準。這份措辭謹慎的報告在一九九九年四月發布，但是並沒有足夠火力引發國會採取行動，無論如何，國會對長期資本的興趣很快就會消退。在度過危機後的那個夏天，眾議院銀行委員會發言

人大衛・倫克爾（David Runkel）提到「去年的九月和十月，這是個熱門話題，但現在不是」。〔17〕

對對沖基金的憤怒也平息了——這也恰如其分。這場長期資本危機剛好牽涉到一家對沖基金，但這場危機的始作俑者是華爾街的大銀行，隨著它們愈來愈有錢，它們讓放款標準愈寬鬆。在紓困時，銀行被描述成受害者，說它被長期資本的專利保密蒙在鼓裡。這種觀點，因各個銀行家言之鑿鑿的自清證言，而更強化了。（舉個例子，科曼斯基在離開美聯準時，打電話給一位朋友並宣稱：「我看到他們的交易部位時，他媽的嚇到膝蓋都在發抖。」）隨著時間過去，這種說法聽起來愈來愈空洞。每家銀行都知道自己和長期資本每筆交易的暴險規模；而且稍微動動腦袋，也能料想到這家基金在其他地方也會做類似的交易。

被派往藍帶小組的美聯準官員派屈克・帕金森（Patrick Parkinson），在救援行動過後幾個月時，告訴參議院委員會：

> LTCM顯然得到非常大方的信貸條件，即使它承擔了異常程度的風險。……交易對手從LTCM獲得的資訊表明，其持有的證券和衍生性金融商品部位和它的資本相比，非常的大。

16 "Hedge Funds, Leverage, and the Lessons of Long-Term Capital Management," Report of the President's Working Group on Financial Markets, April 1999,24,29.

17 John Cassidy, "Annals of Finance: Time Bomb," *The New Yorker*, July 5,1999.

然而，就算有的話，也很少人真的了解ＬＴＣＭ的風險概況。〔18〕

所以問題就變成了：為什麼這些銀行要放貸？在一九九九年初的一次公開研討會上，共和國銀行前董事長華特．韋納（Walter Weiner）堅稱銀行別無選擇——或者至少，除了極少數能大膽拒絕生意的人，其他人別無選擇：「想要進場玩，你就要照ＬＴＣＭ的規矩走。它的條件是沒得商量的——要嘛接受，要嘛走人。」〔19〕銀行接受了。它們也很貪婪，而且對長期資本的表現肅然起敬，這些合夥人的聲望、學歷和名氣令他們驚嘆。韋納坦承：「我們可能被這些超人迷住了。」該基金在華爾街歷史上獨一無二，像一具會發光的火箭，在金融界的天空中閃耀著，像半人半機器一樣，似乎會把一個不確定的世界，簡化成嚴格、沒有感情的機率。這些教授像來自遙遠未來的訪客，似乎已經取代了潛伏在市場陰影裡、隨機出現的好運與厄運。

• • •

長期資本從巨富到殘破的傳奇故事，充滿了對投資人的教訓。考慮到後來的虧損，其驚人的利潤看起來就沒那麼讓人驚艷了。就像一家收取高額保費的保險公司，在大風暴來襲後會把錢還給你，從某種意義來說，長期資本的利潤並非全是「賺來的」；某種程度上，它們是從景氣循環轉向的那一天借來的。沒有一種投資——包括網際網路上的神童——是僅憑半次循環就能夠做出判斷的。

的確，長期資本看到了循環正在轉向，卻莫名其妙地拒絕降低暴險。隨著利差縮小，業務上的風險不可避免地增加了，對此長期資本提高了資金槓桿，彷彿借貸能把一個沒有吸引力的業務轉變成更好的業務，而不是只變成風險更大的業務。要不是出現一個重大的管理缺陷——沒有對交易員進行任何獨立檢查——長期資本是不會犯這種錯誤的。最後，每個合夥人都參加了風險管理會議，每個人最終都默許了這些交易。就這個意義來說，每個合夥人都應該受譴責。

長期資本非常信任「多元化」——這是現代投資經常提到的觀念，但是它被高估了。就像凱因斯所指出的，一次經過深思熟慮的下注，比很多次懵懂無知的下注更可取。長期資本的事件證明，不同籃子裡的雞蛋也可能同時破掉。此外，長期資本還自欺欺人地認為，它已經實現了實質多元化，其實它只是在形式上多元化而已。基本上，該基金對每個想像得到的排列裡評等較低的債券，也做了相同的押注。當循環轉向和信貸緊縮，長期資本的交易就同步下跌。而根據過往的

18 Patrick M. Parkinson, "Progress report by the President' s Working Group on Financial Markets," testimony before Committee on Agriculture, Nutrition, and Forestry, U.S. Senate, December 16,1998.

19 Derivatives and Risk Management Symposium on Stability in World Financial Markets, Fordham University School of Law, January 28,1999, as reprinted in Fordham: *Finance, Securities & Tax Law Forum*, IV, no. 1 (1999),21.

紀錄，這種事情每隔一段時間就會發生，沒什麼好奇怪的。

比較一九九八年一月一日到接受紓困時，長期資本在各類交易上的虧損，會很有趣：[20]

俄羅斯與其他新興市場：四・三億美元

已開發國家的定向交易（例如做空日本債券）：三・七一億美元

股票配對（如福斯汽車和殼牌）：二・八六億美元

殖利率曲線套利：二・一五億美元

標準普爾五〇〇指數股票：二・〇三億美元

高收益（垃圾債券）套利：一億美元

併購套利：大致持平

這七類總計虧損十六億美元——真是一場大災難。然而，長期資本原本可以倖免於難。

現在考慮其中最大的兩種交易的虧損：

交換交易：十六億美元

股票波動率：十三億美元

正是這兩種交易毀了該公司。在這些市場裡，長期資本的交易規模太大了——這是值得警惕的錯誤。該公司的交易要仰賴市場的效率，然而它的交易規模太大了，以致於破壞了那些市場的效率。要不是長期資本的資金槓桿高達三十比一，不然是沒什麼關係的——重申一次，三十比一還不包含其衍生性金融商品帳簿裡，隱含的龐大資金槓桿。一種可以玩很大（因此流動性不足）；一種可以（在小心謹慎的限制下）操作資金槓桿。但是高槓桿比率和低流動性的投資人，是在玩俄羅斯輪盤賭局，因為他必須正確了解市場，而且不僅是在最後關頭，而是每一天都正確了解。（只要一天猜錯，他就出局了。）長期資本太過自信，以致就算八月和九月出現幾次劇烈波動，它還是相信市場**永遠**不會偏離其預測太遠。

在默頓和舒爾茲關於有效市場的教誨下，這些教授實際上相信，價格會直接走向模型所說的方向。他們自以為是地認為，模型可以預測行為的極限。事實上，模型可以告訴他們什麼是合理的、什麼又是根據過去的數據預測的。這些教授忽略了，人（包括交易員）並不總是理性的。這是長期資本垮台的真正教訓。不管模型怎麼說，交易員都不是用矽晶片引導的機器；他們容易受影響而且會模仿；他們會成群結隊往前跑，也會成群結隊撤退。

即使交易員把事情做「對」了，也很難指望市場完完全全以正弦波震盪。價格和價差會隨著

20 Figures are from a presentation made by LTCM in February 1999 to an investor.

企業、政府甚至文明的不確定進展而變化。它們並不比它們所反映的經濟活動所在的社會更確定。骰子可以預測到小數點；俄羅斯不是；交易員要怎麼應對俄羅斯，就更難預測了。和骰子不同，市場不只受到風險（一種算術概念）所影響，也會受到通常籠罩著未來的、更廣泛的不確定性所影響。不幸的是，和風險相反，不確定性是一種無法定下的條件，不符合數字的束縛。

教授們模糊了這個重要的區別；他們勇敢地把他們的數學科學怪人送進了這個世界，彷彿它可以馴服生活本身的偶然性。他們不曾用自我懷疑來磨練自己；在他們下注這麼驚人的金額時，他們也沒有具備洞察力。

最諷刺的是，這些教授試圖解構風險，而且最後要把風險降到最低，而不是去推測怎麼克服它。在這方面，該基金並非獨一無二。它實際上是二十世紀晚期的典型基金——一項利用市場進行「金融經濟學」和「電腦程式編寫」這兩個新學科的實驗。幾乎每家投資銀行和每個交易櫃檯都相信，可以從昨天的價格和波動，推斷出明天的風險。這是長期資本的基本錯誤，其驚人的虧損暴露了現代金融最核心（也就是大腦）的缺陷。

美林證券在它一九九八年年度報告中指出，「美林證券使用數學風險模型，來協助推估其市場風險投資的暴險規模」。該銀行補充說，這些模型「提供的安全感可能超出應有的程度；因此，對這些模型的依賴應該加以限制」，這顯示銀行大略知道這類模型有其危險。〔21〕如果在長期資本垮台事件中，華爾街只學到一個教訓的話，那應該就是這點了。若下次又有個默頓提出一個漂亮的模型，說能管理風險和預測賠率時；下次有一台電腦安裝了完整的歷史紀錄，說是可以量化未來的風險時，投資人應該要往另一種方向跑開——而且要快。

然而在華爾街，幾乎沒學到什麼教訓。一九九九年十一月，ＪＷＭ合夥公司（JWM Partners）對沖基金——主要成員是梅里韋瑟、哈罕尼、希利伯蘭、黎伊、羅森菲爾德和克里希那馬哈——發出了一份「相對價值機會基金II」的基金發行文件。根據通知，他們新基金的槓桿比率，將保持在相對較低的十五比一，紀律會更嚴格，該公司會採用一套「風險控制系統」，該系統是專門設計以「協助在實際可行的範圍內，確保投資組合公司能夠承受一九九八年所經歷的那類極端事件」。是否真有考慮到先前的金融危機而設計出來的數學系統，能夠確保抵抗未來的市場崩潰，這點還是未知數，但是對於梅里韋瑟來說，成功推出ＪＷＭ是另一次驚人的東山再起，這類事蹟在華爾街向來很聞名。在一場史詩級的金融泡沫破滅中，賠掉四十五億美元（還差點讓整個華爾街與更多人跟著陪葬）的十五個月後，一九九九年十二月，梅里韋瑟募到了二．五億美元，其中大部分來自命運多舛的長期資本的投資人，他再一次沉寂之後再出發了。〔22〕

21 Merrill Lynch, 1998 Annual Report, 50

22 編註：二〇〇九年七月，該基金因嚴重虧損而宣布停業。

本書各章出場人物與機構（少數省略）

前言

長期資本管理公司（Long-Term Capital Management，簡稱ＬＴＣＭ）

約翰．梅里韋瑟（John W. Meriwether）　長期資本管理公司暨旗下基金創辦人。

紐約聯邦準備銀行（Federal Reserve Bank）

大通曼哈頓銀行（Chase Mahattan Bank）

所羅門兄弟銀行（Salomon Brothers）　創於一九一〇年，一九九〇年代末後被旅行者集團併購。

摩根大通集團（J.P. Morgan）

美林證券（Merrill Lynch）

美國聯邦準備系統（U.S. Federal Reserve System）　簡稱美聯準，其理事會簡稱「聯準會」。

艾倫．葛林斯潘（Alan Greenspan）　美聯準的主席。

威廉．Ｊ．麥克唐納（William J. McDonough）　紐約聯邦準備銀行主席。

美國信孚銀行（Bankers Trust）

貝爾斯登銀行（Bear Stearns）　為ＬＴＣＭ旗下基金做結算的銀行。

詹姆斯．凱恩（James Cayne）　貝爾斯登銀行的執行長。

華倫・巴菲特（Warren Buffett）

喬治・索羅斯（George Soros）

高盛銀行（Goldman）

強恩・科津（Jon Corzine）　高盛銀行的執行長，梅里韋瑟在芝加哥大學的同學。

旅行者集團暨所羅門美邦公司（Traveller / Salomon Smith Barney）

桑佛・魏爾（Sanford I. Weill）　旅行者集團暨所羅門美邦公司的董事長。

雷曼兄弟公司（Lehman Brothers）

理查・富爾德（Richard Fuld）　雷曼兄弟的董事長。

瑞銀集團（Union Bank of Switzerland）　縮寫為UBS，注意與「瑞士銀行」有別。

戴維・索洛（David Solo）　一九八六年受聘於「奧康納與夥伴」，後來任職瑞銀集團。

托馬斯・雷伯瑞克（Thomas Labrecque）　大通曼哈頓銀行總裁兼首席運營官。

戴維・科曼斯基（David Komansky）　美林證券的董事長，二〇一一年過世。

赫伯特・艾里森（Herbert Allison）　美林董座戴維・科曼斯基的副手。

第1章——約翰・梅里韋瑟

艾克司登投資公司（J.F. Eckstein &Co.）

約翰・葛德佛倫（John Gutfreund）　所羅門兄弟銀行的經營合夥人。

艾倫・芬恩（Allan Fine）　所羅門兄弟的合夥人。

CNA金融公司（CNA Financial Corporation）

希德尼・霍默（Sidney Homer，一九〇二～一九八三）　債券市場大師，任職所羅門兄弟，著有《利率史》。

馬丁・萊博維茨（Martin Leibowitz） 所羅門兄弟聘用的數學家。
威廉・麥金塔（William McIntosh） 面試梅里韋瑟的所羅門兄弟合夥人。
小克雷格・寇茲（Craig Coats Jr.） 所羅門兄弟的政府債券交易部門負責人。
艾瑞克・羅森菲爾德（Eric Rosenfeld） 原為哈佛商學院的助理教授，先被梅里韋瑟延攬至所羅門兄弟銀行，後來成為LTCM合夥人。
維克多・哈罕尼（Victor J. Haghani） 擁有倫敦政經學院金融學碩士學位，先被梅里韋瑟延攬至所羅門兄弟銀行，後來成為LTCM合夥人。
格雷戈里・霍金斯（Gregory Hawkins） 麻省理工學院的金融經濟學博士，先被梅里韋瑟延攬至所羅門兄弟銀行，後來成為LTCM合夥人。
威廉・克拉斯克（William Krasker） 經濟學家，有麻省理工學院博士學位，是羅森菲爾德在哈佛大學的同事，先被梅里韋瑟延攬至所羅門兄弟銀行，後來成為LTCM合夥人。
勞倫斯・希利伯蘭（Lawrence Hilibrand） 有兩個麻省理工學院的學位，是LTCM的合夥人及旗下基金的主要交易員。
傑伊・希金斯（Jay Higgins） 所羅門兄弟的投資銀行家。
傑拉德・羅森菲爾德（Gerald Rosenfeld） 所羅門兄弟的財務長。
蘭迪・希勒（Randy Hiller） 所羅門兄弟套利小組的抵押貸款交易員，因看不慣該小組的排他性而離職。
米米・默瑞（Mimi Murray） 梅里韋瑟的妻子，馬術家。
保德信證券（Prudential-Bache）
羅納德・佩里曼（Ronald Perelman） 一九八七年對所羅門兄弟進行惡意收購競標。
查理・蒙格（Charlie Munger） 巴菲特的合夥人。

保羅・莫澤（Paul Mozer）所羅門兄弟的交易員，爆發醜聞並牽連到梅里韋瑟。

德里克・莫恩（Deryck Maughan）保羅・莫澤事件後，所羅門兄弟的新任執行長。

第2章——對沖基金

班傑明・葛拉漢（Benjamin Graham）有「價值投資之父」美稱。

量子基金（Quantum Fund）喬治・索羅斯經營的基金。

朱利安・羅伯遜（Julian Robertson）

麥克・史坦哈特（Michael Steinhardt）

阿佛雷德・溫斯洛・瓊斯（Alfred Winslow Jones）

丹尼爾・塔利（Daniel Tully）一九九三年時的美林證券董事長。

羅伯特・C・默頓（Robert C. Merton）哈佛大學的金融領域頂尖學者，LTCM合夥人。

羅伯特・K・默頓（Robert K. Merton）著名社會學家，羅伯特・C・默頓的父親。

保羅・薩繆爾森（Paul Samuelson）專長數理經濟學的知名學者，羅伯特・C・默頓曾在他的旗下工作。

史丹・喬納斯（Stan Jonas）法國興業銀行的衍生性金融商品專家。

費雪・布雷克（Fischer Black）經濟學家。

邁倫・舒爾茲（Myron S. Scholes）經濟學家，曾在所羅門兄弟設立專事衍生性金融商品交易的子公司，後來成為LTCM合夥人。

戴爾・邁爾（Dale Meyer）任職美林證券。

洛茲集團（Loews Corporation）

長期資本投資組合（LTCP）LTCM在開曼群島的合夥企業。

托馬斯・貝爾（Thomas Bell） LTCM委託的律師。

盛信律師事務所（Simpson Thacher & Bartlett） 托馬斯・貝爾與人合夥創立的事務所。

愛德森・米契（Edson Mitchell） 美林證券的高層，負責監督長期資本的基金募資之事。

大衛・科曼斯基（David Komansky） 負責美林證券的資本市場。

康塞科（Conseco） 大型保險公司。

安德魯・周（Andrew Chow） 康塞科的衍生性金融商品交易員。

麥克斯威爾・巴布利茨（Maxwell Bublitz） 康塞科的投資部門負責人。

尤金・法馬（Eugene F. Fama） 學者，發展有效市場假說。

默頓・米勒（Merton H. Miller） 學者，發展有效市場假說。

維克多・尼德霍夫（Victor Niederhoffer） 邁倫・舒爾茲在芝加哥大學的同窗同學。

雷蒙・拜爾（Raymond Baer） 瑞士銀行家，最終投資了長期資本旗下基金。

理查・黎伊（Richard F. Leahy） 所羅門兄弟的高階主管，後來成為LTCM合夥人。

詹姆斯・麥肯泰（James J. McEntee） 曾經創辦債券交易公司，後來成為LTCM合夥人。

大衛・W・穆林斯（David W. Mullins） 美國聯邦準備委員會副主席，後來成為LTCM合夥人。

尼古拉斯・布雷迪（Nicholas Brady） 大衛・W・穆林斯任職財政部時的上司。

皮耶安東尼奧・錢佩科萊（Pierantonio Ciampicali） 負責監督義大利外匯局投資活動。

瑞士寶盛銀行（Bank Julius Baer） 瑞士民營銀行。

紐約共和國集團（Republic New York Corporation）

艾德蒙・薩夫拉（Edmond Safra） 銀行家，經營管理紐約共和國集團。

加蘭蒂亞銀行（Banco Garantia） 巴西最大的投資銀行。

菲爾・奈特（Phil Knight） 運動鞋龍頭耐吉的執行長。

麥肯錫夥伴公司（McKinsey & Company） 精英顧問公司。

羅伯特・貝爾佛（Robert Belfer） 紐約石油的高階主管。

典範顧問公司（Paragon Advisors）

特倫斯・蘇利文（Terence Sullivan） 典範顧問公司的總裁。

潘恩韋伯投資銀行（Paine Webber）

唐納・梅倫（Donald Marron） 潘恩韋伯投資銀行的董事長。

百得公司（Black & Decker Corporation）

總統人壽保險公司（Presidential Life Corporation）

第3章——新發行公債

亞斯金資本管理公司（Askin Capital Management） 專門從事抵押貸款交易的對沖基金。

瑞士信貸第一波士頓（Credit Suisse First Boston）

尼爾・索斯（Neil Soss） 瑞士信貸第一波士頓的經濟學家。

凱文・鄧利維（Kevin Dunleavy） 美林證券的業務員。

瑞士銀行（Swiss Bank Corporation）

安德魯・西西利亞諾（Andrew Siciliano） 瑞士銀行的債券和貨幣部門負責人。

阿爾貝托・喬瓦尼尼（Alberto Giovannini） 曾經就讀麻省理工學院，擔任過義大利財政部官員，也是哥倫比亞大學教授，受聘ＬＴＣＭ。

傑拉德・吉諾提（Gérard Gennotte） 麻省理工學院畢業生，比利時駐義大利大使的兒子，受聘ＬＴＣＭ。

包波斯特集團（Baupost Group）

席司・克拉曼（Seth Klarman）　包波斯特集團的普通合夥人。

第4章——親愛的投資人

彼得・羅森塔爾（Peter Rosenthal）　LTCM的媒體發言人。

羅伯特・史塔維斯（Robert Stavis）　所羅門兄弟時期曾在套利小組工作，後來成為該公司套利部門主管。

彼得・伯恩斯坦（Peter Bernstein）　金融史學家。

米奇・卡普爾（Mitchell Kapor）　艾瑞克・羅森菲爾德的朋友。

保羅・薩繆爾森（Paul Samuelson）　羅伯特・C・默頓在麻省理工學院的導師。

羅伯特・魯賓（Robert Rubin）　美國財政部長（一九九五～一九九九）、前高盛套利交易員。

勞勃・席勒（Robert J. Shiller）　美國經濟學家，任職耶魯大學。

大衛・德羅薩（David DeRosa）　在耶魯大學任教的貨幣交易員。

威廉・F・夏普（William F. Sharpe）　獲得諾貝爾獎的經濟學家，是LTCM某個投資人的顧問。

第5章——拔河比賽

富達麥哲倫基金（Fidelity Magellan Fund）　當時最大的共同基金。

布魯克斯利・伯恩（Brooksley Born）　商品期貨交易委員會主席。

約翰・蘇科（John Succo）　雷曼兄弟的交易經理人。

丹尼爾・納波利（Daniel Napoli）　美林證券的風險經理。

史蒂芬・貝洛提（Stephen Bellotti）　任職美林證券，主管外匯交易。

文森・麥湯尼（Vincent Mattone） 在所羅門兄弟工作過，梅里韋瑟在貝爾斯登的朋友。

艾倫・格林伯格（Alan Greenberg） 貝爾斯登的董事長，年近七旬。

麥克・亞利克斯（Michael Alix） 貝爾斯登的信貸部門高級主管。

大衛・福勒格（David Pflug） 在大通曼哈頓的全球信貸部門主管，與梅里韋瑟熟識。

華特・施普萊（Walter Shipley） 大通曼哈頓銀行的執行長。

朗恩・坦南鮑姆（Ron Tannenbaum） 前所羅門兄弟業務員，LTCM在瑞銀集團的重要盟友。

馬西斯・卡比亞拉維塔（Mathis Cabiallavetta） 瑞銀集團的執行長。

拉米・戈德斯坦（Ramy Goldstein） 瑞銀集團的股票衍生性金融商品業務負責人。

漢斯－彼得・鮑爾（Hans-Peter Bauer） 瑞銀集團的固定收益、貨幣和衍生性金融商品主管。

羅貝托・門多薩（Roberto Mendoza） 摩根大通的副董事長，出身哈佛大學，也是前古巴駐英國大使的兒子。

科斯塔斯・卡普蘭尼斯（Costas Kaplanis） 梅里韋瑟在所羅門兄弟的交易員，但未加入LTCM。

第6章——諾貝爾獎

義大利國家勞工銀行（Banca Nazionale del Lavoro） 簡寫為BNL。

義大利電信集團（Telecom Italia）

義大利行動通訊公司（Telecom Italia Mobile）

波頓・麥基爾（Burton Malkiel） 經濟學家。

大衛・莫德斯特（David Modest） 出身麻省理工學院的經濟學家，任職LTCM。

荷蘭皇家殼牌公司（Royal Dutch/Shell）

丹尼爾・提許（Daniel Tisch） 著名的風險套利者。

MCI通訊（MCI Communications）

大衛·史文森（David Swensen） 耶魯大學博士，任職所羅門兄弟。

世界銀行（World Bank）

德國金屬公司（Metallgesellschaft）

切斯特·費爾德伯格（Chester Feldberg） 紐約聯邦準備銀行的執行副總裁。

史蒂夫·佛瑞德漢姆（Steve Freidheim） 美國信孚銀行的交易員兼對沖基金經理。

愛德華和威廉·奧康納（Edward and William O'Connor） 做大豆買賣的兄弟檔。

奧康納與夥伴（O'Connor & Associates） 愛德華和威廉·奧康納創的衍生性金融商品公司。

戴維·索洛（David Solo） 來自麻省理工學院，受聘於「奧康納與夥伴」的量化交易員。

馬塞爾·奧斯佩爾（Marcel Ospel） 瑞士銀行的國際部負責人。

華寶銀行（S. G. Warburg） 原為英國最大的投資銀行，後在馬塞爾·奧斯佩策畫下於一九九五年被瑞士銀行收購。

史蒂文·舒爾曼（Steven Schulman） 瑞銀集團的風險經理。

瓦納·波納道爾（Werner Bonadurer） 任職瑞銀集團。

瑞士信貸（Crédit Suisse）

富利銀行（Fleet Bank）

里昂信貸銀行（Crédit Lyonnais）

漢斯·赫夫施密德（Hans Hufschmid） 任職LTCM，專門從事貨幣交易。

黃奇輔（Chi-fu Huang） 麻省理工學院著名數學家和電腦模擬專家，營運管理LTCM東京辦事處。

克里希那馬哈（Arjun Krishnamachar） 所羅門兄弟的前交換交易交易員，營運管理LTCM東京辦事處。

安德烈・施萊費爾（Andrei Shleifer） 哈佛大學教授。

羅伯特・韋時尼（Robert W. Vishny） 芝加哥大學教授。

卡里姆・阿布德爾－莫塔爾（Karim Abdel-Motaal） 摩根大通的新興市場大師。

馬哈地・穆罕默德（Mahathir Mohamad） 馬來西亞總理。

詹姆士・伍芬桑（James Wolfensohn） 世界銀行行長。

波克夏・海瑟威公司（Berkshire Hathaway）

希爾盛雷曼公司（Shearson Lehman）

葛雷格・傑瑞爾（Gregg Jarrell） 羅徹斯特大學的芝加哥學派經濟學家。

藍迪・席勒（Randy Hiller）

第7章——波動性銀行

安德魯・霍爾（Andrew Hall） 一九八〇年代曾在所羅門工作的石油交易員。

馬丁・西格爾（Martin Siegel） 任職LTCM，處理巴西和其他新興市場。

亞倫・蘇尼爾（Alain Sunier） 任職LTCM，懂統計學的年輕股票研究員。

喜達屋酒店與度假村（Starwood Hotels & Resorts）

羅伯特・麥克唐納（Robert McDonough） 美林證券負責對沖基金的信貸主管。

理查・鄧恩（Richard Dunn） 美林證券的歐洲與英國債務市場主管。

花旗集團（Citicorp）

詹姆士・葛蘭特（James Grant） 時事通訊出版商。

洛伊德・布蘭克費恩（Lloyd Blankfein） 高盛的合夥人。

彼得・費雪（Peter Fisher） 任職紐約聯邦準備銀行，負責交易活動。

史蒂夫・弗雷德海姆（Steve Freidheim） 美國信孚銀行高階主管。

傑米・戴蒙（Jamie Dimon） 旅行者集團董事長桑佛・魏爾的高級副手。

史蒂芬・布萊克（Steven Black） 所羅門美邦的全球股票業務主管。

謝爾蓋・杜比寧（Sergei Dubinin） 俄羅斯央行行長。

提姆・弗雷德里克森（Tim Fredrickson） 瑞士銀行衍生性金融商品業務負責人

詹姆斯・里卡茲（James Rickards） LTCM的法律總顧問。

馬修・阿列克西（Matthew Alexy） 瑞士信貸第一波士頓的策略師。

菲力克斯・費許（Felix Fischer） 瑞銀集團的首席風險管理執行官。

華特・瑞斯頓（Walter Wriston） 花旗銀行的董事長。

鮑利斯・葉爾辛（Boris Yeltsin） 俄羅斯總統。

勞勃・薩斯塔克（Robert Shustak） LTCM的財務長。

傑佛瑞・范德貝克（Jeffrey Vanderbeek） 雷曼兄弟的固定收益部門主管。

艾曼・辛迪（Ayman Hindy） LTCM的研究人員，曾擔任史丹佛大學的教授。

第8章——垮臺

羅伯特・史壯（Robert Strong） 大通曼哈頓的信貸總監。

莫里斯・戈德斯坦（Morris Goldstein） 國際貨幣基金組織的前高級官員。

巴克萊銀行（Barclays）

馬特・扎姆斯（Matt Zames） LTCM交易員。

麥克・瑞斯曼（Mike Reisman） LTCM回購交易員。

泰樂公司（Tellabs Inc.）

史坦利・德魯肯米勒（Stanley Druckenmiller） 喬治・索羅斯的頂級策士。

共和國國家銀行（Republic National Bank）

勞合銀行（Lloyds）

柯蒂斯・尚博（Curtis Shambaugh）

第9章——人性因素

詹姆斯・克瑞莫（James Cramer）

穆迪投資者服務公司（Moody's Investors Service）

麥可・戴爾（Michael Dell）

巴斯家族（Bass）

齊夫兄弟（Ziff Brothers）

老虎基金管理公司（Tiger Management） 大型對沖基金營運商。

朱里安・羅伯森（Julian Robertson） 老虎基金管理公司負責人。

馬龍・皮斯（Marlon Pease） 匹茲堡大學財務總監馬龍・皮斯。

威廉・夏普（William Sharpe）

華倫・史貝克特（Warren Spector） 貝爾斯登的執行副總裁。

唐納德・萊頓（Donald Layton）

蓋瑞・布林森（Garry Brinson）

史蒂芬·佛瑞德曼（Stephen Friedman）

蘇利文·克倫威爾律師事務所（Sullivan & Cromwell） 代表高盛的外部律師事務所。

雅各·戈德菲爾德（Jacob Goldfield） 高盛團隊負責辦事處營運的重要成員。

美國國際集團（American International Group） 簡寫為ＡＩＧ。

阿瓦里德·本·塔拉勒·阿紹德（Al Waleed bin Talal bin Abdulaziz al-Saud） 沙烏地阿拉伯王子。

理查·貝克（Richard Baker）

通用再保險公司（General Re）

東尼·伊利亞（Tony Iliya） 通用再保險公司的衍生性金融商品子公司的倫敦負責人。

羅伯·阿德里安（Rob Adrian） 所羅門兄弟的股票風險管理負責人。

安迪·康斯坦（Andy Constan） 負責所羅門兄弟的衍生性金融商品交易。

馬可·魏爾（Marc Weill） 桑佛·魏爾的兒子。

湯姆士·馬赫拉斯（Thomas Maheras）

彼得·赫希（Peter Hirsch）

約翰·塞恩（John Thain） 高盛銀行的財務長。

彼得·克勞斯（Peter Kraus） 高盛銀行的投資銀行家。

彼得·漢考克（Peter Hancock）

約瑟夫·布蘭登（Joseph Brandon）

約翰·懷特海德（John Whitehead） 紐約聯準銀行主席。

華特·瑞斯頓（Walter Wriston）

古斯·李維（Gus Levy）

第10章——在聯準會

迪諾·柯斯（Dino Kos） 紐約聯準銀行的彼得·費雪的助理。
蓋瑞·詹斯勒（Gary Gensler） 財政部助理部長，也是財政部長羅伯特·魯賓在高盛時的合夥人。
德崇證券（Drexel Burnham Lambert） 一九九〇年的垃圾債券大王。
布魯斯·威爾森（Bruce Wilson）
道格拉斯·華納（Douglas Warner） 摩根大通的董事長。
莫里斯·格林伯格（Maurice Greenberg） ＡＩＧ保險公司的董事長。
克萊頓·羅斯（Clayton Rose） 摩根的股權部門主管。
艾倫·惠特（Allen Wheat） 瑞士信貸第一波士頓的執行長。
菲利普·珀塞爾（Philip Purcell） 摩根史坦利的董事長。
桑迪·華納（Sandy Warner）
湯瑪士·盧索（Thomas Russo） 雷曼兄弟的法務長。
湯姆·戴維斯（Tom Davis） 任職美林證券。
世達律師事務所（Skadden, Arps, Slate, Meagher & Flom） 美林證券的外部律師事務所。
菲利普·哈里斯（Philip Harris） 世達律師事務所的合夥人。
J·格里高利·米爾默（J. Gregory Milmoe） 世達律師事務所的合夥人，代表美林證券談判。
理查·格拉索（Richard Grasso） 紐約證交所的主席。
約翰·米德（John Mead） 高盛的法律顧問，任職蘇利文·克倫威爾律師事務所。
彼得·卡奇斯（Peter Karches） 摩根史坦利的代表。
麥特·扎姆斯（Matt Zames） ＬＴＣＭ的交易員。

約瑟夫·弗洛姆（Joseph Flom） 世達律師事務所的冠名合夥人。
威廉·哈里森（William Harrison） 大通曼哈頓銀行的副董事長。
羅伯特·卡茨（Robert Katz） 高盛的內部法律顧問。
法蘭克·紐曼（Frank Newman） 美國信孚銀行的董事長。
加拿大豐業銀行（Bank Nova Scotia）
威廉·羅德斯（William Rhodes） 花旗銀行的副董事長。

結局

康拉德·沃斯塔德（Conrad Voldstad）
艾茵·蘭德（Ayn Rand）
大衛·倫克爾（David Runkel） 美國眾議院銀行委員會的發言人。
派屈克·帕金森（Patrick Parkinson）
華特·韋納（Walter Weiner）

FOCUS 31

跌落神壇的金融天才

史上最大對沖基金LTCM興衰啟示錄

When Genius Failed

The Rise and Fall of Long-Term Capital Management

作　　者　羅傑．羅溫斯坦（Roger Lowenstein）
譯　　者　林東翰
責任編輯　林慧雯
封面設計　萬勝安

編輯出版　行路／遠足文化事業股份有限公司
總 編 輯　林慧雯
社　　長　郭重興
發 行 人　曾大福
發　　行　遠足文化事業股份有限公司　代表號：（02）2218-1417
　　　　　23141新北市新店區民權路108之4號8樓
　　　　　客服專線：0800-221-029　傳真：（02）8667-1065
　　　　　郵政劃撥帳號：19504465　戶名：遠足文化事業股份有限公司
　　　　　歡迎團體訂購，另有優惠，請洽業務部（02）2218-1417分機1124、1135
法律顧問　華洋法律事務所　蘇文生律師
特別聲明　本書中的言論內容不代表本公司／出版集團的立場及意見，
　　　　　由作者自行承擔文責。

印　　製　韋懋實業有限公司
初版一刷　2023年1月

定　　價　630元
I S B N　9786269622351（紙本）
　　　　　9786269622382（PDF）
　　　　　9786269622399（EPUB）

國家圖書館預行編目資料

跌落神壇的金融天才：
史上最大對沖基金LTCM興衰啟示錄
羅傑．羅溫斯坦（Roger Lowenstein）著；林東翰譯
一初版一新北市：行路出版
遠足文化事業股份有限公司發行，2023年1月
面；公分（Focus；31）
譯自：When Genius Failed: The Rise and Fall
of Long-Term Capital Management
ISBN 978-626-96223-5-1（平裝）
1. CST：基金　2. CST：投資
5663.5　　111011121